ÉCLAIRCISSEMENTS

HENRI GUILLEMIN

Éclaircissements

nrf

GALLIMARD

Racine en 1677

On serait tenté d'appeler ça, en style d'aujourd'hui, « l'énigme 77 ». L'énigme de l'année 1677 dans la vie de Jean Racine. Vous vous souvenez? Péguy, dans *Victor-Marie comte Hugo* : Racine, après *Phèdre*, « *coupa court* », cessa d'écrire pour le théâtre, « *par le plus audacieux arrêt qu'il y ait peut-être dans l'histoire des lettres* », l'arrêt « *le plus mystérieux, le plus secret* ». (Mais Rimbaud? Péguy ne s'intéressait pas à Rimbaud; ne le connaissait sans doute même pas). Pour François Mauriac, il s'agit là d'un « *sacrifice démesuré* »; « *la plus grande exigence de Dieu* ».

Bien des clefs ont été essayées, depuis deux siècles, pour venir à bout du « secret ». On a cherché des explications simples :

— Que Racine, tout bonnement, s'il renonce au théâtre, c'est qu'il se sent, un peu, à bout de souffle; que sa veine est tarie; qu'il a stoppé net pour finir en beauté, s'épargnant ainsi le triste destin du vieux Corneille, lequel n'a pas su s'arrêter à temps.

Mais les objections ne manquent pas; et celle-ci est la plus sérieuse; vidé, Racine, littérairement, en 1677? Fini? Alors comment se fait-il que, douze ans plus tard, lorsqu'il lui sera expressément demandé, ordonné, de redevenir dramaturge, il ait eu si peu de peine à créer, de nouveau, des chefs-d'œuvre; au moins un, en tout cas, *Athalie?*

— Qu'il s'éloigne du théâtre parce que la Champmeslé le quitte pour le jeune Clermont-Tonnerre. Mais l'a-t-elle vraiment quitté la première? Ne serait-ce pas lui qui

aurait rompu? Et quand même son amie se fût montrée
douce à l'égard de Clermont-Tonnerre, ce n'eût été,
dans le petit groupe aimable que M. Chevillet, époux
de l'actrice, voyait sans déplaisir autour de sa femme
(Racine, bien sûr, *l'auteur*, ayant là rang privilégié)
qu'un compagnon de plus pour leurs divertissements.

— Que Racine a pris peur; que l'Affaire des Poisons
dans laquelle il se vit brusquement impliqué, l'incita à
rompre tous liens avec les milieux « *interlopes* » du
théâtre, et avec les très compromettants souvenirs de
sa liaison avec Thérèse Du Parc, de la mort, suspecte, de
cette comédienne.

C'est vrai, il y eut un mauvais moment dans la vie de
Racine, cette heure où, comme écrivait si joliment
Claudel, « *la gendarmerie nationale ne dédaigna pas
d'abaisser sur lui un regard pensif* ». Mais ce sont les
dates qui ne s'accordent pas. La décision prise par
Racine d'abandonner le théâtre est du printemps 1677;
et l'accusation portée contre lui par la Voisin (arrêtée
le 12 mars 1679) est du 21 novembre 1679. Au printemps 1677, Racine a toutes raisons de tenir pour ense-
velies, pour effacées à jamais, les craintes qui, peut-être,
oui, avaient été les siennes *neuf ans plus tôt*, en décembre 1668.

— Que Racine fut bouleversé par la cabale montée
contre lui, contre sa *Phèdre*, du côté de puissants personnages, avec le concours de Pradon qui servait d'instrument. Valincourt le vit « *au désespoir* » lorsque *Phèdre*
faillit sombrer. Parce que le duc de Nevers, supporter
de Pradon, le tenait, lui, Racine, pour l'auteur d'un
sonnet assez atroce et annonçait, à voix haute, son
intention de le faire « *bâtonner* », Racine a cherché refuge
chez les Condé, et s'est terré dans leur hôtel.

Racine, académicien, et qui a cru accéder, en 1674,
grâce à la charge, anoblissante, de Trésorier du Roi, à
un rang social qui le met déjà fort au-dessus de ces
écrivailleurs et poéteraux dédaignés, méprisés des
grands, Racine vient de mesurer, dans ce petit drame
de la cabale Bouillon-Nevers, à quel point il reste encore
vulnérable. Et l'envie doit s'accroître en lui, furieusement, d'annuler une bonne fois toute confusion possible
entre un homme comme lui et cette pauvre tourbe des

amuseurs professionnels qui tentent de vivre du public
ou des aumônes du pouvoir.

Tout cela semble exact, c'est pourquoi l'on nous
invite aujourd'hui à penser que la raison véritable de
la décision prise par Racine en 1677 se situe dans le
souci — fil d'Ariane de toute sa carrière — dans l'ambition acharnée qu'on lui voit, et dès ses débuts, de se
hisser à la condition d'homme de cour. Un homme de
cour ne saurait être un théâtreux. Et c'est en 1677,
précisément, que Racine décroche ce titre dont nous
avons la preuve qu'il y rêvait de longue date (cf. la
« dédicace » au Roi de son *Alexandre*, 1666) : il devient
historiographe en titre de Sa Majesté. Promotion verti-
gineuse, qui fera scandale, ou presque, qui mettra hors
d'eux-mêmes des gens comme Bussy-Rabutin. Est-il
fort, le gaillard! Il a enlevé cette place énorme! Le voilà
mêlé aux gens de condition, admis chez eux, de force,
et par la volonté du Roi. Un monsieur. Et à qui Saint-
Simon en personne décernera plus tard cet éloquent
satisfecit : « *Rien du poète, dans son commerce ; tout de
l'honnête homme.* » « *Rien du poète?* » Autrement dit, ce
M. Racine a réussi le tour de force de faire peau-neuve.
Il s'est merveilleusement *décrassé*. Plus rien, sur lui,
de ces relents, intolérables dans la bonne compagnie, que
traînent après eux les gens de lettres.

Autrement dit encore : le théâtre, la poésie, son génie
même, Racine, de tout cela, n'aura fait qu'un marche-
pied en vue de son élévation. Le théâtre payait bien.
Mais les 6.000 livres annuelles de l'historiographe
(disons, grosso modo, le pouvoir d'achat, aujourd'hui,
de 50.000 NF) c'est autre chose, et de bonne odeur. Il
cumule, au surplus. Il garde sa pension, allouée en 1664,
et qu'il a su, lentement, gonfler, de 600 livres à
1.500 livres; il a ses revenus de Trésorier (2.400 livres).
En 1677, Racine, homme de cour, perçoit, par an, tout
près de 10.000 livres; et quand il aura, en 1690, obtenu
par surcroît la charge de Gentilhomme Ordinaire — sa
pension, d'autre part, ayant été portée, en 1679, à
2.000 livres — Jean Racine sera partie prenante, au
budget de l'État, pour une somme équivalente, en
monnaie d'aujourd'hui, à quelque 100.000 NF.
Une bonne chose de faite, comme on voit, son troc

de 1677 : la Tragédie contre l'Histoire laudative.

Conclusion : drôle de « sacrifice ». Racine, en 1677, ressemble fort peu à un immolé. Quelqu'un, tout au contraire, qui se frotte les mains; quelqu'un (enfin! enfin!) qui a *gagné*.

Soit. Reste une question ouverte, encore aujourd'hui sans réponse. Ces quelques notes n'ont d'autre objet que d'établir qu'elle se pose effectivement, et de manière indubitable, cette question-là; et de proposer en passant, et sur un point, une conjecture.

Raymond Picard, à qui nous devons (1956) un admirable tableau de *La Carrière de Jean Racine*, se garde bien de croire qu'un homme s'absorbe dans sa carrière, et qu'une fois cette carrière connue, l'être lui-même nous est livré. L'année 1677, pour Racine, de quelque manière qu'on l'envisage, le fait est là, est celle d'un tournant. Tournant dans la carrière; heureux, bienheureux tournant. Mais tournant, aussi, d'une autre sorte, dans la vie privée. Entrée, là aussi, sur une autre route. Et je ne suis pas sûr que les deux choses aient entre elles les rapports qu'on leur prête. Le mariage de Racine est-il bien dans la ligne de sa carrière? N'a-t-il vraiment, Racine, lorsqu'il se marie, d'autre dessein que d'établir à tous les regards qu'il est un homme rangé, désormais, hautement estimable, et propre, tout à fait, à cette grande charge dont il brûle d'être honoré?

Et d'abord, je n'affirmerais pas que Racine a quitté le théâtre *pour* devenir historiographe; je veux dire dans cette intention précise. Nous savons — non par son fils Louis, ce « *pieux ivrogne* », comme l'appelle Mauriac; cet homologue, pour Racine, de ce qu'est Isabelle, pour Rimbaud; ce niais sirupeux qui exaspérait son frère Jean-Baptiste — nous savons ceci par Jean-Baptiste : lorsque Racine se fiança, au printemps 1677, avec Catherine de Romanet, il ne lui cacha point que, dans les ressources du ménage, ils ne devraient pas compter sur les produits de son activité théâtrale, *attendu qu'il n'écrirait plus pour le public*. Ainsi, à cette époque, la détermination de Racine *est déjà prise*. Et nous sommes

en avril, ou en mai 1677 (le contrat de mariage est du
30 mai). Or, de quand date sa nomination d'historiographe? Au plus tôt de la fin de l'été 1677. Racine aurait
donc quitté le théâtre bien avant de savoir qu'il rece-
vrait le poste d'historiographe. Et, loin de plaire au
souverain en optant pour cette retraite, il aurait plutôt
couru le risque de voir se froncer les sourcils de Sa
Majesté en présence de sa dérobade : le fournisseur le
plus apprécié des divertissements versaillais, tout à coup,
qui se récuse. Attention, pourtant. Une nomination
d'historiographe ne s'effectue pas à la hâte; c'est une
œuvre de longue haleine, pesée et méditée; et il demeure
fort concevable que, sans le dire à Catherine, dès le
printemps 1677, et par la grâce de la Montespan, Racine
ait commencé à entrevoir comme accessible à ses efforts
cette compensation suréminente.

Où les choses commencent à revêtir un aspect tout à
fait neuf, et où devient probable, puis évident, qu'en
1677 quelque chose est survenu dans la vie intérieure
de Racine, c'est avec la préface de *Phèdre*, imprimée le
15 mars. J'entends bien qu'il n'y a, dans cette préface,
rien de « *théologique* », et que Racine y paraît surtout
occupé de montrer la gloire littéraire compatible avec
l'estime des honnêtes gens. Mais on aura beau faire pour
vider ce texte de sa substance, en omettre telle phrase
capitale (dans sa pièce, pour la première fois, « *les fai-
blesses de l'amour* » sont données pour « *de vraies fai-
blesses* ») et masquer l'idée de « *punition* » qui s'y trouve
expressément incluse, impossible de nier qu'il contient,
et de façon claire, une allusion aux gens de Port-Royal;
ces « *personnes célèbres par leur piété et leur doctrine* »
(au singulier) qui « *dans ces derniers temps* » ont « *condamné* » la tragédie, aucun doute à avoir : c'est Nicole,
c'est Port-Royal. Racine, sous nos yeux, fait un pas à
leur rencontre, et leur tend timidement la main. Ce ton,
chez lui, tellement inhabituel, presque suppliant : « *Ce
serait peut-être un moyen de réconcilier la tragédie avec
(etc...)* »! Bien révolu, le temps où il ne lui suffisait pas
de ridiculiser ses anciens maîtres, mais où il s'appliquait
à les rendre odieux. Tout est changé. A la place de la
haine, un regard d'appel, et l'attestation, pour le moins,
d'un respect. Le nom de Port-Royal n'était pas pro-

noncé, mais pas un lecteur ne pouvait se méprendre. Et
ce n'était guère, pour Racine, une manière de flatter le
pouvoir que de se conduire comme il le faisait à l'égard
de ces jansénistes tenus en suspicion par Louis XIV.
L'armistice entre le pouvoir et Port-Royal a pris fin en
1675. Les intérêts de sa carrière devraient déconseiller
à Racine une phrase pareille dans sa préface. Il l'écrit
pourtant et la rend publique.

La préface de *Phèdre* nous fournit donc deux certitudes qu'il importe d'enregistrer. La première, que
Racine, à l'improviste, en mars 1677, manifeste envers
Port-Royal des dispositions très différentes de celles
qu'on lui avait vues naguère. La seconde, qu'il attache
assez de prix à ne rien cacher de ce changement pour
n'hésiter point, au risque même de se compromettre, à
l'accomplissement public, en direction de Port-Royal,
d'un geste qui, de sa part, prend figure d'amende honorable.

Mais il y a bien autre chose pour nous alerter et nous
confirmer dans le sentiment, issu du seul examen des
faits, que Racine, au début de l'année 77, traverse un
tumulte secret. Son mariage; les conditions de ce
mariage; la précipitation de ce mariage.

Racine se marierait pour s'assurer une « *considération* »
plus solide? La jeune fille qu'il choisit ne peut le servir
en rien dans son avancement. Cette petite provinciale,
orpheline, est entièrement dépourvue de relations utili-
sables. Racine ne l'introduira point à la Cour; il tiendra
au contraire à ce qu'elle n'y paraisse jamais. Le mariage
aurait-il alors pour objet principal d'attester aux yeux
du Roi que Racine tourne à la dévotion? Façon de
plaire? Une fois de plus, là, erreur de date. Pas plus que
Racine ne s'est éloigné du théâtre, en 1677, sous l'effet
d'une « *panique* » dont la raison d'être naquit en 1679
seulement, pas davantage, en 1677, son changement
d'existence ne saurait s'expliquer par quelque confor-
misme délibéré et fructueux. La « conversion » régnait
alors à la cour, écrit un commentateur, « *à l'état endé-
mique* »? Oh non! Nous n'en sommes pas, tant s'en faut,

en 1677, à l'Ordre Moral qui s'établira plus tard, à
Versailles, sous l'influence de la Maintenon. En 1677, le
roi a toujours la Montespan pour maîtresse. Il l'échan-
gera même, quelques mois, en 1679, contre la petite
Fontanges, plus fraîche. En aucune manière, au début de
l'année 1677, Racine ne saurait songer à « faire sa cour » en
renonçant à des amours irrégulières pour s'enchâsser dans
la morale. Et de même, bien plutôt, qu'il s'expose à déplaire
au souverain en se rapprochant de Port-Royal, de même
ce n'est point à l'approbation bénisseuse de la Cour,
mais à ses sourires narquois qu'il s'offre en désertant les
coulisses pour le métier de père de famille.

Et voici l'indication grave, qui, si elle est exacte
(comme je crois qu'elle l'est) renverse, de soi, toute
explication des comportements de Racine, au printemps
1677, par un calcul d'ambitieux. Avant de se décider
pour la vie conjugale, Racine aurait été sur le point
d'entrer au cloître. Nous ne tenons cette information
que du seul Louis, son fils; et Louis, certes, est un
témoin sujet à caution. Il ne suffit pas, toutefois, qu'un
témoin ait été pris en flagrant délit de fabulations et
d'embellissements pour qu'une sage critique se refuse
définitivement à l'entendre. Isabelle Rimbaud, c'est
incontestable, s'est trompée plusieurs fois, et, dans un
cas au moins, nous a trompés, sciemment, sur son frère.
Il reste que, vérifications faites, Isabelle Rimbaud est
loin d'avoir toujours menti et que nous lui devons même,
sur l'homme de la *Saison en Enfer*, des renseignements
solides et de grande importance. Louis Racine n'a guère
connu son père et parle sans savoir? Quand Jean Racine
est mort, Louis n'avait pas sept ans. Mais il a gardé sa
mère, des années. Et c'est d'elle qu'il tient ce détail.
Ce qui me paraît, d'ailleurs, donner consistance à son
assertion, c'est le complément qu'il y apporte, un peu
plus loin, dans son *Mémoire*. Un complément qui sonne
vrai, et dont on voit mal comment il pourrait être
inventé. Louis Racine s'évertue à nous procurer de son
père une image hagiographique, et un petit fait lui
échappe, qu'il eût mieux valu taire pour le bien de son
entreprise. Résistance du donné; incorporation dans le
récit — fâcheuse, mais inévitable — d'un détail que le
narrateur possède, qui l'embarrasse mais qu'il aurait

honte de passer sous silence. Un paradis, selon ses dires, le foyer Racine? N'empêche qu'il y eut, chez le père, des impatiences, des agacements, et ces mots, à la rencontre, très désobligeants pour sa femme : « *Pourquoi m'a-t-on détourné de me faire chartreux? Je serais bien plus tranquille !* »

« *Ni l'amour ni l'intérêt n'eurent aucune part à son choix. Il ne consulta que la raison.* » C'est de Louis Racine, encore. De ce pataud de Louis Racine, de ce mufle de Louis Racine. Car la phrase que nous venons de lire, et où le fils parle de son père, ne concerne pas autre chose que ce mariage même auquel M. Louis doit d'exister et d'écrire. Sa mère est morte, par bonheur, quand il publie, en 1747, ces lignes épaisses. Vous l'entendez? D'amour, pas question — soyons sérieux! — dans le mariage de mon père. Si mon père épousa celle qui me mit au monde, qu'on le sache bien, il ne l'aimait aucunement. Mais qu'on ne s'y trompe pas non plus; mon père ne fit pas un mariage d'argent. Ce qui est véridique. Catherine de Romanet est aisée; point richissime. Elle dispose d'environ 5.000 livres de revenus, — soit la moitié de ce que touche, de l'État, son mari.

Catherine de Romanet n'est pas analphabète, mais elle est illettrée. Elle ne lit rien. Elle ne lira même jamais un seul vers des tragédies de son époux. Elle ignore ce qu'est un alexandrin. Parfait. La femme au foyer. Sa culture? Le catéchisme. Ses lectures? Son livre de messe. Quelqu'un a cru pouvoir écrire : Racine a « *choisi sa femme comme s'il se fût appelé Chrysale* ». Mais je pencherais à évoquer là un autre nom, de préférence.

Et cette hâte qu'il a de tout régler, d'en finir! Le 29 mai, l'archevêque de Paris accorde à Racine, sur sa demande, la dispense de deux bans. Contrat, le 30. Mariage à Saint-Séverin, le 1er juin. (Non, ce n'est pas ce que vous pensez : le premier-né de Mme Racine ne verra le jour que dix-sept mois après le mariage.) Tout se passe comme si Racine, qui n'avait nullement, le 15 mars encore, dans sa préface de *Phèdre*, l'allure d'un

qui va vers le cloître, en deux mois avait parcouru un
long chemin assez tournoyant, de l'Hôtel de Bourgogne
aux portes d'un couvent, et de ce lieu redoutable au
havre plus doux du mariage. Tout se passe comme si,
résolu à changer d'existence, à la suite d'événements
que nous ignorons, mais qui le pressent, Racine avait
d'abord songé à tout quitter pour entrer dans les ordres,
puis s'était ravisé, soit qu'on l'en eût, selon lui,
« *détourné* », soit que son courage eût défailli devant
l'engagement monacal (soit, plus probablement, qu'il
se fût fait déconseiller un parti qui l'épouvantait). Il
s'était ravisé, et d'un sacrement trop rude, l'ordre,
s'était replié sur un sacrement plus adapté à sa faiblesse,
le mariage. *Mais c'était bien, dans sa pensée, d'un sacrement qu'il s'agissait.*

Chrysale? Non, Claudel.

Lui aussi, Paul Claudel, quittant les bras d'Ysé, après
avoir, jadis, songé à la vie conventuelle qui l'a terrifié,
soupèse à nouveau, en 1905, la question du cloître et
opte finalement (sur de bons conseils qui correspondent
à ses vœux), à la place du sacrement numéro six pour
le sacrement numéro sept, plus conforme à sa nature.
Et il y entre vite, mais à plein cœur, mais totalement,
religieusement.

Racine n'a pas besoin du reste — lui non plus —
d'un retournement. Ce déserteur n'avait jamais été un
renégat. Quels qu'aient été ses « crimes », jamais on ne
l'avait vu « esprit fort ». Et sa fameuse lettre d'Uzès à
La Fontaine, où il parlait de son « hypocrisie » — lorsqu'il lui fallait affecter, sous la surveillance du R. P. Sco-
nin, son oncle, et en vue de ce bénéfice ecclésiastique si
vainement poursuivi, l'austérité au moins du vêtement
et du langage (« *c'est bien assez de faire ici l'hypocrite* »,
etc...) — lisons-la bien : « *J'appelle hypocrisie d'écrire
des lettres où il ne faut parler que de dévotion, et ne faire
autre chose que de se recommander aux prières.* » Puis :
« *Ce n'est pas que je n'en aie bon besoin; mais je voudrais
qu'on en fît pour moi sans être obligé d'en tant demander.* »
Ce qui veut dire : mais oui, mais je le sais bien, que j'ai

2

« *besoin* » de prières; « *bon besoin* » même. Elles sont là
pour ça, à Port-Royal, ma grand-mère Racine et ma
tante Agnès. Qu'elles ne m'embêtent pas, quand je
cours ma chance (je n'ai pas le sou; j'ai mon avenir à
construire), ma chance et mes plaisirs (ma vie à vivre).
Qu'elles ne me lâchent pas non plus. Qu'elles prient
pour moi, en silence. Ainsi Chateaubriand, dans le pire
tourbillon de ses désordres, qui ne cesse de compter sur
ses « *intercesseurs* », là-haut, sa mère, sa sœur Julie. Et
ce n'est pas le chrétien Mauriac, c'est le marxiste
Lucien Goldmann, qui insiste le plus fortement sur
ceci : que le Racine des années « mondaines », et même
quand il est infâme, à l'égard de ses anciens maîtres, une
« *mauvaise conscience* » le ronge.

Pas d'illumination dans la foudre, chez lui, en 1677.
Nul besoin d'un « chemin de Damas ». Une réadhésion
seulement. Quelqu'un qui se réajuste à lui-même, qui
redonne audience, qui redonne vie et voix au chapitre et
commandement, à la part la plus profonde de son âme,
étouffée, bâillonnée depuis quinze ans. Quelqu'un, de
nouveau, qui dit oui.

Pascal, semblablement, vingt-trois ans plus tôt, avait
parlé de quitter le monde, et ne s'en était point retiré.
Pascal aussi avait eu sa « période mondaine », brève, et
sur laquelle nous savons peu de chose (mais Jacqueline
dira : « *bourbier* » et lui-même pleurera ses « *souillures* »).
Et c'est à la suite de l'événement du lundi 23 novembre
1654 — « la nuit de feu », la nuit des larmes, la nuit du
contact — que Blaise Pascal s'était cru promis à la
solitude avec Dieu.

Faut-il supposer, dans la vie de Racine, une aventure
intérieure du même ordre, ou songer, comme François Mauriac, à ce passage de l' « *ange de midi* » qui sur-
girait, chez certains êtres, à la place de démon méridien?
L'homme tout à coup, qui « *sent la fatigue du passé* »;
l'heure où la mort se discerne, où « *notre destinée prend
figure* », où « *nous ne sommes plus assez aimés pour en
être encore divertis* ». Mais la hâte, la fièvre dont Racine
paraît possédé, en ce printemps 1677, l'urgence qui
semble s'imposer à lui, et jusqu'à la tentation de briser
sa carrière, la dramatique urgence d'un renversement
de sa conduite intime, tout cela indique, tout cela

révèle, chez lui, un ébranlement fondamental, une commotion de sa substance.

Quel ébranlement? Quelle commotion? Ce qui lui est
arrivé et qui l'a rendu tel qu'il nous apparaît, si fébrile,
et qui le détermine à ce coup de frein, à cette volte-face,
à cette séparation d'avec « *le péché* », qu'est-ce que c'est?
Qu'est-ce que ça peut bien être? Le saurons-nous
jamais? Et c'est ici que je risquerai mon hypothèse;
admissible, sans plus; neuve, mais sans garantie.

Depuis la fin du XIXe siècle, on connaissait cet acte
de baptême, énigmatique (Auteuil, 22 mai 1668), d'une
petite fille dont Racine était le parrain, dont la fille
aînée de la Du Parc était la marraine, et qui portait
pour prénoms les prénoms même de Racine et de la
Du Parc : Jeanne-Thérèse. Le document considérable,
retrouvé il y a vingt ans et que les *Cahiers Raciniens*
ont reproduit *in extenso* en 1957, a levé tous les doutes
qui pouvaient subsister sur l'origine de cette enfant :
Jeanne-Thérèse était bien la fille de Jean Racine; et
cette petite, venue au monde en mai 1668, « *mourut à
environ huit ans* ». Environ huit ans? 1668 + 8 = 1676.
Jeanne-Thérèse eut « huit ans » du 22 mai 1676 au
21 mai 1677. Elle aurait eu ses neuf ans neuf jours tout
juste avant ce 1er juin 1677, date à laquelle se maria
son père. Or elle était morte, certainement, quand Racine
demande en mariage Catherine de Romanet[1].

1. C'est à Mme Dussane que nous devons la révélation première de
cette pièce (*Du nouveau sur Racine*, Paris, Le divan, 1941). Il s'agit,
on le sait, d'un témoignage écrit, datant du XVIIIe siècle, et qui nous
vient d'un ami intime de J.-B. Racine. Ce dernier lui avait confié bien
des choses sur le grand homme disparu, et notamment l'existence,
quand Racine mourut, d'un « *registre oblong* » que Jean-Baptiste, après
l'avoir lu, détruisit afin que sa mère n'en eût point connaissance. Le
« *registre* » contenait des indications comme celles-ci : « *Tant pour la
nourrice de ma fille* », « *Tant pour l'enterrement de ma fille* ». J'entends
bien que des fétichistes, mus d'ailleurs par de très admirables sentiments
familiaux, s'appliquent à dénier à ce document toute valeur. Mais on
voit mal pourquoi l'auteur, encore non identifié, de ce texte secret (il ne
le publia point; preuve qu'il ne cherchait pas le scandale) eût inventé
ces détails; et encore moins pourquoi Jean-Baptiste lui aurait menti.

Il me parait donc hors de doute, que le fameux acte de baptême de
1688, déjà singulièrement instructif, a trouvé là son complet éclairage.
Les deux dernières citations, faites de mémoire par Jean-Baptiste à
son ami et confident, sont les suivantes : « *Tant pour l'enterrement
de ma fille* »; « *ce jourd'huy, à onze heures, Brécourt, comédien, vient*

Et si ce mariage avait un lien avec ce trépas? Et si
tout ce que nous voyons se produire dans la vie de
Racine, au cours de ces premiers mois de l'année 1677,
était en rapport direct avec ce trépas, en était le contre-
coup? La mort d'un enfant n'est pas rien. Et Racine, à
une date que nous ignorons, mais qui se situe très probablement fin 76 ou début 77, a vu mourir cette petite
fille qui était sa fille, et qui ne savait point, je suppose,
qu'il était son père. Comment avait-elle vécu? Heureuse?
Malheureuse? Abandonnée par lui, en tout cas, puisque
ses parents putatifs s'appellent, sur le registre de baptême, Pierre Olivier et Marie Couturier. Cette petite
âme que son péché avait jetée dans le monde, que pen-
sait-elle de lui, maintenant qu'elle *savait?* Pour un
chrétien, et marqué surtout comme l'était Racine, c'est
toujours une chose grave que la responsabilité d'un
être. Racine était responsable, devant Dieu, de cette
créature qu'il avait engendrée, et qui, à présent, s'en
allait.

Racine ne prononcera point de vœux. Racine ne
renoncera point au monde. Racine se marie, choisissant
une chrétienne pour fonder avec elle un foyer chrétien.
Et le voici, quelques mois plus tard, historiographe de
Sa Majesté et comblé des grandeurs humaines, lui qui,
un instant, avait eu l'idée de les fuir. Récompense temporelle, dirait-on, aussitôt donnée à sa bonne conduite.
Et je suis très disposé à croire que, parmi les raisons qui
le poussèrent à changer de vie, des raisons moins hautes,
et d'ordre pratique, se mêlèrent aux raisons plus nobles.
Le retournement de Jean Racine — qui n'est point une
« conversion », au sens rigoureux du terme — n'a rien
d'héroïque ni de spectaculaire. Il l'eût été si Racine
avait suivi son premier élan, celui qui l'avait d'abord
précipité vers le cloître. Mais il est rare que l'homme
puisse exiger beaucoup de lui-même. Pour qu'il consente
à cesser de perdre son âme, il faut souvent qu'il se persuade qu'ici-bas même, et tout de suite, et matérielle-

---

de *m'apporter* 800 *louis pour mon* Iphigénie »; et l'on a prétendu en
tirer argument quant à la date de ce trépas. Mais rien, absolument
rien, ne garantit que ces notes soient présentées là dans leur ordre
chronologique et que « *ce jourd'huy* » soit le même où Racine a déboursé
« *tant* » pour l'enterrement de sa fille.

ment, ce demi-tour ne lui sera point désavantageux.
Mésa n'est pas le seul à qui une Ysé peut dire : « *C'est
cela que tu n'aimes pas, mon petit Mésa, payer cher.* »
Personne, hors les saints, n'aime *payer cher*. Le moindre
prix est d'ordinaire celui que nous préférons. Trop *cher*,
le cloître. Beaucoup moins coûteux, le mariage, même
envisagé avec toutes ses obligations.

Et qu'il a donc été bien inspiré, Racine, à défaut du
Seigneur qui veille au fond d'une clôture, de se blottir
auprès du Roi! Il en mesurera le bienfait lorsqu'en
janvier 1680, Louvois signera, pour le conseiller Bazin de
Bezons, sa dépêche célèbre : « *Vous trouverez ci-joint
les ordres nécessaires pour faire arrêter la dame Larcher;
ceux pour l'arrêt du sieur Racine vous seront envoyés
aussitôt que vous les demanderez.* » Que fut-il devenu s'il
était follement demeuré, en 1677, l'homme *exposé* qu'il
était alors, s'il n'avait opéré à temps, par chance, ce
mouvement qui, sans l'abriter dans une cellule, l'avait
conduit du moins à reprendre après une césure, et sur
un autre mode, aux pieds du souverain, sa phrase inter-
rompue? Un mot que Paul Claudel m'a dit un jour
(un jour d'exceptionnelles confidences) me revient, tant
il s'applique à Racine aussi étroitement qu'à lui-même :
« *J'ai passé au travers;* je ne sais pas comment ça se fait,
j'ai toujours *passé au travers...* »

Résumons-nous.

Je tiens pour inexact, pour radicalement inexact, que
la modification que tout le monde constate dans le
destin de Jean Racine en 1677 se limite, ainsi qu'on l'a
dit, à une « *conversion sociale* ».

Oui, Racine, en 1677 d'écrivain-courtisan qu'il était,
va devenir courtisan-écrivain. Il se dégage (il achève
de se dégager) d'un certain monde, pour pénétrer enfin,
de plain-pied, dans le seul « monde », reconnu, le monde
de la Cour. Mais cette ascension sociale n'est que le
second temps d'une démarche qui d'abord le menait
dans une direction opposée. Son mariage est à la char-
nière de cette opération en deux étapes, apparemment
contradictoires.

Un choc s'est produit (je ne sais lequel; la mort de
Jeanne peut-être), un ébranlement venant secouer un
cœur déjà plein de scrupules et d'alarmes; un fait
inconnu, mais majeur; un événement, s'ajoutant peut-
être à d'autres faits moindres, mais qui soulève, tout à
coup, chez cet homme troublé, une tempête, le désir
passionné, presque éperdu, de changer, de redevenir ce
qu'il n'aurait jamais dû cesser d'être, de se retrouver tel
qu'il était, du temps de son innocence. Quelque chose
qui fait de Racine un homme qui donne raison, désespé-
rément, et dans un transport, à ceux, à celles, qu'il a
bafoués naguère et qui lui ont pourtant tout appris
(tel Jean-Jacques, sur sa route de Vincennes, en 1749,
quand il s'est *vu*, soudain, et qu'il s'est fait horreur).

Puis il se calme et se reprend. Non qu'il ne soit point
résolu, toujours, à vivre d'une autre manière, et dans
cette lumière reconquise; mais il lui semble qu'il y peut
réussir en prenant une route, moins effrayante, moins
inhumaine que celle dont il avait eu, au premier moment,
la pensée. Est-il nécessaire, pour le salut, de tout
quitter? Le monde, aussi, a ses saints; au rabais, peut-
être, qui seront sauvés tout de même, s'ils ont vécu
comme on doit vivre. Le chemin de plaine. Et Racine
se marie. Rempart qu'il se donne; garde-fou; le mariage
et ses grands devoirs. Le mariage de Racine concerne
sa vie intérieure, non sa vie sociale.

Sa carrière se poursuivra, magnifiquement améliorée.
Et les sceptiques pourront sourire de ce chrétien, comme
beaucoup d'autres, à qui la grâce qui les habite n'interdit
pas de jouer des coudes et n'ôte rien à leur savoir-faire.
Je serais moins prompt à la raillerie. Une grande fortune
temporelle n'est pas toujours le signe d'une préférence
donnée à Mammon. Racine peut bien s'accroître, aux
yeux du monde; ce qui faisait l'objet, avant 1677, de ses
plus ardentes convoitises, est pour lui, depuis 1677,
frappé, tout bas, d'inanité. La part de lui-même, décli-
nante, qui persiste à désirer ces « grands biens », un autre
lui-même, les yeux mi-clos, la juge et finira par la dissua-
der. A partir de 1677, Racine est quelqu'un, dans le
monde, qui « *pense à autre chose* ».

On ne sait pas assez quels risques temporels prendra,
saura prendre, coûteusement, ce Racine des dernières

années dont on nous a fait une si pauvre image.

C'était un chrétien. R. Picard, en une phrase, évoque avec exactitude ce « *cheminement* » où « *la foi de Racine* », de 1677 à sa mort, « *s'approfondit sans cesse* », où « *son christianisme se fait de plus en plus authentique* ». Cet homme, jadis si dur, amer, fielleux et plein d'orgueil, avait su, lentement, se transfigurer.

François-Marie Arouet,
dit Zozo, dit Voltaire

*Parler de Voltaire avec calme et
justice, est-ce que c'est possible?*

VICTOR HUGO [1].

J'ai voulu en avoir le cœur net.

En somme, Voltaire, je ne l'avais jamais encore abordé un peu sérieusement que dans ses rapports avec Jean-Jacques; il n'y était pas avenant. Le regarder une bonne fois, l'observer longuement et sous tous les angles, cette entreprise-là je ne l'ai jamais vraiment essayée.

C'est Besterman qui m'a poussé à ce travail. Non qu'il m'y ait expressément incité, mais par le seul fait de son exemple. Voilà quelqu'un, Besterman, qui a fait plus que d'aimer Voltaire; on peut dire, sans hyperbole, qu'il lui a voué sa vie. Et je le connais, Théodore Besterman; aussi noble qu'intelligent. Fanatique? Bien sûr. On ne réalise rien qui vaille, où que ce soit, sans « diable au corps ». Il ne croit pas, en religion, ce que je crois? Et après? Il ne s'agit pas ici d'option métaphysique. Il s'agit d'histoire et de connaissance. Il s'agit de savoir *qui* était Voltaire. Et parce que je suis catholique, ce n'est pas une raison suffisante pour considérer avec horreur l'être humain François-Marie Arouet, dit Voltaire. J'ai même l'impression que c'est exactement l'inverse qui est vrai.

Joseph de Maistre appelait Voltaire « *le dernier des hommes, après ceux qui l'aiment* »; il disait qu'admirer Voltaire, se sentir du goût pour lui, c'est « *le signe infaillible d'une âme corrompue* ». Mais Lamartine n'était pas une âme pourrie, et il aimait Voltaire,

1. Hugo, *L'Archipel de la Manche*, ch. x.

tellement que, dans le manuscrit de son *Histoire des Girondins* [1], il l'avait salué avec ivresse. Voyez plutôt : « *Il y a une incalculable puissance de conviction, et de dévouement à l'idée, dans cette audace d'un seul contre tous* [...] *Braver le respect humain sans autre applaudissement que sa conscience, le respect humain, cette lâcheté de l'esprit déguisée en respect de l'erreur, affronter les bûchers de la terre et les anathèmes du ciel, c'est de l'héroïsme* [...] *Voltaire livra volontairement son nom à toutes les colères et à toutes les malédictions du parti qu'il attaquait. Il le dévoua, et pendant sa vie et pendant des siècles, aux ressentiments, aux calomnies, aux injures, aux outrages des chrétiens. Il condamna sa propre cendre à n'avoir même pas de tombe pour que son nom fût le signe, le drapeau déchiré et souillé de la guerre qu'il commençait au nom de la Raison* [...] *La Raison date de lui dans l'histoire, dans la philosophie, dans la religion.* » Et Michelet : « Voltaire est celui qui souffre, celui qui a pris sur lui toutes les douleurs des hommes. » Victor Hugo, après l'avoir maudit, à trente-cinq ans, comme un messager du démon, à la fin de sa vie acclamait, avec les républicains de Paris, son « esprit » et son « cœur ». Le Lamartine des *Girondins*, le Michelet de l'*Histoire de la Révolution française*, le Hugo de 1878, ce qu'ils aiment chez Voltaire, c'est une certaine image de lui qui n'est peut-être pas la bonne; mais les ennemis de Lamartine et de Hugo lorsqu'ils se ruent contre Voltaire, je connais leurs arrière-pensées, je les vois venir, et ils me donnent envie de le rejoindre. Le vieil Hugo qui célébrait Voltaire, c'est le même, à la fin de son *William Shakespeare* qui, évoquant le « groupe sacré » des Témoins où se rassemblent, à ses yeux, Isaïe et Socrate, Job et Platon, Tacite et saint Paul, Jeanne d'Arc et Voltaire, termine sa phrase par l'exaltation, au-dessus d'eux tous, de « *cette immense aurore: Jésus-Christ* ». Et je ne peux pas oublier non plus ces mots de William Blake faisant parler Voltaire : « *J'ai blasphémé le fils de Dieu, et cela me sera pardonné;*

---

1. Si Lamartine n'a pas maintenu dans l'imprimé ces paragraphes, c'est pour éviter le scandale, pour épargner aussi à sa femme, très pieuse, le chagrin qu'elle en aurait eu.

*mais eux, ils ont blasphémé l'Esprit-Saint et cela ne leur
sera pas pardonné* [1]. »

Un homme qui se bat pour ce qu'il croit la vérité,
comment faire, même s'il nous navre, pour lui refuser
notre estime? Voltaire avait devant lui un drôle de
catholicisme. Son propre parrain, le galant abbé de
Chateauneuf, lui donne à lire, pour sa formation,
cette *Moïsade* où les croyants n'ont le choix, pour
l'origine de leur credo, qu'entre la fourberie et la
sottise. Il a connu et pratiqué les abbés du Temple,
parmi lesquels ce Servien qui mourra, fâcheusement,
entre les bras d'un danseur. Ces prêtres qui se diver-
tissent, avec les mondains, des gris-gris dont ils vivent,
comme ils changent de visage dans l'exercice de leur
métier! Avec quel aplomb ils se donnent, en chaire,
pour « les successeurs des apôtres »! Que l'élite, que les
entretenus s'esclaffent avec eux sur la Vierge ou l'Eucha-
ristie, c'est sans conséquence; on est entre soi, entre
mangeurs. Mais que de vilaines gens endoctrinent les
mangés au point de les induire à l'insoumission, halte-là!
L'augure goguenard se mue en inquisiteur. J'ignore
ce qu'était, dans sa vie privée, l'abbé de Caveyrac;
c'est lui, en tout cas, au beau milieu du siècle (1758),
qui indiquera la bonne méthode pour que les protestants traqués cessent de se plaindre; si le bras séculier
s'occupe d'eux comme il faut, finies les jérémiades;
les protestants auront disparu; l'abbé de Caveyrac
glorifie la Saint-Barthélemy. D'où ceci, d'Arouet-Vol-
taire : « *Croire à l'Évangile est chose impossible
quand on vit parmi ceux qui l'enseignent.* »

C'est toujours beau, une combustion. Et Voltaire
flambe. Son ami Formont, il le trouve agréable, bon
garçon, pensant bien; mais qu'il est mou! Voltaire
ne supporte pas les tièdes. Formont l'agace; « *il n'a
pas le cœur assez chaud* »; « *le plus indifférent des sages* ».
Dans cette page si curieuse, non signée, parue en 1734
et qui tente un portrait de Voltaire, le voici défini :
« *Un ardent, qui va et vient, qui vous éblouit et qui pétille.* »

---

1. Dans le *Journal intime*, inédit, de Claudel, on découvre, parmi ses
notes de 1908, celle-ci qui est pittoresque : « *L'imbécile et dégoûtant
Voltaire, pareil à un grand vieux singe pisseur.* »

Une manière de brûlot. Et ce feu l'a pris de bonne heure.
On répète encore aujourd'hui que l'Angleterre l'a trans-
figuré. Pas du tout. Lorsque le pouvoir l'embastille,
en 1726 (et c'est à la suite de cet incident qu'il ira faire
la découverte de la « liberté » britannique), le lieutenant
de police reçoit des félicitations pour avoir enfin sévi
contre un gaillard qui, « *depuis quinze ans* », se déclarait
publiquement « ennemi de Jésus-Christ », traitait les
apôtres d' « idiots » et les Pères de « charlatans »; 1726
moins quinze, cela nous reporterait à 1711, au petit
Arouet de dix-sept ans qui, cette année-là, en août,
sortait de chez les jésuites. Le chiffre est excessif,
nous en verrons la preuve. La lettre anonyme de 1726
au lieutenant de police n'en établit pas moins que
Voltaire, alors, de longue date déjà, pensait ce que nous
savons sur ces sujets qui l'auront obsédé toute sa vie.
Je dis bien : obsédé. En 1774, le 9 décembre 1774 (il a
quatre-vingts ans), Mme du Deffand lui murmurera,
comme à un complice : « *Vous ne sauriez perdre le souvenir de l'événement qui s'est passé il y a mille sept cent
soixante-quatorze ans. Tout vous y ramène.* »

Aimer quelqu'un qui, en des matières sérieuses, pense
contre moi, je sais très bien que je le peux. La politique
de Joseph de Maistre est aux antipodes de la mienne,
et de Maistre me plaît tout entier. Chez les écrivains
d'aujourd'hui, Étiemble est mon ami, et cependant
une frénésie l'habite contre cette foi à laquelle j'appar-
tiens. Je ne lui en voudrai jamais de ses coups de bélier
contre ma maison. Il suit sa loi. Quiconque a dans le
cœur une certitude se doit d'obéir à ses commandements.
Moi non plus, je n'aime pas les tièdes, les précaution-
neux, les amis-de-tout-le-monde. L'homme qui prend
des risques parce qu'il a des choses à dire, tant pis
s'il me blesse; je parlerai moi aussi, en sens contraire;
voilà tout. Salubre, l'antagoniste qui se passionne pour
ce qui en vaut la peine, l'homme qui n'est pas de ces
âmes mortes dont la pestilence vous asphyxie, ni de
cette race si bien nommée par J.-P. Sartre[1], et si parfaitement discernable : les « *salauds* ». Je ne me sens pas
prêt, devant Voltaire, à lui cracher au visage parce qu'il

1. Après Péguy.

insulte ce que j'adore. Voltaire croyait le christianisme un mensonge? Il se devait de le combattre.
Les propos qu'il tient sur le Christ, avant de les lui
imputer à crime, il faut se mettre dans sa perspective.
Voltaire n'outrage pas, diaboliquement, un Dieu fait
homme, un Rédempteur. Ces termes-là, pour lui,
sont vides. Il voit Jésus comme un prêcheur juif, né
probablement d'un adultère, et dont l'aventure finit
mal; un mortel, un triste mortel, comme les autres,
assujetti aux misères de notre condition et qui eut peur
devant la mort jusqu'à en « tomber de faiblesse ».
Qu'il l'ait nommé « le pendu », c'est qu'il le voit tel,
en effet, et encombrant, et irritant dans l'exploitation
que des habiles ont tirée de son supplice. Qu'il signe
« Christ-moque », c'est qu'il nargue, à bon escient, des
crédulités imbéciles; et s'il écrit à Helvétius, le 2 janvier 1761, qu'il « faut hardiment chasser aux bêtes puantes »
— les « bêtes puantes », ce sont les prêtres, du papiste
ou du calviniste, « tous pétris de la même merde » — c'est
que ces gens dont les uns ont fait la Saint-Barthélemy
et dont les autres ont brûlé Servet, il les hait d'une
haine « sainte ». Et s'il manque délibérément d'élégance,
s'il se frotte les mains, en 1765, parce que la Religion
« en a dans le cul », c'est que nous n'avons pas affaire,
avec lui, à Renan le douceâtre. Entre l'onctueux et
l'emporté, ma préférence n'hésite pas. Lorsque Voltaire
dit « ces drôles » en parlant des « christicoles », ou ces
« gredins » à propos de ceux qui « croient encore au
Consubstantiel », j'ai beau me savoir au nombre des
gredins et des drôles, je l'aime bien, ce fulgurant. Il
est injuste? Il va trop fort? On perd le droit, avec
Voltaire, quand on ne pense pas ce qu'il pense, d'être
autre chose qu'une canaille ou un minus? Cela ne fait
rien. Dans la bagarre, on ne mesure plus ses coups.
Les forcenés d'une doctrine, pourvu que je les sente
authentiques, pas moyen en moi d'étouffer à leur égard
une fraternité inavouable.

Donc, je m'y suis mis. Pomeau me tracassait.
René Pomeau c'est le spécialiste, le Besterman II.
Sa thèse sur la Religion de Voltaire est un de ces ouvrages
qui forcent le respect. Que de lectures et de recherches
pour un pareil édifice! Pas le genre essai troussé, où

l'auteur, fort de son génie, se persuade que l'intuition
suffit à tout et dédaigne l'application des cuistres.
Valéry a commis des bévues et je songe, douloureusement, à Claudel et à son *Drame de Brangues*, sur
Stendhal. Pomeau est de cette humble secte, la mienne,
où l'on passe des années à s'enquérir. Pomeau, sur Voltaire, mérite qu'on l'écoute. Et son petit livre aussi,
dans la collection des *Écrivains de toujours*, est solide.
Il a bien fait, également, de publier *(Voltaire l'Impé-
tueux)* les notes laissées par André Delattre. Encore
un bon travailleur, Delattre, trop tôt parti. Avec le
Desnoireterres qui reste irremplaçable, la matière, à
présent, ne manque plus — sans parler des *Carnets*
révélés par Besterman et des *Lettres* à Mme Denis,
retrouvées par le même (complément des *Lettres d'Alsace*
fournies par G. Jean-Aubry) et de la *Correspondance*
déjà prodigieusement accrue.

Je me disais : au fond, si je ne l'aime pas, si je
n'éprouve pour lui qu'un intérêt hostile, ce doit être
faute d'avoir *vécu* avec lui. Quand on entre pour de bon
dans la pensée, dans le destin, dans la vie quotidienne
d'un de ces grands morts, quand on se fait son compagnon, quand on touche ces papiers sur lesquels se
posèrent ses doigts et qui reçurent son souffle, quand
on l'entend respirer, quand on attrape, de temps à
autre, son regard même de vivant, invinciblement,
n'est-ce pas? on s'attache à lui, on lui pardonne tout.
J'ai connu cela avec Lamartine, avec Jean-Jacques,
avec Hugo. Il est vrai que d'autres entreprises simi-
laires ne m'ont pas conduit au même résultat. Vigny,
plus je l'ai vu de près, plus la glace m'est entrée dans
les veines. Avec Constant, pire! A cause d'*Adolphe*,
et de Mauriac, et du cher Dubos, je n'avais jamais
compris Pauline de Beaumont, « l'hirondelle », Pauline
si peu mauvais cœur, et qui traite Benjamin si mal.
Je sais aujourd'hui pourquoi elle pouvait écrire à Joubert
(qui était bien de son avis) : Constant? un individu
« *vraiment haïssable* ».

On ne peut se contenter, sur Voltaire, de ces opinions
courantes qui ne sont que des défaites : qu'il « échappe »,
qu'on n'arrive pas à le saisir, que « c'est un être bien
singulier » (Mme du Deffand), « sans unité » (Pomeau),

« tout en dispersion » (Delattre). « *Non vultus, non color
unus* » (1734). Quelqu'un est toujours quelqu'un, avec
son identité. Voltaire est d'une capture difficile? Il
n'y a qu'à s'acharner mieux. C'est lui qui se décrit
« *vif comme un lézard, flexible comme une anguille* ».
Il fuit. Mais les lézards et les anguilles, on finit tout de
même par mettre la main dessus et il est certainement
possible de « saisir » Voltaire. A condition d'ouvrir
l'œil, de se méfier, de ne jamais le prendre au mot
sur un seul mot, mais de contrôler ce qu'il raconte *ici*
par ce qu'il raconte *là*. Malin comme pas un. Prêter
l'oreille surtout quand il croit qu'on ne l'entend point.

Pomeau a une bonne remarque, concernant Faguet.
Ledit Faguet, dans un de ses morceaux de bravoure,
présente la philosophie de Voltaire et, pour conclure,
se tient les côtes. « Élaborée par Émile Faguet », écrit
excellemment Pomeau, la philosophie de Voltaire « ne
manquait pas d'être absurde » et M. Faguet, ensuite de
s'étonner, avec humour, « que Voltaire eût été si sot [1] ».
Faguet dénaturait le système idéologique de Voltaire
afin de s'en gausser. Mais il aurait pu s'épargner cette
ruse. Je vois, dans le camp d'en face, J.-R. Carré qui
s'évertue à donner « consistance » à la philosophie
voltairienne. Il vous bâtit une belle construction, mais
c'est du Carré, pas du Voltaire, tout comme faisait
Émile Faguet dans une intention opposée. Pomeau,
la loyauté même, reconnaît que la pensée métaphysique
d'Arouet n'offre à l'esprit, quand on l'examine, qu' « un
ensemble faiblement organisé, un peu flottant ». Euphé-

1. Je fais partie de ces générations de lycéens qui ont été élevées
dans le culte de Brunetière-Faguet-Lemaitre. Nous apprenions ce que
ces trois grands avaient prononcé; leurs sentences étaient des dogmes
dont on ne pouvait s'écarter. J'ai mis du temps à m'apercevoir que
ces trois rois étaient aussi trois bourgeois conservateurs et qui s'appliquaient à nous indiquer, par le biais littéraire, ce que nous devions
penser, petits Français, des malfaiteurs à la Jean-Jacques et des pri-
maires à la Hugo. Ainsi, dans les lycées d'une République complai-
sante, la classe dirigeante, par le truchement de ses « critiques »,
s'occupait de nous diligemment. Et l'on nous enseignait, de même,
dans Sorel et dans Madelin, la version requise de l'Histoire, l'Histoire
selon les possédants.

misme. J'ai fait le travail. Ça n'existe pas, la pensée
philosophique de Voltaire, du vent; et son *Traité
de métaphysique* est la plus involontaire mais la meilleure de ses bouffonneries. Rien de plus verbal et de
plus frêle que ses démonstrations inlassables d'un Dieu
créateur et « horloger ». Voltaire n'a pas la tête métaphysique, et pas la tête scientifique non plus. Il a fait
de valeureux efforts, à Cirey. En pure perte. L'ennui,
c'est qu'il ne s'en rend pas compte du tout, qu'il se
figure vraiment avoir fait le tour des connaissances
humaines. Il effleure et croit avoir pénétré. Intelligent,
certes, mais pas assez pour prendre conscience de ses
limites. Diderot a d'autres dimensions. Je ne souscris
pas au scientisme, mais c'est un système cohérent.
Voltaire n'est « scientiste » à aucun degré. Voltaire
n'attend rien de l' « avenir de la science ».

Au terme de son enquête, si scrupuleusement conduite,
sur la pensée religieuse de Voltaire, à quoi aboutit
Pomeau? Pomeau estime que Lanson n'avait point à
balancer. Ce qu'il avait écrit un jour, Lanson (mais,
au sein du même ouvrage, n'hésitant pas à se contredire) : que Voltaire était déiste « gravement, chaleureusement », c'est, dit Pomeau, la pure vérité. Tout
son gros livre est fait pour soutenir cette thèse, en démontrer l'exactitude. Or il ne m'a pas convaincu; absolument
pas. Que Voltaire ne puisse concevoir l'univers sans
un géomètre préexistant, d'accord. Que la « raison »
de Voltaire — et même, en lui, quelque besoin compen-
satoire — exigent un Artisan premier, un Maître universel, d'accord également. Mais Voltaire « chaleureusement »
déiste, la chaleur impliquant au moins un commencement
d'amour, je le nie. Pomeau prend au sérieux le Voltaire
officiel, le Voltaire public qui s'adresse au Grand Être :

Je ne suis pas chrétien, mais c'est pour t'aimer mieux

et qui récidive, à trente ans de distance :

O Dieu qu'on méconnaît, ô Dieu que tout annonce,
. . . .
*Si je me suis trompé, c'est en cherchant ta loi.
Mon cœur peut s'égarer mais il est plein de toi!*

Attention. Quand Voltaire se fait imprimer (j'entends :
sous son nom), c'est là qu'il est le plus inquiétant. Et

peut-être, dans ces cris fameux, peut-être qu'il s'émeut lui-même ; mais cette émotion est d'une nature particulière. Voltaire verse de vraies larmes, ses sanglots sont incontestables, lorsqu'il incarne en scène Lusignan (« Grand Dieu, j'ai combattu soixante ans pour ta gloire ! » et la suite). Quantité d'acteurs, au théâtre pleurent des *larmes brûlantes*, et c'est une habitude des gens de lettres, lorsqu'ils lisent leurs œuvres tout haut, de s'étrangler malgré eux, quelquefois même à la seule approche des passages émouvants. Trois témoignages attestent que le froid Constant s'étouffait, bouleversé, en donnant lecture de son *Adolphe*, et Dieu sait pourtant qu'il était payé, Benjamin (payé, on ne saurait mieux dire), pour connaître les cartes truquées avec lesquelles il menait son jeu. Il pleurait tout de même ; tant ont peu de rapports la littérature et la vie.

« *Dieu est l'éternel Géomètre, mais les géomètres n'aiment point.* » Ce texte-là, des *Notebooks*, est instructif. Comment veut-on que le cœur s'embrase pour cet Architecte impassible ? Lamartine qui, sur Voltaire, perdait un peu la tête, n'en a pas moins marqué ceci, qui l'attristait : « Une seule chose lui manqua » ; chez lui, « plutôt la haine contre l'erreur que l'amour pour la vérité ». Dans ces alexandrins de parade que nous venons de reproduire, les mots-clefs ne sont pas ceux que Voltaire pousse en avant ; pas « t'aimer mieux » ; pas « plein de toi », mais les hémistiches antérieurs. Son homélie est la suivante : si vous voulez — et vous le voulez, n'est-il pas vrai ? hommes de bonne volonté, mes frères — si vous voulez rendre au Tout-Puissant un culte digne de sa grandeur, cessez de le « méconnaître », cessez de l'amoindrir comme font ces pauvres chrétiens. Offensive, l'idée. Sous couleur d'hommage, une incrimination. Voltaire attaque. Et son sketch de l'aurore, raconté par lord Brougham, ses transports sur la montagne devant le petit Latour médusé, son agenouillement de vieillard sublime, son apostrophe à l'Éternel dans la gloire du soleil levant : « Je crois ! Je crois en Toi ! », c'est le post-scriptum qui lui confère sa valeur enseignante ; « tout à coup, se redressant, il remit son chapeau, secoua la poussière de ses genoux, reprit sa figure plissée : — Quant à Monsieur le Fils et à Madame sa

mère, c'est une autre affaire. » L'exercice sur la colline
est de 1775. A cette date, Voltaire se bat sur deux fronts;
entre lui et les holbachiens, la cassure s'est faite. Le
Voltaire des années ultimes a connu la même aventure
qui sera celle de Victor Hugo. Tous deux, à la fin, sont
en butte, pour leur déisme, aux sarcasmes d'anciens
amis qui les trouvent maintenant attardés. Zola, en
1881, traite de « gâteux » l'auteur de l'*Ane;* Diderot,
après 1770, juge que Voltaire n'est qu'un « cagot »
et la *Correspondance littéraire* nous apprend que, dans
le groupe du baron, Voltaire est tenu pour un « capu-
cin ». L'homme du *Dictionnaire philosophique* parle à
présent des « énergumènes athées » qu'il jette au même
fumier que les « énergumènes chrétiens ».

Étrange; car enfin, à bien recueillir ses confidences,
on le voit mal sûr que son Architecte soit autre chose
qu'une abstraction. Il a passé son temps à le réputer
si lointain, tellement incommensurable à notre petitesse
qu'on se demande vraiment pourquoi les négateurs de
ce fantôme le désobligent à ce point. La Providence,
depuis *Zadig* (*Zadig*, ou La vertu est toujours punie),
chacun sait le cas qu'il en fait. « *Mes chères puces,
vous êtes l'ouvrage chéri de Dieu et tout cet univers a
été créé pour vous.* » Voltaire pouffe de rire au nez des
prédicateurs. L'homme centre de la création? Il n'y a
guère de jobarderie qui l'amuse davantage. Tout au
plus sommes-nous « *les souris du bateau* » et le grand
vaisseau du monde roule dans l'inconnu, sans plus se
soucier des hommes qui s'agitent, imperceptibles, à
la surface de la terre (goutte de boue, elle-même, infime)
que les marchands dont le navire fait route vers les
Indes ne s'intéressent aux rongeurs trottinant dans
les cales. Ils les ignorent, comme l'univers nous ignore.
Et si Voltaire, d'un bout à l'autre de sa vie, s'est ingénié
à contredire Pascal, à le faire taire, à montrer comme il
est facile de *clouer* ce rhéteur et de dénuder ses sophismes,
l'image du « roseau pensant », pour lui, penseur, est non
avenue. La pensée de l'homme, quelle pitié! Nous ne
savons rien et nous ne pouvons rien savoir. Nous balbu-
tions dans l'incompréhensible. Des insectes, les humains,
de ridicules insectes, éphémères et malpropres, « *petits
embryons nés entre de l'urine et des excréments* », « *invisibles*

marionnettes » qui s'en vont, en une seconde, « *de Poli-chinelle au néant* ».

Il y a ce que Voltaire professe, et il y a sa « doctrine secrète ». Pour écarter la Révélation, il déclare que la conscience est là, présence et parole de Dieu en nous. « Dieu parle à tous les cœurs... La conscience qu'il a donnée à tous les hommes est leur loi naturelle »; « toute la nature vous a démontré l'existence du Dieu suprême; c'est à votre cœur à sentir l'existence du Dieu juste ». Mais Rousseau l'importune avec son « sentiment intérieur » et ces « premiers principes » où reparaît cette « connaissance du cœur » d'où Pascal tirait argument. Et Voltaire se transforme en sourd, raillant *(Lettre au Dʳ Pansophe)* « cette voix divine qui parle si haut dans le cœur des illuminés, *et que personne n'entend* ». La loi morale, la « loi naturelle », constamment, paraît-il, dictée par Dieu à l'homme, comment parviendrait-elle à ce ciron, à ce parasite burlesque et minuscule? Dieu ne s'occupe que des soleils. *De minimis non curat prætor.* « Que Néron assassine sa mère, cela n'est pas plus important pour l'Être éternel que des moutons mangés par des loups, ou par nous, et des mouches dévorées par des araignées. Il n'y a point de mal pour le Grand Être »; son affaire est « le jeu de la grande machine » et non point nos comportements que notre orgueil dérisoire se plaît à tenir pour sérieux et qui sont, dans l'ordre des mondes, exactement comme s'ils n'étaient point, indifférents, indiscernables. Devant Boswell qui l'interviewe et qui boit ses paroles, Voltaire exécute, ravi, son numéro du Sage, et il veut bien, hochant la tête, et le menton dans les narines, lâcher ce cruel aveu que, sur l'article de notre âme, ses certitudes manquent d'assurance; mais à Mᵐᵉ du Deffand, qui l'entendra, il dédie, là-dessus, cette toux discrète et dubitative qui, dans la bonne compagnie, tient lieu d'hilarité. « *Là-haut* », « *là-bas* », pour Voltaire, écrit René Pomeau, sagace, c'est « *nulle part* ». Où allons-nous? « A l'abîme du néant. » Et quand Voltaire ôte sa perruque et ses manchettes, il se débonde : Dieu? Un Dieu créateur de l'humanité? Allons! Pas d'offense à ce grand concept! « *Comment un Dieu aurait-il pu former ce*

cloaque épouvantable de misères et de forfaits? »
Si vigilant que se soit fait René Pomeau, il a trop
oublié la différence qui sépare le Voltaire déclamateur
du Voltaire confidentiel. Deux plans. Deux registres
à ne pas confondre. S'imaginer qu'on peut retenir
comme valable ce que Voltaire débite lorsqu'il est sur
ses tréteaux, c'est aller au-devant de mécomptes.
Voltaire prodigue la fausse monnaie. Pour cesser de le
dire « multiple », il n'est que de savoir son code et
d'affecter ses paroles du signe, chaque fois, qu'elles
comportent : le signe de la suspicion lorsqu'il s'agit de
propos forains, discours en vers et autres *traités ;* l'estam-
pille de crédibilité, au contraire, lorsque Voltaire parle
à voix basse et s'adresse au « petit troupeau ». C'est
le Voltaire grimé qui fait vibrer sa voix dans le *Traité
de la Tolérance,* mais c'est Voltaire au naturel qui chu-
chote avec Damilaville ou d'Alembert; et dans ces
lettres-là, l'Être infini du forum ne s'appelle plus que
« *Brioché* », et l'inscription haute et grave que le châte-
lain de Ferney a fait graver sur sa chapelle : *Deo Erexit
Voltaire* s'accompagne de cette glose aimable : « *un beau
mot entre deux grands noms* ».
La « chaleur » du déisme voltairien existe, mais en
un certain sens seulement. Non pas la brûlure d'un
amour, mais l'échauffement d'une colère. Toujours
anti, Voltaire-le-déiste; anti-Pascal, d'abord; anti-
d'Holbach ensuite et par surcroît. S'il lève des yeux
noyés vers le ciel du Grand Géomètre, ses mains
s'affairent en même temps, et tandis que l'assistance
éblouie suit son regard vers les nuages, ses doigts industrieux tordent le cou, plus bas, aux gêneurs, gêneurs
chrétiens qui voudraient lui gâter ses plaisirs, gêneurs
athées qui mettent en péril ses jouissances. Pomeau
se trompe quand il assigne aux dernières années de
Voltaire les raisons pratiques, les raisons de propriétaire qu'on lui voit, pour la défense de l'idée de Dieu.
Les mêmes mots lui viennent, en 1750, contre La Mettrie,
qu'il dirigera en 1770 contre d'Holbach. « Il y a une grande
différence, avait-il écrit, entre combattre les supers-
titions des hommes et *rompre les liens de la société* »
et dans son *Histoire de Jenni,* voici sa formule identique :
si l'athéisme se répand, « tous les *liens de la société*

sont rompus »; cette fois, une précision supplémentaire :
et « *le bas peuple ne sera plus qu'une horde de brigands* ».
C'est à ce moment (1770) que Voltaire fait sa trouvaille
illustre :

Si Dieu n'existait pas, il faudrait l'inventer,

avec ce commentaire qui ne laisse à sa pensée rien
d'obscur :

. . . . *et ton nouveau fermier,*
Pour ne pas croire en Dieu va-t-il mieux te payer ?

Sa correspondance est d'une limpidité totale : « *La
croyance des peines et des récompenses après la mort est
un frein dont le peuple a besoin* »; « il est fort bon de
faire accroire aux hommes qu'ils ont une âme immortelle
et qu'il y a un Dieu vengeur *qui punira mes paysans
s'ils me volent mon blé et mon vin* ». Et ceci encore, qui
est dans l'*A. B. C.*: « *Je veux que mon procureur, mon
tailleur, ma femme même croient en Dieu, et je m'imagine
que j'en serai moins volé et moins cocu.* » L'effroi qu'inspire
l'athéisme au seigneur de Ferney le guide à des prévenances inattendues. En 1763, exempt encore de toute
angoisse, car l'athéisme restait le fait d'amis distingués,
Voltaire daubait sans retenue, dans son *Pot Pourri*, sur
le Christ. Après le *Système de la Nature*, il se prend
soudain pour le Nazaréen d'une benoîte estime, et,
dans cet étonnant article *Religion II* des *Questions sur
l'Encyclopédie*, dans ces pages que Pomeau appelle « son
Mystère de Jésus », l'auteur du *Sermon des Cinquante*
s'abandonne au lyrisme; une « vision » l'entraîne dans
les bocages élyséens; il y rencontre tous les sages, Pytha-
gore, Thalès, Zoroastre, Socrate, puis, « *au-dessus* »
d'eux tous, pour finir, « *un homme d'une figure douce et
simple, âgé d'environ trente-cinq ans* »; son cœur se serre,
car les pieds de cet homme sont « *enflés et sanglants;
les mains de même* »; il a « *le flanc percé, les côtes écor-
chées de coups de fouet* ». « *J'ai vécu dans la pauvreté* »,
dit ce Juste qui a souffert, et qu'enseigne-t-il? « *Aimez
Dieu et votre prochain comme vous-même.* » A ces mots,
Voltaire s'écrie : « *Je vous prends pour mon seul maître !* »
Et voici la péroraison : « Alors il me fit un signe de tête

qui me remplit de consolation. La vision disparut *et
la bonne conscience me resta.* » Voltaire n'a jamais souhaité
voir les curés disparaître; il le désire moins que jamais
depuis que d'Holbach s'est permis d'écrire : « *La religion
est l'art d'enivrer les hommes pour détourner leur esprit
des maux dont les accablent ceux qui gouvernent. A l'aide
des puissances invisibles dont on les menace, on les force
à souffrir en silence les misères qu'ils doivent aux puissances visibles.* » Joli travail, cette prédication! Celle des
curés est là, par bonheur, pour maintenir dans l'obéis-
sance les analphabètes. Loin d'envisager un pays sans
prêtres, Voltaire voudrait en France un vaste clergé
fonctionnaire, mais ignare, paysan, dûment bridé et
mené par le pouvoir civil. Dès le 22 février 1763, Voltaire donne en exemple sa principauté de Ferney où
« *le peuple ne se mêle de rien que de brailler* [à l'église]
un latin qu'il n'entend pas » mais qui lui apprend
la résignation. Et quand, au bout de *Zadig*, un ange,
inexplicable mais opportun, vient conclure tout à trac :
« adore », créature humaine, adore et « *soumets-toi* »;
quand, avec une gravité de pontife, Voltaire répète à
son tour la leçon du messager divin : « *Prier, c'est se
soumettre* », comprenons bien à qui s'adressent l'ange et
son porte-voix. Pauvres, soumettez-vous! Rien ne doit
être changé à l'ordre « providentiel » tel que Voltaire l'a
résumé lui-même : « *Le petit nombre fait travailler le
grand, est nourri par lui, et le gouverne.* » (*Œuvres*, XII,
433.)

Naigeon, qui est du vilain clan, s'impatiente d'autant
plus contre le Voltaire « cagot » qu'il est renseigné sur sa
« doctrine secrète » : Voltaire hausse les épaules devant la
Providence; Voltaire n'arrive pas à voir où pourrait se
loger l' « âme immortelle » des pucerons humains; Voltaire plisse dangereusement les yeux lorsqu'il s'exprime
sur « Brioché ». Toute la Somme de René Pomeau n'a
fait que me convaincre de l'athéisme voltairien. Voltaire
athée en fait, c'était aussi le sentiment, contre Lanson,
de Daniel Mornet. Et c'est l'avis de Besterman, peu
négligeable caution.

> *Malheureux dont le cœur ne sait pas comme on aime
> Et qui n'ont pas connu la douceur de pleurer...*

Ces alexandrins en loukoum, qu'on croirait du pur Musset, sont bien de Voltaire. Ils lèvent le voile, comme chacun sait, sur la tendresse qui se blottit, secrète, derrière le « hideux sourire » (tiens! de Musset, justement, cette méchanceté devenue banale au point qu'elle reparaît dès qu'on dit Voltaire, ou Ferney, ou Fréron, comme sous l'effet d'un déclic infaillible). Voltaire gentil, Voltaire affectueux, Voltaire aimant, galéjades? C'est à voir. Bien des côtés, chez ce féroce, sont peu conformes à sa légende. Et je ne parle pas du Voltaire de vingt ans, que je tiens en réserve. Je parle du monsieur de cinquante ans, de soixante ans et au-delà, qu'on aurait tort de se représenter griffu sans cesse et sardonique. « *Je vous aimerai tendrement toute ma vie. Je croirai ce que vous voudrez. J'approuverai ce que vous ferez. Votre âme est la moitié de la mienne...* » Quand il écrit ces choses à Marie-Louise Denis, ce n'est plus un gamin; il a cinquante-cinq ans. Et j'entends bien qu'il a envie d'elle et que le désir est imbattable pour contrefaire le dévouement; mais Voltaire, avec Marie-Louise, a fait ses preuves; avant de la désirer, il l'aimait; il l'aimera encore lorsqu'il ne la désirera plus. C'est de sa sœur, la mère de Marie-Louise, qu'il disait, en 1722 : « *Mon cœur a toujours été tourné vers elle.* » Il est capable de patiente bonté, avec Thiriot par exemple. Il dit : « *Si on a des amis, c'est pour se battre pour eux.* » Il se dépensera pour « Belle et Bonne »; et Marie Corneille, il l'a vraiment aidée. Secourir Marie Corneille, c'était payant; soit; bienfait spectaculaire; et je sais aussi que plus une plaisanterie est révoltante, moins il a le bon goût de se l'interdire, et qu'en conséquence, recommandant Marie à J. R. Tronchin pour le passage de la jeune fille à Lyon, il conseille à son correspondant une vérification de pucelage, et même un peu plus si le cœur lui en dit; c'est une corvée qu'il réclame au banquier Tronchin en faveur de sa protégée et un banquier n'est pas homme à donner son temps gratis; qu'il se paye donc en nature. Les facéties de Voltaire sont lourdes, mais il est rafraîchissant de l'entendre lui-même blaguer ses bonnes actions. « J'ai fait un peu de bien; c'est mon meilleur ouvrage; » ce ton-là, chez lui, m'exaspère. Quand, se conduisant bien, rendant service effectivement à quelqu'un, plutôt que de s'admirer dans la componction, il fait le pitre, à sa manière, bravo! Marie Corneille ne saura rien de cette abominable indécence et Voltaire parle à Tronchin un langage qui ravit ce demi-dieu de la H. S. P.

Ce que nous relate le prince de Ligne n'est pas désagréable non plus sur Voltaire qui, le dimanche, à Ferney, mettait « un habit mordoré uni », veste à grandes basques galonnées d'or et des manchettes de dentelle allant « jusqu'au bout des doigts » : avec cela, disait-il, « *on a l'air noble.* » C'est très bien. L'habit fait le moine; il se déguise donc et pousse du coude un « *vrai* » prince, car l'origine des princes et des rois, il sait ce qu'elle vaut : « *brigands heureux* », bandits arrivés. Sur « *la vie de Paris et de Versailles* », d'excellentes choses aussi dans son *Épître* à Mme Denis (1749); ce jacassement de volailles, la laideur, la stupidité de cette foire aux jalousies, avec cette réflexion d'honnête homme :

> *Comment aimer des gens qui n'aiment rien?*

Et de même, cela fait plaisir de le voir s'irriter contre les amorphes, ceux qui disent que tout va mal mais qu'on n'y peut rien, que c'est comme ça, qu'ainsi va le monde : « — *Eh bien, il faut s'en occuper!* » Et ceci, dans ses *Notebooks*, assez, comment dirais-je, claudélien : sur la cécité des humains qui s'ébahissent, les niais, devant un funambule, un orateur, un marquis, et qui n'ont pas l'air de s'apercevoir qu'au-dessus de leur tête, et perpétuellement à leur disposition, il y a un spectacle un peu plus propre à leur couper le souffle : ces mondes qui volent, ce miracle ininterrompu des constellations. Est-ce bien sûr que Voltaire se couvre, lorsque, dans un coin de son *Siècle de Louis XIV*, il écrit sur les religieuses ce paragraphe si peu « voltairien » : une jeune fille, librement, qui voue sa vie à la prière ou au service des malades et des pauvres, « *peut-être n'y a-t-il rien de plus grand sur la terre* ». La phrase est bien là, sous nos yeux, signée du *monstre*. Calcul? Je ne sais pas; je ne crois pas. Et ce qui suit n'est pas moins déconcertant : « *Les peuples séparés de la communion romaine n'ont imité qu'imparfaitement une charité si généreuse.* » J'ai cru pouvoir, il n'y a pas longtemps, opposer Voltaire à Hugo, pour accabler Voltaire, sur ce point même :

leurs réflexes comparés devant ces oblations; je ne connaissais pas encore (j'aurais dû) cette page du *Siècle de
Louis XIV*; et sa lettre à Mme d'Egmont sur le Carmel,
il faut également lui rendre cette justice qu'elle n'en
contient pas l'ombre d'une goguenardise. J'ignorais
aussi cette allusion pensive, ailleurs, à une parente qu'il
a chez les sœurs grises, et dont il rapporte — sans que
je distingue le *son* réel de sa voix — une parole qui lui
est restée : « *elle m'écrivit un jour qu'elle aimait Jésus et
Marie plus que sa vie* ».

L'actif, dans ce bilan que j'essaie, n'est pas nul. Mais
le passif! Terrible, le passif.

Sur le chapitre de l'argent, Voltaire n'est pas beau à
voir. « Une morale de coulissier; le mépris du petit gain
journalier; le respect du gros négoce et de la spécula-
tion. » Ces duretés sur son compte ne viennent pas du
R. P. Condamin; constatations, affligées, de Lanson.
Pour s'enrichir, il est prêt à tout. Il grapille les pensions
à droite et à gauche; il a tenté de se glisser dans les
services secrets de Dubois, car l'espionnage rapporte et
plaît à sa nature; il trafique dans les loteries et tripote
dans l'agiotage; toujours « *à cheval sur le Parnasse
et la rue Quincampoix* », dit d'Argenson. Il revend
(200 000 NF) sa charge de gentilhomme du roi, tout en
obtenant le maintien des privilèges attachés à ce titre.
Pour aller chez Frédéric II, il exige un contrat en règle :
pension, 70 000 NF; frais de voyage, 35 000 NF, —
plus le cordon de l'ordre du roi, plus la clef de cham-
bellan; et il spéculera en outre, frauduleusement, sur
les billets de la Banque de Saxe (ces billets, dépréciés,
la Banque a été contrainte de les rembourser, au pair,
aux sujets de Frédéric II, mais à eux seuls; Voltaire
s'arrange pour en faire une rafle en Hollande); ce sont
les fournitures militaires qui sont la source permanente
de ses plus gros profits; l'improbité y est de règle; c'est
un pillage organisé du Trésor. Entretenu par la collec-
tivité à partir de 1734, Voltaire ne dédaignait pas de
l'être, précédemment, par autrui; quand trépasse
Mme de Fontaines, en janvier 1733, il en est marri :
« J'ai perdu une bonne maison dont j'étais le maître et
40 000 livres de rente qu'on dépensait pour me divertir. »

Le 4 mai 1757, il indique à son banquier lyonnais : « Le capital qui est entre vos mains se monte à 524 000 livres (disons 1 300 000 NF) indépendamment des intérêts de 445 000 livres (disons 1 500 000 NF). » En 1778, il aura, en chiffres ronds, 500 000 NF *de rente*. Parti de rien, je suis « *parvenu* », dit-il en propres termes, « *à vivre comme un fermier général* »; et « *par quel art?* » Réponse : parce qu' « *il faut être, en France, enclume ou marteau* » et qu'il a su choisir le bon côté, celui qui écrase.

Bâtonné, à trente et un ans, par les soins d'un aristo-crate, est-il en révolte? Tout se passe, au contraire, comme si ce massage n'avait fait que lui assouplir mieux l'échine. Il en est repoussant. Rien ne lui coûte lorsqu'il s'agit de flagorner qui peut lui être utile. Il veut entrer à l'Académie et les Jésuites y sont puissants? Voltaire écrit à l'un des « bons pères » une lettre ostensible et dévote. Jeanne Poisson devenue Pompadour est main-tenant la maîtresse du roi; Voltaire la comble d'hom-mages; il la félicite, en « *bon citoyen* », du gracieux travail qu'elle assume et qui doit « *faire le charme de tous les honnêtes gens* »; s'il pouvait l'avoir pour alliée! aussi ne néglige-t-il pas d'ajouter, concertant son vocabulaire, que seuls lui seront ennemis les « *frondeurs jansénistes* ». Voltaire est l'amant de Mme du Châtelet, mais Frédéric II est d'une autre importance qu'Émilie pour son avance-ment; Frédéric II n'aime pas les femmes; aussi Voltaire l'assure-t-il (31 décembre 1740) qu'il n'a point à être jaloux :

> *Un ridicule amour n'embrase pas mon âme*
> *Et je n'ai pas quitté votre adorable cour*
> *Pour soupirer en sot aux genoux d'une femme.*

« Héroïsme », disait Lamartine; « audace d'un seul contre tous »; Voltaire qui « brave le respect humain »; Voltaire qui « affronte les bûchers »... Le dithyrambe de Lamartine est un monument de candeur. Voltaire n'est pas « seul contre tous ». Quand il entame, vers 1716, sa bataille contre la superstition, il sait qu'il va plaire à quantité de gens qui serviront son arrivisme. Avec le Régent au pouvoir, le bon ton est d'être esprit fort et Voltaire se met en flèche, car il souhaite qu'on le regarde, qu'on applaudisse, qu'on se récrie : quel homme! quels

dons! il est inouï! Il aime « *effrayer les badauds* » *(Épître
à Horace)*. Mais quand il croit le moment venu de se
hisser aux honneurs, on note dans sa trajectoire un
palier de sagesse. Il y a eu le départ à grand fracas, pour
se faire connaître, et il y aura, plus tard, un certain
travail enragé; entre les deux, une période surveillée,
le temps de la sourdine, l'époque où Voltaire « réalise »
et convertit sa notoriété en places et en titres : 1er avril
1745, historiographe du roi; 25 avril 1746, l'Académie;
22 décembre 1746, « gentilhomme ordinaire ». S'il pouvait s'incruster à Versailles! Mais c'est en vain que,
prosterné et l'œil caressant, il demande à Louis XV si
« Trajan » est content de lui; Trajan se détourne de ces
reptations. Aucun « bûcher » ne le menace mais il craint
ce donjon de Vincennes où Diderot a fait un stage.
Voltaire est extrêmement prudent. Jean-Jacques signe
ce qu'il publie, comme Hugo signera, le 2 décembre,
cette affiche au bas de laquelle il met sa tête. Voltaire
ne signe rien de ce qui pourrait lui valoir des ennuis.
« *Frappez et cachez votre main* »; telle est sa devise. Il
s'est tapi à Ferney dans un terrier à double issue. Pré-
servée dans un tel abri, et sous tant de millions, sa sécurité est entière; mais s'il s'applique à « écraser l'Infâme »
par des agressions anonymes, que cela surtout n'aille
point jusqu'à endommager sa paix. Son *Sermon des
Cinquante* est une jolie fougasse dont il est satisfait.
Mais écoutons-le, qui ne badine pas, s'expliquer à sa
nièce Fontaine sur ce mauvais livre (11 juin 1761) : « Je
ne sais ce que c'est que le *Sermon des Cinquante* dont
vous me parlez. *Si c'était quelque sottise antichrétienne
et que quelque fripon osât me l'imputer, je demanderais
justice au Pape, tout net. Je n'entends point raillerie sur
cet article.* » La sincérité frémit dans sa voix au point
qu'il en est pathétique.

Les égards que voue Arouet à la protection de son
repos n'ont pas de bornes. En 1768 et 1769, non qu'un
danger se dessine, mais seulement parce qu'il souhaiterait
que l'on fût moins froid pour lui à Versailles, Voltaire
fait ses Pâques. Ses « amis » parisiens en sont interloqués
et demandent des explications. Voltaire se justifie
comme il peut, c'est-à-dire ignominieusement. Il dit que
cette singerie était nécessaire, que, fidèle à la Cause,

bien sûr — les « frères » le connaissent! ce n'est pas lui
qui désertera! — et plus que jamais nasardant, incognito, les christicoles, il s'est vu, toutefois, contraint à
des ménagements; « il y a des temps où il convient
d'imiter leurs contorsions ». Et il ajoute, pour être drôle,
à propos de ce pain azyme qu'il lui a fallu se laisser
mettre sur la langue : certains « *craignent de manier les
araignées* », mais d'autres, intrépides, « *les avalent* »;
pareille performance doit arracher les ovations. (Au
demeurant, si ce n'est que du pain, l'hostie, pourquoi
parler d' « araignée »? Un texte comme celui-là donnerait
des idées à l'Inquisition. Montaigne communie sans
émoi, en toute quiétude, en tout sommeil; mais cette
horreur physiologique, c'est à croire qu'elle est démo-
niaque. Détendons-nous. Voltaire, en absorbant l'hostie
n'a pas eu de spasme dans la gorge; il n'a pas non plus,
après son exploit, éclaté d'un rire infernal; il n'écrit
« *araignée* » qu'à l'intention des camarades et pour leur
prouver vigoureusement, qu'ils peuvent toujours lui
faire confiance.) Il est peureux. Tous ses familiers le
savent. Dauber sur les Pompignan, le poète et l'évêque,
c'est un délice gratuit; mais qu'un troisième Pompignan,
insoupçonné, sorte de l'ombre et déclare — il est dans
les carabiniers — son intention de venir couper les
oreilles à Voltaire, celui-ci, terrifié, appelle au secours
Choiseul contre ce spadassin. Frédéric était convaincu
que « Christmoque » s'effondrerait devant la mort. On se
souvient de Lamartine : Voltaire qui « condamne », en
héros, « sa propre cendre à n'avoir même pas de tombe ».
Arouet, au contraire, attache le plus grand prix à être
enseveli chrétiennement. Qu'est-ce que cela peut bien
lui faire? Il a communié, jadis, pour plaire au roi,
mais c'est pour plaire à qui, cet enterrement catholique qu'il veut avoir, à toutes forces? Une dernière
victoire sur l'Église? Contraindre à l'honorer, mort, ces
gens qu'il a souffletés, vivant? Ou peut-être, cette pros-
cription de sa dépouille, s'il meurt irréconcilié, un
opprobre que sa famille ne doit pas subir? Les mondains eux-mêmes les plus « affranchis » tiennent aux
funérailles rituelles. Cela se fait. Va pour les baladins,
la sépulture honteuse. M. de Voltaire ne saurait tolérer
que l'on traitât mal son cadavre. L'enterrement civil,

au XVIIIe siècle, n'a pas encore son droit de cité. Je demeure perplexe. N'y eut-il pas eu réprobation sociale, Voltaire aurait-il agi autrement? Toujours est-il qu'il s'est platement rétracté, renié, et qu'il a signé ceci, le 2 mars 1778 : « *Je meurs dans la religion catholique où je suis né, espérant de la miséricorde divine qu'elle daignera pardonner toutes mes fautes, et si j'avais jamais scandalisé l'Église, j'en demande pardon à Dieu et à elle.* » Dans l'histoire, malpropre, de sa communion pascale, l'évêque Biort lui avait rappelé, le 5 mai 1769, que « *manquer à la bonne foi* » est toujours chose déshonorante, mais jamais autant que « dans une circonstance » qui exclut, « *essentiellement* » la « *dissimulation* » et l' « *artifice* ». Les mêmes mots, syllabe par syllabe, sont valables pour Voltaire en présence des derniers sacrements.

La « bonne foi » est sans doute la vertu qui lui manque le plus. Delattre et Pomeau conviennent tristement que « le mensonge lui est naturel »; « il ment à ses amis; il ment quand il fait une affaire; il ment quand il a un procès ». Il attaque, puis, si l'on riposte, pousse des cris assourdissants; « vos prêtres, dit-il à Tronchin, à propos des pasteurs de Genève, vos prêtres qui m'ont insulté d'une manière si lâche et si odieuse... » Il redoute si fort de voir la géologie de Buffon confirmer la Bible qu'il se jette, sur les fossiles, dans un enfantillage dont il mesure parfaitement l'ineptie, mais qui *prendra* peut-être, chez les simples. Et dans l'affaire Saurin, telles pièces renversant ses dires, il lacère les documents et mutile les registres pour avoir raison contre la vérité. Et son apostolat en faveur de la « tolérance »! Et sa fièvre, annuelle, de la Saint-Barthélemy! (Cette date le tue; chaque 24 août, il a des sueurs, des vertiges, son cœur s'arrête, il faut qu'il s'alite.) Et cette participation visionnaire, insoutenable et qui le brise, aux tortures de Jean Calas! Curieux comme d'autres tortures le laissent désinvolte. Calas sur la roue le rend malade, mais Jeanne d'Arc le met en joie; pour cette Pucelle qui joignait les mains, la dérision ne suffit pas; il faut la couvrir d'immondices; il importe de la montrer obscène, à la façon d'une rustaude que les bêtes, bien armées, séduisent; et Voltaire de décrire Jeanne offrant, dans l'attitude adéquate, son corps à un âne :

De son cul brun les voûtes se levèrent
(Etc...)

Littérature, dirons-nous; un peu gênante tout au plus.
Malheureusement Voltaire ne s'en tient pas à ces
exercices de style. Il aime à recourir au bras séculier.
Le libraire Grasset l'a compromis, à propos de *la Pucelle*
précisément (Grasset, sans permission, a imprimé le
livre à Genève, sachant qu'il aurait un succès de vente,
car les manuscrits de l'ouvrage qui circulent dans les salons
de la ville haute engendrent, dit Du Pan, genevois
doré, « *de beaux éclats de rire chez nos dames* »). Grasset
va payer cher sa tentative. Voltaire est déchaîné.
« Je l'ai dénoncé au Conseil; il a été mis en prison et
chassé de la ville... En quelque lieu que soit Grasset,
j'informerai partout les magistrats »; et il a essayé
de le faire lyncher, aux Délices, par ses domestiques.
Le curé de Moëns, Ancian, qui s'est mis dans un mauvais
cas, Voltaire fait de son mieux auprès de la police pour
qu'il aille aux galères. Mais c'est l'incident des *Lettres
écrites de la Montagne* qui nous en apprend sur lui le
plus long. Il vaut mieux n'en pas trop parler. On me l'a
fait comprendre, autrefois, lorsque j'ai appelé, là-dessus,
l'attention. Raison de plus pour que je recommence.
Jean-Jacques a osé, dans ses *Lettres*, nommer le *Sermon
des Cinquante* sans mettre en doute que ce pamphlet
soit de Voltaire. La vengeance de Voltaire est affreuse.
Il sait que Jean-Jacques est redouté des grands bourgeois de Genève, car il a la plèbe avec lui; son livre,
du reste, expose comment la « République » est devenue
la proie des nantis. Aussitôt Voltaire s'ingénie à faire
peur aux riches encore davantage, pour qu'ils agissent,
sans perdre une minute, et que Rousseau soit arrêté,
et qu'on le tue. « Cachant sa main », Voltaire travaille
à faire exécuter Jean-Jacques. D'une pierre deux
coups : on le débarrassera d'un très déplaisant adversaire (« Quel temps a-t-il pris pour rendre la Philosophie odieuse? Le temps où elle allait triompher! »
12-1-65) et il pourra, si son plan réussit, tomber ensuite
sur les pasteurs, coupables de ne vouloir point être
« sociniens » et qui brûlent les penseurs libres. Voici le
texte qu'il fait répandre; non signé, bien entendu, de

telle manière qu'il puisse jurer en ignorer tout, et qui
peut passer pour le cri d'alarme de quelque ami de
l'ordre; c'est un appel au Conseil, un avertissement à
mille exemplaires : « *Le Conseil aura trop de prudence
et trop de fermeté pour s'amuser seulement à faire brûler
un livre auquel la brûlure ne fait aucun mal... Il punira,
avec toute la sévérité des lois, un blasphémateur séditieux* »;
si le Conseil ne bouge pas, s'il reste stupidement inerte,
« *il sera traîné dans les boues par la populace* »; vite,
vite, « *un jugement qui mette fin à l'audace d'un scélérat !* »
Ce n'est pas assez. Voltaire invente, en même temps,
une intervention ecclésiastique et lance ce *Sentiment
des Citoyens* où il a pris le ton calviniste afin que le
libelle anonyme paraisse venir d'une plume « sacrée »;
la conclusion est la même : « *On punit capitalement un
vil séditieux.* » Les jours passent et rien ne se produit.
Voltaire n'y tient plus; il lève le masque, mais en grand
secret, pour François Tronchin qui est *sûr*, qui ne le
découvrira pas; et il lui hurle (billets des 12 et 22 janvier 1765) : Mais allez-y! allez-y donc! Mais qu'est-ce
que vous attendez [1]!

   Tel est, en actes et dans le concret, l'homme du
Traité de la tolérance, le sanglotant du procès Calas.
Les « crimes » lui mettent l'âme en feu, sauf s'ils s'accordent à ses desseins. Catherine II a du sang sur les mains?
Peccadille, puisqu'elle protège les philosophes. « *Je
sais bien qu'on lui reproche quelque bagatelle au sujet
de son mari, mais ce sont des affaires de famille dont je
ne me mêle pas.* » Voltaire-le-tolérant déplore avec
bonhomie la « rage » qu'ont les gens à « forcer les autres
à boire de leur vin », il tonne contre les dragonnades,
mais il compte sur les bataillons de Frédéric II pour un
prosélytisme selon son cœur : « Si j'avais 100 000 hommes,

---

   1. En 1950 (*Bulletin du Bibliophile*, n° 4) M. Bernard Gagnebin,
conservateur des manuscrits à la Bibliothèque de Genève, a révélé une
autre lettre, ultra-confidentielle, adressée, par Voltaire, à son imprimeur
et complice Gabriel Cramer; « il faut », lui dit-il, que les conseillers
« *engagent adroitement les ministres* [les pasteurs] *à faire des représen-
tations; il faut qu'ils animent la voix des meilleurs citoyens; il faut
qu'ils réduisent la canaille au silence en faisant connaître les endroits*
[du livre de Jean-Jacques] *blasphémateurs et séditieux et qu'ensuite ils
punissent non pas un livre, qu'on ne peut punir, mais un coquin digne
des châtiments les plus sévères* ».

je sais bien ce que je ferais... » L'abbé Galiani, son
disciple, expliquera sans ambages à Mme d'Épinay, le
22 juin 1771, ce que c'est que la Tolérance : « Si l'on
rencontre un prince sot, il faut lui prêcher la tolérance
afin qu'il donne dans le piège » et qu'ainsi, « par la tolérance qu'on lui accorde », le parti des lumières puisse
se mettre en mesure d' « écraser » le parti des ténèbres.
Au moment où Calas expire, victime de juges monstrueux, Voltaire ne s'émeut nullement. Ce parpaillot
ne l'intéresse pas; il en veut à mort, à cette date, aux
pasteurs de Genève; tant pis pour l'énergumène du
Midi, lui aussi, après tout, christicole. S'en prendre à
des juges, qui sont, plus ou moins, aux ordres du Pouvoir, Voltaire, en outre, a peu de penchant pour de
semblables témérités. Puis il s'aperçoit que l'heure est
bonne : nos armées battues par les hérétiques, le Pouvoir incline à flatter les vainqueurs; le ministère, nos
caisses vides, cherche à placer des emprunts à Genève,
et ne vient-on pas, chose inouïe, d'accorder une ferme
générale à un protestant (J. R. Tronchin)? Allons,
l'entreprise est décidément sans périls et permet contre
« l'Infâme » la plus belle manœuvre. Encore faut-il
que Voltaire s'entoure, d'abord, de hautes protections.
Le terrain prêt, il s'avance avec son artillerie et ses
larmes. Zola risquera gros, dans l'affaire Dreyfus.
Aucun désagrément à redouter, des profits seulement à
recueillir, pour Voltaire, dans l'affaire Calas. L'opération achevée, Calas ne sera plus, pour Voltaire, que
« le roué de Toulouse », comme l'Autre était « le pendu »
de Jérusalem, et la veuve du roué « *une huguenote
imbécile* ».

Ce que Voltaire ne peut souffrir, plus encore que la
croix, c'est l'odeur des pauvres. La « populace » l'incommode, et elle l'inquiète pour l'avenir. Dès 1755, il a
flairé, dans le deuxième Discours de Jean-Jacques
(sur « l'origine de l'inégalité »), « *la philosophie d'un
gueux* », et si Jésus l'horripile, c'est aussi qu'il sort
« *de la lie du peuple* ». « Nous ne nous entendons pas sur
l'article du peuple, écrit Voltaire, cassant, à Damilaville, le 1er avril 1766; j'entends par peuple la populace
qui n'a que ses bras pour vivre [...] *Il me paraît essentiel
qu'il y ait des gueux ignorants.* » Les gueux n'ont nul

besoin de savoir lire [1]; s'ils se mettaient à réfléchir,
cela pourrait déranger tout. Des gens qui n'ont pas voix
au chapitre. Des méprisables. A Biort l'évêque, Voltaire
n'omet point de jeter au visage qu'il est le fils d'un
maçon, au jésuite Nonotte qu'il descend d'un fendeur
de bois, à J.-B. Rousseau que son père était cordonnier;
et il admire « *l'insolence* » de ces prêtres « *qui vous disent :
je veux que vous pensiez comme votre tailleur et votre
blanchisseuse* ». S'il est énergiquement antisémite,
ce n'est pas seulement parce que la Bible vient des juifs,
mais parce qu'ils peuplent, en Europe, la pouillerie
des ghettos. « *Les juifs ne connaissent ni l'hospitalité,
ni la liberté, ni la clémence* »; ils ont « *cet esprit de lucre
inspirateur de toute lâcheté* » (une merveille, cette phrase,
sous une telle plume); c'est une « *nation atroce* »; les
juifs « *sont les ennemis du genre humain* ».

Saisissante, la remarque d'André Delattre (p. 34) :
« L'imposteur que voyait Voltaire en tout fondateur de
religion, il n'avait pas à aller loin pour en trouver le
modèle. » Exact. Littéralement exact. Voltaire, sur le
trépied, enseigne aux démunis le Dieu « rémunérateur
et vengeur », alors qu'il pouffe, entre intimes, sur ce
croquemitaine. Voltaire prêcheur déiste n'est pas le
« cagot » qu'imaginaient les holbachiens; un fourbe,
tout bonnement; c'est Tartufe.

Ozanam déclarait : Voltaire « n'a pas de plus grand
ennemi que l'Histoire ». On dirait bien que c'est vrai.
L'enquête sur son compte, quand on la mène loyale-
ment, conduit à des conclusions sinistres. « Il est trop
facile de faire le portrait de Voltaire en éliminant ce qui
gêne »; cette mise en garde de R. Pomeau n'est pas super-
flue, car on en ramasse à la pelle de ces « portraits »
fumants et burlesques où, selon que le peintre est d'un
clan ou de l'autre, de chez Condamin ou de chez Bayet,

---

1. Voltaire a consenti tout de même qu'un maître d'école vînt à
Ferney, mais qu'il n'ennuie personne! Pour amortir le zèle éventuel
de cet instituteur, Voltaire a fixé son traitement à 50 francs par mois
(180 NF à peu près), sur quoi lui sont retenus 120 NF par mois,
pour son loyer.

du *Pèlerin* ou de la *Lanterne*, Voltaire est l'un des dieux
de l'Olympe laïc ou une incarnation de Satan. Je suis
parti dans ma recherche avec la passion d'y voir clair,
sans savoir où j'aboutirais, espérant (à cause de Besterman) que j'allais trouver enfouies dans ce destin des
choses exaltantes. Voltaire rebute. Cette main, d'homme à
homme, qu'on souhaitait de lui tendre, elle retombe. Jean-
Jacques disait de lui : une « *âme basse* » (lettre à Vernet,
29 novembre 1760). Quand je le regarde dans beaucoup
de ses voies, quand je l'entends prescrire à d'Alembert
(6 janvier 1761) : « Marchez toujours *en ricanant*, mes
frères, dans le chemin de la vérité », quand il s'avance,
ce jour qu'elle n'oubliera plus, sur Mᵐᵉ du Châtelet,
une dague à la main (et ce n'est pas une scène de jalousie),
malgré moi s'évoque, sous le nom de Voltaire, ce personnage entrevu par Charles-Louis Philippe : un homme
raclant un « *violon rouge* » et qui, par-dessus l'instrument à la « *voix grimaçante* », vous fixe « *avec des yeux
aigus où passent des étincelles et du sang* ».

   Jean-Jacques écrit encore — cette fois, dans ses
Confessions — : « En feignant de croire en Dieu, Voltaire
n'a jamais cru qu'au diable », et c'est mal, dit-il, de
s'appliquer, comme il l'a fait, à « désespérer » les gens.
Où est-elle, en effet, la leçon de Voltaire? Son message,
comme on dit, en quels termes le résumerons-nous?
Rassemblant dans notre esprit son œuvre pour l'*écouter*,
nous aurons, avec Delattre, cette observation préalable,
que, chez lui, « la proportion du déchet » est exception-
nellement « élevée », et que « ses œuvres manquées sont
constamment celles sur lesquelles il comptait » pour
perpétuer sa gloire à travers les siècles. La *Henriade*
est illisible, ses tragédies sont « flasques » et ses comédies
« pitoyables ». Scolaire, jusqu'à la fin, dans les genres
nobles où il croit régner, où il se regarde comme égal
à Virgile, comme plus grand que Racine. Le bon élève;
le fort en thème (il sait le latin, mais pas le grec). Toutes
les fleurs en papier, tous les faux ornements, toutes les
ficelles de la rhétorique. La poésie, qu'il a pourtant,
semble-t-il, discernée chez Shakespeare, il est incapable
d'en recréer l'ombre. Et s'il esquisse, en décasyllabes,
quelques sautillements çà et là, son inspiration se limite
(Pomeau) à « d'aigres musiques pour danse macabre ».

Passons sur son *Charles XII* et sur son *Siècle de
Louis XIV*, écrits valables, à leur date; mais est-ce bien
par ces livres-là qu'il survit? Ce que l'on continue à lire,
de Voltaire, ce sont ses contes, quelques-uns de ses
pamphlets, et *Candide*. Ses pamphlets font pâle figure
à côté des *Provinciales* et si ses contes séduisent, ils le
doivent surtout à ce mélange qui les constitue « d'anti-
cléricalisme et de polissonnerie » (Delattre) — deux sûrs
articles de consommation. Reste *Candide*, chef-d'œuvre,
réussite parfaite. Alors, sa « *parole* »? Cette chose qu'il
avait à nous dire? L'annonce qu'il avait à nous faire?
L'avis qu'il entendait nous laisser? Sa « vue-du-monde »,
son testament, sa raison d'être? René Pomeau le place
« entre Montaigne et Gide »; il a, dit-il, « vécu et défendu
la leçon humaniste ». Et Spenlé, de même, le range
parmi « les grands maîtres de l'humanisme européen ».
C'est usuel, mais je demande pourquoi. J'ai beau chercher, je ne vois pas dans le « message » de Voltaire ce
contenu qui le classerait « humaniste », — ou peut-être
ne suis-je pas doué pour pénétrer le sens de ce vocable.
Humaniste, Voltaire qui, loin de célébrer la dignité
de l'homme ou les pouvoirs de sa pensée, ne se lasse pas
de nous redire que nous sommes infimes et bornés,
nocturnes et répugnants, plus négligeables que des
« souris », plus mauvais que des « puces »? Si l'humanisme est un hédonisme, dans ce cas, oui. Voltaire est
l'humaniste-type, car sa doctrine est sans mystère :
« *unum est necessarium* »; il le déclare à d'Alembert,
en ces termes même, le 31 janvier 1770 : la santé, *pour*
le plaisir; c'est l'écho, à soixante-seize ans, de ce qu'il
exposait « à Mme de G. », dans cette épître qu'il lui
dédiait, à vingt-deux ans :

> *Le plaisir est l'objet, le devoir et le but*
> *De tous les êtres raisonnables.*

Entre les deux, ceci, des *Notebooks* : « *Le bonheur est
un mot abstrait composé de quelques idées de plaisir*[1]. »

1. Voltaire est en retrait par rapport à Gide, et moins bon « humaniste » que lui. L'immoralisme est sa méthode, mais non point ouvertement sa doctrine, crainte des conséquences qu'en pourrait subir son
repos. Jezrad, l'ange de *Zadig*, sait que la « doctrine secrète » est faite
pour demeurer telle, car, « sur ce principe » (que le Bien et le Mal sont

Sur la « morale » de *Candide*, André Delattre s'interroge : ne serait-ce pas, « peut-être », un « retour au catéchisme »? Si Voltaire, en prenant congé, nous recommande de « cultiver notre jardin », c'est que l'homme,
selon le Livre, « a été mis sur la terre pour qu'il la
travaillât; *ut operaretur...* » (Delattre, *op. cit.*, p. 85).
Béni soit ce « peut-être », à la dernière seconde, qui sauve
l'exégète! Si Delattre n'avait pas eu cette hésitation
bienheureuse, j'entends d'ici, dans les nuées, la crécelle
du rire voltairien; elle n'en finirait plus; elle en serait
inextinguible. *Candide* issu du catéchisme! Quel
triomphe! La morale de *Candide*, mais c'est Voltaire
lui-même qui nous la commente, explicite à souhait :
« *Ce monde est un grand naufrage. Sauve qui peut!* »
(XXXIX, 210.) « *La destinée se moque de nous... Vivons
tant que nous pourrons, et comme nous pourrons* » (2 juillet 1754). Que chacun s'arrange. Place aux adroits,
à ceux que n'empêtre pas la naïveté des scrupules.
L'important est de savoir nager, pour aborder à un
bon coin et s'y creuser un trou confortable, une « *bonne
loge* » (XXXIX, 203) d'où l'on assiste, « *très à son aise* »,
à la noyade générale. Le voilà, le jardin de *Candide*,
qui s'appelle domaine de Ferney, avec 20 000 livres à
dépenser par mois — fruit de rapines et de brigandages
— pour la cour qu'on y entretient, et ce « petit carrosse
à l'italienne, à trois glaces et doublé de soie », que
Voltaire trouvait ravissant. « Je mets en pratique ce
que j'ai dit dans *le Mondain : Oh, le bon temps que ce
siècle de fer!* Toutes les commodités de la vie en ameu-
blement, en équipages, en bonne chère... Il y a là de
quoi faire crever de douleur plus d'un de mes chers

de pures fictions) « ils » (les hommes) « s'abandonnent à des excès »,
ce qui ne vaut rien pour le « lien social » et sa douce efficacité. Ce n'est
pas Voltaire, c'est La Mettrie qui aurait pu concevoir Lafcadio. Voltaire ne s'aventurerait pas à pareille imprudence. La Mettrie, au
contraire, prononce : « Celui qui aura une plus grande satisfaction à
faire le mal sera plus heureux que quiconque aura moins de plaisir à
faire le bien. » La Mettrie expulse remords et mauvaise conscience; il
y *met bon ordre*, comme l'auteur du *Journal;* ces choses-là, écrit-il,
sont pour « les sots »; et il donne d'avance à la pensée de Gide sa forme
entière : « Il ne faut cultiver son âme que pour procurer plus de commodités à son corps. »

confrères. » Ainsi parle, celui que Michelet, délirant,
saluait comme un immolé. L' « homme qui souffre »,
l'homme « qui a pris sur lui toute la douleur du monde »,
écoutons-le encore; 14 octobre 1758 : « Que la guerre
continue, que les hommes s'égorgent ou se trompent,
vivamus et bibamus! » La politique de Voltaire, les
réformes qu'il aurait proposées, son effort pour quelque
progrès? Zéro. Voltaire a trop bien su tirer parti du
désordre établi en son temps pour vouloir qu'on y touche.
Son régime idéal est le « despotisme éclairé », autrement
dit, pesant sur la masse qui travaille pour nourrir ceux
qui ne travaillent pas, un pouvoir dispensateur de pré-
bendes, avec une armée forte et une puissante police,
et la gendarmerie « complémentaire » d'un clergé pour
les imbéciles, étant entendu que ces prêtres n'importu-
neront point l'élite et ne la dérangeront pas dans ses
jeux. Nul n'a mieux défini la pensée politique et sociale
de Voltaire que Robespierre, à la Convention, dans
son rapport du 18 floréal : « *Cette espèce de philosophie
pratique qui, réduisant l'égoïsme en système, regarde la
société comme une guerre de ruse, le succès comme la
règle du juste et de l'injuste, le monde comme le patri-
moine des fripons adroits.* »

Humanisme? moi je veux bien. Et si Paul Souday,
célébrant Voltaire l'anti-Pascal, s'envolait dans un
geyser : « Il a vraiment ôté le poids de nos épaules.
Il nous a tirés du cachot et nous a ramenés à la lumière.
Joie! Rires de joie! Grâce à Voltaire, on respire, on vit! »,
si M. Maurras, à ce que nous confie Bainville, relisait
Candide une fois par année, afin de se bien nettoyer
l'âme, et se plaisait à répéter : « Maintenant, la voie est
libre! », je m'en voudrais de les en blâmer. *Trahit sua...*
Mais je comprends mieux Flaubert, que *Candide* attirait
aussi, pour d'autres raisons; parce que Voltaire est
sans espoir, parce qu'il nous montre la créature hagarde,
errant sous un ciel « de fer », parce que *Candide* est un
livre noir, un livre amer, « bête comme la vie ». Mais
Candide est pour les lettrés. Pour la foule, ce qui subsiste
de Voltaire, c'est ceci :

Les prêtres ne sont pas ce qu'un vain peuple pense;
Notre crédulité fait toute leur science.

Rien d'autre. Cela n'est pas peu, direz-vous. Question qui
n'est pas la mienne. Je n'avais qu'un propos : savoir
quel homme était cet homme et ce qu'il nous avait
apporté.

Est-ce que je le sais, à présent, qui c'était? Mal.
A peine. Il y a ce cri, cet élan, dans une lettre de
Mme de Grafigny : « *Je l'aime, oui, je l'aime, et il a tant
de bonnes qualités que c'est une pitié de lui voir des fai-
blesses si misérables.* » Il y a le témoignage de Mme de Genlis, qui s'est rendue à Ferney sans amitié aucune pour
Voltaire, sûre d'avance que cette expérience l'ancrera
dans son aversion. Stupeur. Un charme est sorti de
lui. Mme de Genlis n'est pas convertie, mais elle est
ébranlée. Qu'il est différent, ce vieux magicien, de ce
qu'elle attendait! Dans ses yeux, « *quelque chose de
velouté, et d'une douceur inexprimable.* » S'il est un mot,
n'est-ce pas, qui ne lui va guère : chaleur humaine, si ce
don du contact, du rayonnement, du cœur à cœur,
Voltaire en paraît privé plus que quiconque, voici
pourtant, en toutes lettres, ce que lui écrivait Moultou :
« vos conversations », qu'elles me font du bien! Mon
âme s'y ranime à « *cette chaleur d'humanité qui fait la
vie de la vôtre* » *(sic).*
   Ces choses-là ne peuvent être omises. Étudions bien,
aussi, les visages de Voltaire. Ils ne sont pas tous
« ricanants ». Le pastel de Nicolas Cochin, que Besterman a reproduit (l'original est en Amérique), on n'a
jamais fini de le scruter. Un Voltaire qui doit avoir la
cinquantaine; son dos se voûte; il serait presque gras;
un essai de sourire; mais l'œil, bleu, ne rit pas; il guette,
de côté, attentif, sans bonheur. Et le regard qu'a vu
Mme de Genlis, je le reconnais dans un des dessins de
Huber. Voltaire, très vieux, qui n'a pas cet air corrosif
qu'on lui voit si souvent; il lève la tête; il regarde
quelque chose; il écoute quelqu'un, peut-être, qui lui
parle, debout, tandis que lui-même est assis. Et là,
comme pour « chaleur humaine », un mot, encore,
s'impose à nous, imprévisible, presque incroyable :
enfance. Sur ce visage sérieux, aux grands yeux clairs,
oui, je ne sais quelle enfance.

Pomeau, Delattre se heurtent à une énigme : la raison, la raison déterminante de cette grande haine qu'a portée Voltaire au christianisme, où se cache-t-elle? Le motif demeure « obscur »; ils le disent, l'un et l'autre. Et il est bien vrai que nous manque, là, un élément d'intellection capital. Qu'est-ce qui a bien pu, dans la vie secrète de Voltaire, allumer un tel brasier? Il ne s'agit pas seulement, chez lui, de rébellion de l'intelligence, d'indignation du sens commun; il s'agit d'un règlement de comptes. Même révoltée, même indignée, la raison n'a pas de ces flamboiements. Un feu sauvage. Il dit qu'il « éclaire », mais ce qu'il veut, surtout, c'est ravager et anéantir. Sa besogne ressemble moins à l'accomplissement d'une mission qu'à l'assouvissement d'une vengeance. Pomeau et Delattre cherchent tous deux ce qu'ils appellent, chez Voltaire, un « traumatisme » originel. Ils sont persuadés qu'il est arrivé quelque chose à François-Marie Arouet, qu'il a reçu, enfant, une profonde blessure, et ils reprennent l'hypothèse du « jansénisme », à la maison, oppresseur, le frère Armand sombre dévot, le père sans tendresse, la « fixation » de l'enfant sur sa mère. Conjectures faiblement étayées; car enfin, ce père, ce n'est pas chez les oratoriens jansénistes qu'il a mis en pension François après Armand, c'est chez les jésuites, autrement faciles et « mondains »; et François n'y sera pas malheureux; il n'en veut pas à ses anciens maîtres; il aimait le P. Porée, il admirait le P. Tournemine. Quant au « jansénisme » tel qu'il l'a connu, ce jansénisme du XVIIIe siècle, cette mystique *tournée* en opposition bourgeoise et gallicane, un rationalisme déjà le pénètre qui l'écarte immensément, chez les laïcs, chez ces gens de robe parmi lesquels Voltaire a grandi, de ce qu'évoquent pour nous les noms de Nicole et d'Arnauld. Quand Voltaire dit « jansénisme », c'est « christianisme » qu'il entend, deux mots, pour lui, interchangeables, mais il préfère le premier, polémique, et qui porte tort.

Je crois, moi aussi, qu'un événement intérieur, lourd de conséquences, a eu lieu chez l'enfant Arouet, l'adolescent Arouet. Il ne s'en ouvrira à personne et tous ses biographes ont noté à quel point il est silencieux sur ses années premières. Ce qui n'est pas une conjecture,

mais un fait, c'est le renversement qui s'est produit en
lui entre sa dix-neuvième et sa vingt-deuxième année.
François Arouet a quitté le collège en août 1711 (dix-
sept ans); il n'écrit plus sous la dictée; ce qu'il compose
en 1713, il l'écrit parce qu'il le veut bien; il est libre.
Or son *Épître sur les Malheurs de ce Temps* condamne
le monde des mondains, dénonce les exactions et le
vice. Admettons que le jeune Arouet vise à plaire au
vieux roi et qu'il tienne en 1713 ce langage pour la
même raison qu'il tiendra le langage inverse lorsque la
cour ne sera plus celle de Mme de Maintenon mais du
Régent. Reste son amour pour Olympe Dunoyer. Là
nous ne sommes plus dans la littérature, mais dans la vie.
Et François Arouet se jette dans cet amour à cœur perdu.
Lui qu'on verra, si vite, n'avoir plus qu'une pensée :
se pousser, s'enrichir, lui qui veillera avec un tel soin
aux intérêts de son avancement, il fait, alors, « *cent
folies* », c'est-à-dire qu'il compte pour rien les chances
qui sont les siennes dans la carrière diplomatique, qu'il
néglige tout, qu'il ignore tout, pourvu que « Pimpette »
soit sa femme. Il l'aime. Il est le contraire d'un libertin
avec elle; il ne songe pas à la prendre, jouir de son corps,
et passer à une autre; il l'aime; il lui écrit : « *Notre amour
est fondé sur la vertu; il durera autant que notre vie.* »
C'est un enfant? Précisément, je ne dis pas autre chose.
Je dis qu'il y a eu, à dix-neuf ans, un Voltaire qui ne
s'appelait pas Voltaire, qui n'avait encore ni changé de
nom ni perdu ses prénoms, un être en qui ne s'annonçait
point celui qui le supplantera. Entre les deux, une
béance. Un François Arouet au cœur pur, avant le
Voltaire, bientôt, qui rira, cynique, de son « *cœur très
immonde* ».

La métamorphose, d'où vient-elle? D'une mue toute
simple? Quelqu'un qui a fait ses classes, qui a ouvert
les yeux sur la réalité, *les* réalités, et qui a mesuré sa
méprise? Cette fureur qui va l'emplir, est-ce d'avoir été
une dupe, d'avoir cru à la pureté, à la droiture, à des
puérilités absurdes, et à la sincérité de ces prêtres dont
il découvre de toutes parts, dans cette terrible levée
des masques dont s'accompagna la mort du « grand roi »,
l'incroyance et l'infamie? L'explication est encore trop
courte. Ceux qui parlent, chez Arouet, d'un « complexe »

au creux duquel serait sa mère — cette femme dont nous savons si peu de chose, cette mère qui est morte quand il avait sept ans, cette maman qui appelait « Zozo » son petit François (François-*Marie ;* elle l'avait mis, à sa naissance, sous la double protection de saint François d'Assise et de la sainte Vierge) — j'ai bien l'impression qu'ils brûlent, qu'ils sont sur une piste. Mais ils ne prennent pas garde assez au contenu précis des deux seules allusions que je connaisse — en ai-je laissé échapper d'autres ? — de Voltaire à celle qui l'avait porté dans son ventre, puis dans ses bras, et qu'il avait chérie. Deux allusions publiques et horribles. Car c'*est par lui, son fils,* que cette mémoire d'une inconnue est une mémoire souillée. C'est lui, Voltaire, qui fait entendre que le chansonnier Rochebrune est son père autrement que dans l'art des vers ; c'est lui qui, s'esclaffant parce que Duché, plaisantin, l'a comparé au Messie, répondra tout haut :

> *Je n'ai de lui que sa misère*
> *Et suis bien éloigné, ma foi,*
> *D'avoir une vierge pour mère.*

Est-ce que ce serait là son secret ? Est-ce qu'il y aurait eu « traumatisme », en effet, blessure énorme ? Mais pas dans le sens où on l'imagine. Une révélation qu'on lui a faite (Chateauneuf ?) engendrant une commotion ? François Arouet n'en laisse rien voir. Ce qui se passe au tréfonds de lui ne regarde personne. Mais de là naîtrait le ricanement...

Hypothèse que je propose à mon tour, et il est bien possible que je me trompe. Si j'avais raison, cependant, bien des choses deviendraient claires, et ce refus, par exemple, que tous ceux qui ont approché Voltaire ont observé chez lui, ce refus de se souvenir. Il vit à la pointe extrême de l'instant ; il est toujours au sommet de la vague ; il n'a jamais, dirait-on, de regard en arrière. Il est l'homme du « divertissement », le docteur du divertissement. Dans cette *Épître* même à Mme Denis contre Paris, contre Versailles, dans ce texte de 1749 qui est son propre *Anti-Mondain,* à la fin, ce gémissement : tout cela qui est faux, tout ce hideux tumulte, comment s'en passer ? « *Où fuir loin de moi-même ?* »

Il s'installe — de force — à la campagne, mais il lui
faut une rumeur de foule et des adulations, et la maison
de ce solitaire est un caravansérail. Mensonges, la
Vierge et le Christ! Mensonge, la Pucelle! Mensonges,
le Bien et le Mal. Il n'y a rien. « *La vie n'est que de l'ennui
ou de la crème fouettée.* » Fouettons la crème et man-
geons-la, en attendant le seul bonheur, celui du néant.

Les quarante ans
de Madame de Staël

« ... *quand on a vingt-sept ans...* », disait Mme de Staël
à François de Pange, le 12 février 1796. En février
1796, Mme de Staël n'avait pas vingt-sept ans, mais
vingt-neuf (trente, en avril).

Le 30 juin 1808, traversant Bâle et se remémorant
son passage dans cette ville avec son père, en 1789,
elle écrit à Maurice O'Donnel : « *j'avais dix-huit ans* »
alors. Non; vingt-trois. Mme de Staël veut que Maurice O'Donnel, en 1808, lui donne trente-sept ans, et
elle en a quarante-deux.

Le 2 janvier 1809, elle avoue, douloureusement, à
Meister qu'elle va avoir « *trente-six ans* ». C'est quarante-trois qu'elle devrait dire.

Ainsi, selon la règle, plus Germaine de Staël s'éloigne
de la jeunesse, et plus elle est inexacte sur le chiffre de
ses années. A trente ans, elle s'en ôtait trois; à quarante-
deux, cinq; à quarante-trois, six.

Sa secrète entrée dans la quarantaine avait dû lui
être cruelle.

C'est ce tournant de sa vie que je voudrais un peu
regarder.

Le 22 avril 1805, Mme de Staël a ses trente-neuf ans
révolus.

Où est-elle à cette date? A Rome. Et où en est-elle
de ses amours? Elle est veuve depuis le 9 avril 1802
(elle avait donc trente-six ans quand son mari a disparu;

elle l'avait épousé, à vingt ans, le 14 janvier 1786).
Pas commode de dresser, au juste, la liste de ses amants
jusqu'à 1805. Oui, bien sûr, Narbonne, dont elle est
devenue la maîtresse au printemps 1789. Mais Guibert?
Mais Talleyrand? Mais Valence? A inscrire avant
Narbonne? Des lettres de son mari, en 1787, nous montrent que Guibert inquiétait, agaçait beaucoup Eric-
Magnus. Ce ne serait rien, s'il n'y avait l'effroi dont on
verra Germaine saisie, beaucoup plus tard, lorsque le
bruit courra dans Paris que ses lettres à Guibert pourraient bien devenir publiques. Talleyrand? Le général
marquis de Montesquiou-Fezensac écrira, très net
et très cru, à Mme de Montolieu, le 3 février 1795 :
« *Elle* [Germaine] *a eu aussi comme amant cet évêque
d'Autun, et en même temps que Narbonne, et cela trois mois
après avoir été folle de Valence.* » Mais Montesquiou
est une mauvaise langue.

François de Pange? Là, échec. Témoin ces lignes de
la brûlante à l'évasif; 11 septembre 1795 : « *Quand je
m'étais résignée à n'être pas le premier objet d'une âme
comme la vôtre, n'était-ce pas, du moins, avec la douce
idée que vous ne me feriez jamais de mal?* [...] *Ce qui reste
de vie à mon existence tient à cette amitié* [que je réclame]...
*Ai-je seulement essayé ce que je pouvais sur vous avec mes
moyens de femme?* [Non, n'est-ce pas? Germaine s'est
retenue.] *Je quitterais la France, si vous vous refusiez à
m'y voir* [...] *Je vous demande à genoux de venir ici, ou de me
donner rendez-vous à Paris, à Passy, pour une heure
seulement* [etc...] » Pange épouse la petite Serilly et
Germaine rage, si ouvertement, la sotte, que Montesquiou s'en amuse. Mais non, mais non, « *quoi qu'elle
dise* [Germaine], *ses nuits* [les nuits de François, ses
nuits de jeune époux] *ne sont pas si mal employées* »
(14-2-96).

Dans cette demeure louée par Germaine en 1794, à
Mézery près Lausanne, ç'avait été un beau mélange
d'intrigues et de caresses et de complaisances et de
jeux baptisés passions. Montesquiou, l'ex-roué, n'en
revenait pas lui-même. Ces dames de Laval, de La Châtre,
de Valence, de Staël, sans oublier la Genlis qui est à
deux pas, occupent leurs loisirs d'émigrées à ce que le
général appelle, sans égards, une « *usurpation du métier*

des filles » (11-12-94). Leur « *degré d'impudeur* » le laisse,
dit-il (18-12-94), pantois. Narbonne, que Germaine a
fait venir d'Angleterre, a repris son Amandie (« *bergère
de cinquante ans* ») et Pulchérie de Valence va souffler
à Germaine le beau suédois Ribbing. Tout cela avec
quelques accidents annexes, comme l'expulsion de Suisse,
par exemple, du mari d'Amandie, le duc de Montmo-
rency, pour trafic de faux assignats.

Ribbing est assurément, lui, sur la liste que nous
savons. La liste des consentants ; laquelle ne se confond
point avec la liste des élus, car des élus non-consentants,
Germaine, dont les prestiges ne sont pas infaillibles, en
aura rencontré plus d'un. Survient Benjamin Constant,
à l'automne 1794 parmi les candidats. Mais son cas
semble particulier, s'il faut en croire, du moins, Germaine
parlant de lui à Pange : « *vous savez comme moi ce qui
manque à ce que j'aime* » (11-9-95), et Germaine encore,
le 10 mars 1796, assurant à Ribbing que Constant,
pour une certaine raison, précise et majeure, est entièrement disqualifié, hors circuit. Il y a aussi cette
très vilaine bouffonnerie, ce bas vaudeville sorti d'une
plume, sans doute roturière, qu'on « *achète* », dans
Genève, l'hiver 1796, avec un horrible empressement,
et qui met en scène une Germaine travestie en Mme Puti-
phar, et Benjamin à côté d'elle, dont « *le rôle est celui
d'un niais* ». Cousine Rosalie en est ulcérée (cf. sa lettre
à Charles de Constant, le 6 décembre 1796). « *Vous ne
me dites pas*, interrogeait Montesquiou, le 31 janvier
1796, *si Benjamin met à profit l'absence de ses concur-
rents.* » Question naïve, dont la réponse allait de soi.
Constant n'était pas homme à laisser fuir les opportu-
nités. D'où ce majestueux accroissement que vont
prendre, au début de l'année 1797, les formes de
Mme de Staël. Par bonheur, son mari est venu la
rejoindre, au cours de l'été précédent, et Germaine
claironne aux échos, avec tous détails explicatifs, sa
mésaventure ; 1er janvier 1797, du général de Montesquiou, Paris, à sa tendre correspondante vaudoise :
« *j'ai appris* [...] *la violence conjugale qui a produit cet
heureux effet, et à laquelle elle n'a opposé que la réunion
de ses mains sur ses yeux* » ; adjonction du 8 janvier :
« *Il est bien agréable d'être le mari d'une personne qui*

*se croit obligée d'apprendre à tout le monde comment il
lui arrive de faire un enfant lorsque c'est son mari qui
s'en avise.* » Les charmantes indiscrétions de Germaine,
en tout cas, avaient, comme on voit, atteint, sociale-
ment, leur but.

En 1802, tentative de Germaine côté Camille Jordan.
Le 6 septembre, elle voudrait « *oublier tout ce qui*[1]
l'oppresse », « *l'oublier avec vous* », « *sous le beau ciel
d'Italie* ». Raté. Camille a pris du champ, aussitôt.
D'où ce gémissement, résigné, du 23 octobre : « *Je savais
bien, mon cher Camille, que ce qu'on appelle communé-
ment la raison n'était pas pour mon projet; mais j'avais
eu un élan vers quelque chose de mieux qu'elle* [la raison]...
N'en parlons plus. » Jordan ajoute son nom à celui de
François de Pange sur le bordereau virtuel mais incan-
descent, des humiliations de Germaine. Cacher cela à
tous les regards, et sauver la face.
    Une agréable consolation pendant l'hiver 1802-1803 :
cet O'Brien que Mme de Staël, par prudence, croit
devoir, le 13 janvier 1803, mentionner en souriant dans
une lettre à Hochet, bavard irrépressible, et que Benjamin, le 20 du même mois (tout lancé, à cette date,
dans des supputations sur les avantages que lui vaudrait
la main d'Amélie Fabri), fait entrer dans son *Journal
intime* : « *Germaine, toujours suivie de son Irlandais*
[etc...] »
    A O'Brien succède Robertson, le médecin de Sir John
Campbell. Grande flamme. Germaine l'a rencontré le
14 avril 1803. Robertson paraît avoir, quarante-huit
heures, au début de juillet, seul avec Germaine à Coppet,
répondu sans réserve aux transports de la châtelaine.
Mais il a fait, *après*, comme Pange, comme Jordan
avaient fait *avant*. C'est en vain qu'elle l'a rappelé.
Le 22 juillet 1803, l'infortunée adresse à Sir John une
lettre incroyable, où, lâchée par le serviteur, elle s'offre
éperdument, pour compenser, au maître. « *Heureusement* », lui dit-elle, qu'un juste et profond instinct
m'a retenue d'engager tout à fait avec Robertson, ce
« *cœur que j'étais prête à lier à lui pour toujours* »;

j'ai deviné « *que Robertson était mobile* ». Dieu soit
loué, mes yeux s'ouvrent! C'était vous, c'était vous,
que je chérissais à travers lui! « *J'ai si profondément
senti que, si vous m'aviez aimée, je vous aurais aimé,
que je vous montre sans aucune crainte ce que toute
femme cacherait.* » Et du lendemain, 23 juillet : « *Mettez
sur un petit papier :* je vous aime, je me porte bien,
et, s'il se peut, je vous attends là, tel jour [...] *Je vous
aime tous les jours plus; il y a des trésors dans votre âme
que je vous découvrirai à vous-même* [etc..., etc...] ». Encore
une déception. Sa lettre du 9 septembre suivant à
Sir John est, là-dessus, tristement éloquente : « [...]
vous n'avez jamais voulu m'ouvrir votre cœur... »

Le 24 octobre 1803, Mme de Staël part pour l'Allemagne. Elle emmène Benjamin Constant, résolu, pour
l'heure, à tenter plutôt avec elle qu'avec une quelconque
Amélie ses chances de fortune et de carrière. Mais
Germaine a des desseins occultes. Robertson, d'une part,
est à Berlin et qui sait si elle ne pourrait point le recon-
quérir? (Le 9 septembre, elle a confié à Sir John : « *Si
R. persiste dans le projet qu'il m'écrit de Berlin, j'irai
l'y voir avec un extrême plaisir* »; et, le 2 janvier 1804,
de Weimar, elle écrira, en propres termes, à Robertson
lui-même : « *C'est vous qui avez décidé de mon voyage.* »)
Quelqu'un d'autre part, sur la route, l'intéresse. Villers,
Charles de Villers, qui habite Metz, et auquel, le 20 juillet
(le 20 juillet 1803, l'avant-veille exactement de son
épître fiévreuse et folle à Campbell), elle a dédié un
message propre à lui tourner la tête. La partie était
captivante. Villers, depuis des années, appartient à
Mme de Rodde. L'enlever à cette dame, que c'eût été
délicieux! Echec, hélas! Complet échec. Arrivée à
Metz le 26 octobre au soir, Germaine en repartira mor-
fondue le 8 novembre au matin. Au vieux papa Necker,
elle dit tout, ou presque. Il en a tant vu et il est si bon!
Elle ne lui dissimule donc pas, quittant Metz, qu' « *en
dix jours* » elle a connu un puissant « *attrait* » et « *plus
raisonnable* » que ceux qui ont agi sur son cœur jusqu'ici;
mais, par malheur, « *mille raisons* » lui « *commandaient
de l'étouffer* ». Mille? Une seule suffisait, consternante,
inavouable : Villers lui préférait Mme de Rodde.

Elle n'est pas gaie, Germaine, en ce début de son

voyage allemand. « *Ma vie est misérable. Benjamin a un sentiment et un caractère* » vraiment trop « *incomplets* ». N'empêche qu'il l'adore, Benjamin, en Allemagne; et à ce point que, le 5 (ou 6) mars 1804, à Leipzig, il a rédigé en termes solennels un engagement qu'ils ont pris l'un envers l'autre : « *Nous nous promettons de nous consacrer réciproquement notre vie. Nous déclarons que nous nous regardons comme indissolublement liés, que notre destinée sous tous les rapports est pour jamais en commun, que nous ne contracterons jamais aucun autre lien, et que nous resserrerons ceux qui nous unissent aussitôt que nous en aurons le pouvoir.* » Une bonne chose de faite; mais, si Benjamin, vigoureusement, a mis au bas du papier sa signature, par inadvertance Germaine a oublié d'y apposer la sienne.

Et il est, en outre, instructif d'apporter ici ce texte du *Journal intime* de Constant, sous la date du 19 août 1804, — autrement dit quatre mois après ce serment pathétique : « *Depuis huit ans, je n'ai point d'amour. Si j'avais eu de l'amour pour elle, je me serais blessé de ses coquetteries, j'aurais prétendu les gêner* [...] *Mais, voyant toujours dans ses coquetteries une chance de retrouver l'indépendance que je désirais, je lui ai laissé liberté complète.* » Germaine ne lira jamais les notes secrètes de Benjamin qu'il veille à tenir cadenassées. Mais elle n'a pas besoin de les connaître comme nous les connaissons aujourd'hui pour être, de longue date, au fait de ce que présentent — c'est curieux — d' « *incomplet* », comme elle dit, d'opaque et d'assez peu sûr, le « *caractère* » de cet amant (depuis des années honoraire) et son « *sentiment* » pour elle...

« *Elle est extrêmement grossie, ce qui ne l'embellit pas* », signalait Rosalie de Constant, le 13 août 1803. Ne nous fions pas à Rosalie, qui en veut à mort à Germaine de n'avoir pas encore épousé Benjamin. Mais voici Gœthe, en 1804, désintéressé et sans malveillance : « *Il est inconcevable qu'un esprit aussi supérieur soit aussi mal logé.* » Propos rude, qui confère, au moins pour une part, un semblant de véracité à ceci, très méchant, de Montes-

quiou (28-8-95) : « *Mme de Staël a tout, excepté une
figure supportable, et le bon sens.* » Et d'un ménage
vaudois (les Saussure de Morges), le 18 avril 1806 :
elle n'a « *ni beauté, ni noblesse* ».

Nous voici donc au jour amer, 22 avril 1805, où
Mme de Staël, sur la pointe des pieds, et cachant la chose
à tout l'univers, pénètre dans sa quarantième année.
« *Elle a un besoin de moi qui la rend très touchante* »,
notait Benjamin Constant, rengorgé, le 7 décembre
1804. Ils allaient se séparer pour des mois. Le 11, Germaine partait pour l'Italie. Ce « *besoin* » qu'elle avait
de lui s'accordait très bien chez Germaine avec un égal
« besoin » d'amours plus tendres. A la mi-février, elle a
rencontré Pedro de Souza. Pedro et Germaine sont allés
ensemble à Naples. Elle est dans un ravissement.
Ce Pedro qui l'aime (celui-là ne fuit pas) est né le 8 mai
1781. Il a donc vingt-quatre ans en 1805. Quelle ivresse,
à trente-neuf ans, d'avoir un amant si jeune, et si
gentil ! S'inaugure avec lui cette série finale des « passions » de Germaine, toutes, logiquement, inverses par
rapport à ses « passions » premières : Guibert avait
vingt-trois ans de plus qu'elle, Narbonne, onze, Talleyrand douze ; Benjamin, l'amant-pivot, était de son âge,
ou presque ; et voici les derniers chéris ; c'est elle, maintenant, l'aînée ; de quinze ans pour Pedro, de quinze ans
pour Prosper, de quatorze ans pour Maurice, et tout
aboutira à ce mariage secret, le 1er mai 1811, avec
John Rocca : elle, quarante-cinq ans, lui vingt-trois.

« *Deux mois de ma vie sont votre ouvrage.* » « *Vous
suivre à Rome et mourir là, près de vous !* » Ces cris d'a-
mour sont pour Pedro, 14 mai, 16 mai 1805. Et cependant,
non, Pedro n'est pas la grande histoire des quarante ans
de Mme de Staël. Un prélude seulement ; un galop d'essai.
Le vrai drame s'appellera Prosper. On a beaucoup
écrit sur Germaine et M. de Souza. Presque pas sur sa
liaison avec Prosper de Barante. Souza, qu'elle rencontre
le 14 février 1805, elle le quitte, pour jamais, le 16 septembre 1806, sans avoir songé à un avenir durable avec lui
(sa « *chimère* », lui disait-elle, le 14 mai 1805, est qu'il
devienne un jour « *l'époux* » d'Albertine —, « *mon* »
Albertine, comme écrivait Constant ; elle a huit ans,
en 1805, elle épousera M. de Broglie en 1816). Prosper,

à qui Germaine s'est donnée pendant l'été 1805, elle
s'accrochera à lui, tenace, fervente, pleine d'illusions et
de désespoir, jusqu'au début de 1811, ayant, cette fois,
voulu ardemment le mariage. Mais si les lettres à Pedro
sont d'un accès facile, si tous les livres, un par un, qui
ont vu le jour depuis un demi-siècle sur le destin de
Mme de Staël s'y réfèrent et les reproduisent, il n'en va
pas de même pour les documents qui nous renseignent
sur sa longue aventure tumultueuse avec Prosper
de Barante. Un volume, cependant, existe, qui les ras-
semble ; un volume hors commerce, introuvable, tiré
à vingt-cinq exemplaires, et que la baronne douairière
de Barante fit imprimer naguère, confidentiellement, en
Auvergne « *pour quelques parents et intimes* ». Des lettres
en vrac, et dans un entassement d'erreurs : fautes de
lecture, dates trompeuses. Se procurer le livre n'est déjà
pas aisé, mais en rétablir le texte et la chronologie,
quel casse-tête ! La récompense est au bout de ce travail
bénédictin, et l'on voit alors se reconstruire sous nos
yeux ce qui s'est réellement passé, de 1805 à 1811, entre
les quarante ans de Germaine et les vingt-cinq du petit
jeune homme.

Quelques lumières, ci-dessous, à ce sujet.

Prosper de Barante, né en juin 1782, est le fils de ce
Claude-Ignace dont le Consulat a fait, en février 1803,
le préfet du Léman, et qui conservera ce poste jusqu'en
décembre 1810.

Un brillant jeune homme. Son père l'a casé au ministère de l'Intérieur et le poussera promptement au
Conseil d'État, grâce à la bienveillance d'un empereur
qu'on n'aime guère, chez les Barante, mais auquel on
prodigue toutes les marques du plus déférent loyalisme.
Constant, le juge, en décembre 1804, « *assez distingué,
un peu prétentieux* ».

Mme de Staël, qui s'est arrachée dans les larmes à
Pedro, le 7 mai, lorsqu'elle a quitté Rome, a regagné
Coppet vers le 25 juin. Elle a déjà le vague espoir d'intéresser Prosper à ses charmes. Le 9 juin, de Milan, elle
mandait à Hochet : dites « *à Prosper que* [...] *je serai*

*à Genève dans quinze jours. C'est un jeune homme dont
j'attends beaucoup, comme esprit et comme caractère ».*
Le « jeune homme », faisant route avec Benjamin, a
débarqué à Genève, venant de Paris, le 8 juillet 1805.
Du 4 septembre, Mme de Staël à Hochet : « *Je trouve tous
les jours plus d'esprit et plus de mérite à Prosper.* »
Pour l'exacte interprétation du message, il faut connaître
le vocabulaire de Germaine, et savoir qu' « esprit » a
souvent chez elle un sens particulier. Parce que Benjamin, depuis deux ans marié, l'a discrètement honorée
de ses faveurs, le 10 octobre 1810, dans cette auberge
de Briare où il l'a rencontrée (sa femme est là, et les
choses n'en sont que plus piquantes), Germaine, le sur-
lendemain, adressera à Juliette Récamier ce bulletin de
triomphe : « *J'ai acquis la preuve, mais la preuve la
plus complète, que Benjamin m'aimait toujours* [...]
Il a ressenti le besoin de moi avec fureur »; conclusion :
« *Je l'ai trouvé ce qu'il est, c'est-à-dire le premier esprit
du monde.* »

« *Six mois de bonheur* »; dans plusieurs lettres de
Prosper, en 1806, cette précision. Ils ont connu, elle et
lui, « *six mois* » d'ivresse avant la séparation. Et cette
séparation a eu lieu le 3 avril 1806, Prosper rejoignant
alors son Conseil d'État. Faisons la part du chiffre
rond ; l'incendie a dû s'allumer dans les dernières semaines
de l'été 1805. Les lignes que voici, claires, sont du début
d'octobre 1805 : « *Quelquefois, en vous tenant dans mes
bras* [etc...] ». Le ton de cette première correspondance,
il suffit, pour le percevoir, d'écouter : « [...] *plaisir d'être
aimé comme je ne le serai jamais, et par une personne telle
qu'il n'en a jamais existé* »; « *pourquoi me consulter sur
les projets que vous formez? Ne suis-je pas vôtre? Ne
suis-je pas à vos ordres?* [...] *Adieu, amie de moi; je
vous embrasse et vous aime* »; « *l'auberge est fermée et
j'écris dans une écurie à la lueur d'une petite lampe* [...]
Se quitter est un trop grand supplice »; « *oui, je reviendrai
bientôt redemander le bonheur que j'ai goûté et dont je ne
puis me passer* »; « *si jamais tu voulais me laisser, si tu
venais à me préférer ou quelque autre ou même l'indifférence!* »; mais non, n'est-ce pas? « *l'idée de ton chagrin
s'ajoute au sentiment que j'ai pour toi et te confirme la
cession que j'ai faite de moi* ».

Un mot important, « *cession* ». Ainsi Germaine a obtenu de Prosper, et par écrit, à la date du 3o mars 1806, le même engagement décisif qu'elle avait reçu de Constant, deux ans plus tôt, à Leipzig; la même promesse que, le 18 octobre 1805 (déjà la maîtresse de Prosper), elle a fait signer à Schlegel : « *vous avez voulu une promesse écrite, mon adorable amie* [...], *la voici : je déclare que vous avez tous les droits sur moi* [...]. *Disposez de ma personne et de ma vie* [...]. *Je suis fier de vous appartenir en propriété. Je ne prendrai aucun lien qui pourrait me détacher de vous* [...]. *Je vous en supplie, ne bannissez jamais d'auprès de vous votre esclave.* » (Une manie, chez Germaine, ces serments qu'elle exige. Même avec Hochet, elle en a usé de la sorte; à preuve, sa lettre du 28 mai 1801 : « *la promesse que vous m'avez donnée de n'aimer personne plus que moi* »). La « cession » de soi, officielle, que Prosper lui a faite, il ne tardera pas à s'en repentir et de la façon la plus amère. « *Tant que vous voudrez de moi, je suis à vous* », lui écrivait-il le 29 octobre 1805 (onze jours après la tout analogue déclaration de servitude rédigée par Schlegel); ce qu'il a « *promis* », le 3o mars, à Germaine et que lui reprochera si fort son père quand il en aura connaissance, nous le savons à peu près mot à mot, par sa lettre du 4 mai : « *éviter tout engagement de femme où le cœur sera pour quelque chose* » (Le reste, je veux dire les divertissements de ce qui n'est pas «le cœur», Germaine est trop libérale, et trop avertie des usages masculins, pour songer à y mettre un ridicule veto gothique).

Un mois ne se sera pas écoulé depuis leurs déchirants adieux du 3 avril 1806, que Germaine se montrera terrible : insolente, accusatrice, forcenée. De Prosper, le 25 avril 1806 : je constate « *combien votre premier mouvement est hostile et dépourvu de bonté. C'est la centième expérience que j'en fais* »; « *cette manière d'être plus offensée qu'affligée* », prenez garde, m'incite à la « *réserve* » et m'amènera bientôt à la « *froideur* ». Du 27 avril : «*j'attends une lettre de vous qui rétablisse quelque harmonie entre nous, car ces reproches, ce ton injurieux et dominateur ont rompu bien des sympathies* ». De la semaine suivante : « *ce nom de Lovelace que vous me donnez! Aurais-je assez peu de mémoire pour me laisser*

persuader que j'ai joué un rôle de séducteur? » Coup
droit; « *j'ai été ce que vous avez voulu et rien que ce que vous
avez voulu* ». Et déjà Germaine lui redemande ses lettres.
Prosper cède aux sanglots, aux outrages, aux mises
en demeure de la dame. Elle est à Auxerre, depuis
le 22 avril 1806 (eh oui, le 22 avril exactement; le
propre jour où a sonné, pour elle seule, le glas de
sa trentaine, le jour où commençait sa quarante et
unième année). Il l'y rejoint, de Paris, cravaché, deux
fois en mai, une fois en juin, une quatrième fois en
juillet, dans la nuit du 15 au 16. C'est à l'Auberge du
Léopard qu'elle le retrouve, tendre et docile. Mais elle
ignore que l'avant-veille, il a lâché tout son paquet
devant Constant — un vieux de la vieille — et lui a
demandé conseil. *Journal intime* de B. C., 13 juillet
1806 : « *Prosper. Il souffre. Il est fatigué. On le serait à
moins. Mais il s'en tirera; au lieu que moi!...* » Si « *fatigué* », effectivement, de Mme de Staël, si excédé, Prosper
de Barante, que, fin juin, il a conjuré son père de le tirer,
n'importe comment, de cette liaison où il s'est fourré
sans prévoir l'affreux piège dans lequel il entrait, dans
lequel bien plutôt, dit-il, il s'est laissé happer. On ne
saurait être plus explicite : « *je donnerais dix ans de ma
vie pour être hors de la situation où l'on ne peut pas dire
que je me sois mis* » (car c'est Germaine qui l'a entraîné,
Germaine, « *une femme qui n'a aucune idée du devoir* »);
« *ces voyages* », à Auxerre, « *croyez-vous que je les ai
faits pour mon plaisir?* » Tout ce qu'il a imaginé,
risqué même, pour rompre sa corde! Ces lettres inouïes
— il en rougit presque — qu'il a jetées à la figure de
Germaine! Si son père les lisait, il ne voudrait pas croire
qu'on en puisse écrire de pareilles à une femme. Et
rien, rien; aucun résultat; la folle n'a pas lâché prise.
Endurer pour durer, telle doit être sa sombre méthode.
Prosper donne à son père « *sa parole d'honneur* » qu'il
n'est pas question « *d'amour* », au moins de son côté,
entre Mme de Staël et lui; encore moins, grand Dieu! de
« *mariage* » éventuel. Et dans sa frénésie d'incarcéré
cherchant à tout prix une issue, Prosper a même fait
partir pour Genève le canevas d'une obsécration, grandiose et lyrique, qu'il voit déjà le préfet recopiant et
améliorant, de sa main administrative, à l'adresse d'une

femme qui a des fils elle aussi, et qui comprendra
l'angoisse d'un père. Naïf Prosper. Claude-Ignace ne
demande pas mieux, certes, que de le voir hors des bras
et des griffes de Germaine; mais Claude-Ignace est un
fonctionnaire, et la fille de Necker, baronne de Staël-
Holstein, n'est pas n'importe qui. Même tenue par le
pouvoir à quarante lieues de Paris — c'est ce qu'elle
appelle, assourdissante, son exil, son calvaire — elle
demeure une puissance, sociale et européenne; Napoléon
ne le sait que trop, qui, la rudoyant un peu, la ménage
en même temps. Transcrire le brouillon? Prosper n'y
pense pas. Mme de Staël, aussitôt, ferait courir le monde
à cette épître. Gorges chaudes universelles, éclats de
rire à la cour. La Staël « *empoisonne ma vie* » si elle
« *tourmente la vôtre* », avoue le père au fils. « *Je n'écrirai
pas de lettre de roman.* » Que le garçon se débrouille.
Un peu de nerf, que diantre! A lui de réparer ses impru-
dences.

Drôle, tout de même, non? qu'après une lettre-à-papa
comme celle du 30 juin 1806, et après, surtout, l'efficace intervention de Claude-Ignace qui obtient des services impériaux d'opportunes missions pour son fils,
en Espagne d'abord, en Allemagne ensuite (l'éloignement est la solution la plus commode et la meilleure),
étrange, en vérité que Prosper ait traîné avec Germaine
une interminable correspondance, qu'étant revenu la
voir en octobre 1806, à Rouen, il ait passé un grand mois
avec elle, l'année suivante, à Genève (à partir du
26 septembre), qu'il l'ait retrouvée à Genève encore,
pour trois jours en avril 1809, et de nouveau pour un
mois à partir du 25 décembre; bien mieux : qu'il ait
alors étudié sérieusement la question de prendre la
grosse dame pour épouse.
Nous vivons, en histoire littéraire, sur les plus aimables
conventions. Constant a beau se conduire avec une
infamie précise, il est entendu que ça ne compte pas.
Lorsque la vérité désoblige, elle perd tout droit à
l'existence; et parce que Prosper de Barante passe pour
avoir inspiré l'Oswald de *Corinne*, il ne se meut, dans

d'argent » entre Germaine et Benjamin, nous les connaissons assez bien aujourd'hui; elles ont été, du côté du
monsieur, capitales, dans leurs rapports. Mme de Staël
avait coutume de voir dans sa grande fortune, et non
sans raison, un des plus sûrs moyens dont elle disposait
pour soutenir l'élan de ses adorateurs; « *elle a le bonheur
de faire vivre son ami* », ricanait Montesquiou jadis, à
propos de Narbonne. Ce qui hérissera furieusement
O'Donnel, en 1808, quand elle essaiera sur lui, à son tour,
ce procédé de captation, la lettre à Hochet nous fournit
la preuve que Prosper, loin d'y trouver rien à redire,
considérait la chose, au contraire, tout à l'instar de
Benjamin, comme un agrément naturel de ses relations
avec Germaine. « *Ce même homme, avec tant de grâce,
avec tant de vague, quand il en faut pour la grâce, a
l'esprit positif des affaires, au suprême degré.* » Ces lignes
remarquables sont de Mme de Staël, et c'est Prosper
qu'elle décrit.

Au cours de leurs cinq années de liaison, Prosper
assènera à Germaine les vérités les plus cruelles : —
qu'elle aime trop les « *applaudissements* » (« *vous en
aurez vécu* », lui dit-il; 13-7-07; « *le principal sera toujours
pour vous que votre nom se mêle au bruit du monde* »,
4-4-08); — que séduire la « *foule brodée* » est chez elle
une passion maladive (20-4-06); — qu'elle exagère un
peu l'horreur de son « *exil* » (l' « *exilée* » Germaine de Staël
est « *une personne entourée de gloire, qui en jouit et qui
la cherche, qui a passé un hiver entourée d'hommages
dans une cour, qui a joué la comédie, que ses amis viennent
distraire, et qui vit auprès de sa famille et de ses enfants* »;
30-1-09); — qu'il n'est pas dupe non plus de ses décla-
mations sur l'impossibilité où elle serait de respirer
même sans lui (« *Pourquoi avez-vous refusé l'Angleterre?
Vous êtes très capable d'y être heureuse, et dans les moments
les plus tendres, je vous ai entendue parler avec verve de ce
que vous feriez pour y devenir un personnage important* »;
25-4-06); — qu'elle ne déteste pas, lorsqu'il est question
d'elle-même, un pathétique de théâtre (je comprends un
peu, lui dit-il le 24 juillet 1807, la mauvaise humeur de

Constant : « *vous lui écriviez que vous étiez malheureuse de
son absence, et on lui mandait que vos succès vous rendaient
plus gaie et plus brillante que jamais* »; — qu'elle excelle
dans le verbalisme, mais que la bonne foi est un peu moins
son fort (votre dernière lettre, « *il est impossible d'y voir
autre chose que des mots, avec de la mauvaise foi dessous* »;
13-7-07), et qu'il partage mal le dédain où elle affecte
de tenir la vie droite et l'honnêteté des mœurs : « *pour
en parler si dédaigneusement, il faudrait être assuré de
n'y avoir jamais manqué; la moralité libre a peut-être
quelque chose de plus relevé que la moralité légale, mais
[...] on ne doit s'en vanter que lorsqu'on n'est pas sorti de
l'autre* » (*ibid.*).

Prosper n'ignore rien, ni de ses prédécesseurs, ni de
ses compagnons dans le cœur de Mme de Staël. Le
7 mai 1806, M. de Barante déclare à son amie qu'après
tout, ce qu'elle a souhaité en nouant avec lui l'intrigue
où il se débat, c'était seulement « *donner plus d'intérêt
et de mouvement à six mois de votre vie en formant une
liaison comme celle que vous aviez avec le comte de Souza* »;
un an plus tard, il lui déclare aigrement qu'il ne se sent
point la vocation d'être pour elle « *le second tome de
Benjamin, aimé collatéralement avec d'autres affections* »
(il sait que Germaine use alors avec Benjamin des
mêmes menaces de suicide qu'elle a employées avec lui);
et il nie comme il peut — c'est-à-dire avec une pénible
effronterie — avoir mis Hochet dans la confidence des
méthodes dont Mme de Staël tente assez comiquement
l'emploi sur tout amant qui fait mine de regarder vers
la sortie. Prosper est même, à coup sûr, renseigné sur
l'aventure viennoise de Germaine et de Maurice O'Donnel, car on le voit feindre, le 3 mars 1808, avec une
dangereuse élégance, d'entendre à cet égard bien des
« *mensonges* » sur elle.

On n'en revient pas, après tout cela, d'assister à
l'examen concret — hiver 1809-1810 — par le jeune
préfet de vingt-sept ans, des possibilités d'une union
qu'il scellerait, définitive et conjugale, avec la baronne
quadragénaire, celle qui vient d'accueillir avec une joie
mutine et flattée le surnom de « *Sainte-Aspasie* » que
lui a décerné Werner, l'été précédent, à Coppet, celle que
Chamisso, dans une lettre du 1er août 1810, appelle

« *la grosse et ardente Staël* », celle que Zinzendorf, horrifié,
regardait jouer *Agar* à Vienne, pendant l'hiver 1808,
« *hommasse et massive* », avec sa « *lourde figure de cuisi-
nière* ». Mais il est un mot qu'elle a prononcé devant
Prosper, dès le début de leurs « amours », et que le jeune
homme n'a jamais oublié. Elle lui a parlé du mariage
comme d'un « *dédommagement* » qu'elle serait prête à
lui offrir (15-4-06). Le même mot, exactement, qu'écrivait cousine Rosalie à cousin Charles, le 29 octobre 1796,
lorsqu'elle s'indignait des tristes services que Mme de
Staël avait rendus à Benjamin. Elle l'a compromis ; elle
l'a ridiculisé ; « *elle lui doit* » disait, Rosalie, frémissante,
« *elle lui doit de l'en dédommager en le faisant jouir de
son existence et de sa grande fortune* ». Humble, timide,
pleine de tendresse, la Germaine de trente-neuf ans,
toute brûlée de passion pour Prosper, lui murmurait,
en 1805, qu'elle lui gâchait peut-être sa jeunesse, mais
qu'elle l'aimait tant, et que, s'il y consentait, elle lui
donnerait avec bonheur, pour compenser son sacrifice,
ce titre d'époux qui l'introduirait de plain-pied dans
l'Eldorado Necker.

Tentant, bien sûr, prodigieusement tentant, l'Eldorado Necker, surtout pour un garçon « *positif au suprême
degré* ». Tentant, même avec une nymphe, à l'intérieur,
illustre certes, mais sur le retour. Le préfet de la Roche-
sur-Yon balance. Il étudie l'affaire, qui a bien des côtés
plaisants. Et M. Claude-Ignace lui-même convient, à
présent, que l'opération se discute, que ce qu'il tenait
jadis pour folie de la part de son garçon, n'est peut-être,
après tout, pas si bête. Les événements se chargeront
d'indiquer la bonne voie à Prosper. La foudre impériale
tombe sur Germaine (septembre), puis sur Claude-Ignace
(décembre). Prosper est averti, par qui de droit, que la
disgrâce de son père est un avis qu'on lui donne, d'en
haut, à lui-même, et qui doit lui « *servir de leçon* ». S'il
ne veut point être révoqué à son tour, le pouvoir exige
qu'il rompe tous rapports avec Mme de Staël. Avec cet
esprit de discipline, exemplaire, qui est requis d'un
préfet, Prosper n'hésite plus. Fini de rêver. Le 3 mars
1811, il adresse à Mme de Staël une lettre qui est un chef-
d'œuvre inconnu : sans doute, sans doute, lui dit-il,
vous seriez disposée à « *réparer* », par le mariage,

« *la perte d'une position* » qui m'était confortable.
Vos « *offres généreuses* », lui disait-il en janvier déjà
(5-1-11), peut-être aurais-je dû les « *accepter* ». Il
est trop tard, maintenant. D'ailleurs, « *je ne vous rendrais
point heureuse; je ne le serais point* ». Prosper n'est pas
un petit bourgeois; il sait vivre; il comprend les choses;
Germaine lui a même fourni tous « *détails* » (20-10-10)
sur sa nuit avec Benjamin, à Briare. Elle se divertit
avec John Rocca maintenant (« *Je savais que vous cher-
chiez, entre autres distractions, des essais de sentiment à
Genève* »); il eût passé sur ces vétilles. « *Je crois qu'en
vous donnant ma vie, j'aurais pu espérer une affection
constante, et même sans qu'elle fût trop partagée par
d'autres soins, d'autres intérêts.* » Hélas! Il n'y faut plus
penser. Prosper est, avant tout, un bon fils. « *Ce qui
m'a guidé, c'est qu'il m'a semblé qu'à choisir entre vous
et mon père, je lui ferais, en me détachant de son sort, une
peine durable, plus profonde* [qu'en me détachant de
vous]. » C'est bien vous, vous-même, qui l'avez perdu,
ruiné, ce père admirable. Sa révocation, c'est à ses bontés
envers vous qu'il la doit, et si « *vous n'avez pas voulu
avouer que vous êtes la principale cause de ce qui est
arrivé* », c'est « *parce qu'il vous est commode de penser
ainsi* ». Adieu donc, Madame. Inclinons-nous devant
cet « *arrêt de la Providence* ».

Après une telle immolation, Prosper de Barante n'est
comme plus de ce monde. « *Le présent ne me touche plus;*
et, « *pour l'avenir, j'en ai perdu l'idée* » (18-5-11). Avoir
renoncé à Mme de Staël, c'est, pour lui, avoir dit adieu
à la vie. Il ne mènera plus sur cette terre qu'une existence de fantôme. Rassurons-nous. La même année 1811,
le 28 novembre, le préfet Prosper de Barante épouse la
jeune Césarine d'Houdetot et l'empereur met sa signature sur son contrat de mariage. Prosper mourra octogénaire, en 1866, académicien depuis 1847, et Grand-
Croix de la Légion d'Honneur.

Et Germaine? Qui était Germaine (disparue, elle,
depuis 1817)? Comment l'imaginerons-nous, la Germaine de quarante ans? D'accord, elle est agaçante

avec son « *besoin de faire effet* » (son « *premier besoin* »,
disait le méchant Montesquiou le 1er mai 1795; il ajoutait : et « *son premier sentiment est l'amour-propre* »; et
Prosper lui fera écho : en vous, écrivait-il à Germaine,
au mois de juin 1807, « *plus d'amour-propre* [à mon
égard] *que de sentiment blessé* »). D'accord, elle est terriblement « gendelettre », « homme de lettres », si l'on
préfère (*Journal intime* de B. C., 16-1-07 : « *Scène d'auteur.*
Elle s'en prend à moi de ce qu'on n'a pas assez loué son
roman. ») D'accord, on comprend un peu l'impatience de
Barante, lorsqu'on la voit souligner, à son intention, que
s'il réussit dans le monde, c'est à elle, avant tout, qu'il
en est redevable (ce genre de compliments, Benjamin
s'était résigné à le subir, perpétuellement, de la part
de son amie et protectrice : s'il est quelque chose sur
la terre, qu'il n'oublie point que ce « quelque chose »
est l'œuvre exclusive de Germaine). D'accord, il était
difficile à Prosper de garder son sang-froid, quand, à
propos des coups de lance qu'avait reçus, à la guerre,
son frère (Anselme) et qui avaient laissé pour mort ce
soldat sur le champ de bataille, il entendait Mme de Staël
le prier de réserver tout de même une part de sa compassion aux propres blessures — de cœur — dont elle-même
était pantelante. Et il est trop vrai aussi que Germaine
abuse des transports et des convulsions : convulsions
devant Benjamin, à Chaumière, le 1er septembre 1807;
convulsions en l'honneur de Maurice O'Donnel chez
Mme Vbrna, à Vienne; « *je n'ai jamais de ma vie éprouvé*
une convulsion de douleur pareille » (Germaine à Juliette,
octobre 1809) etc... Et les « *parallèlement* » de Mme de
Staël sont d'une telle abondance, d'une telle similitude
aussi, qu'ils découragent l'émotion : mêmes accents,
chez elle, mêmes cris d'écorchée vive, lorsqu'elle perd la
présence d'un de ses bien-aimés, les autres cependant
restant fidèles au poste. Rien d'instructif et d'édifiant à
ce sujet comme une chronologie minutieuse de son
emploi du temps en 1806, où l'on découvre ce roulement
qu'elle établit entre ses amants divers, pour être seule
le moins possible, son bonheur n'étant jamais plus délicieux que lorsqu'elle peut les réunir; Pedro, Prosper,
Benjamin sont tous trois avec elle, en mars 1806, à
Genève; Prosper et Benjamin ensemble à Auxerre, à la

mi-juin; Pedro et Prosper ensemble, au même lieu, avec elle, du 31 juillet au 25 août; Pedro et Benjamin, de même, le 15 septembre.

Mme de Staël, si l'on en croyait sa correspondance, aurait le désespoir pour habitation permanente. J'ignorais, jusqu'à révélation toute récente des papiers Montesquiou, que si, au printemps 1795, Mme de Staël a regagné ce Paris encore si troublé, c'est, dit-elle, à cause de Narbonne dont la trahison l'ensanglante; Germaine est « *poussée* » là « *par le désespoir* » et par l'affreuse nécessité où elle est de chercher à tout prix « *des distractions à une douleur qui la consume* » (24-4-95). Désespoir identique, l'année suivante. C'est Ribbing, cette fois, l'assassin. Mme de Staël en mars 1796 « *se conduit* », assure Montesquiou, « *comme l'année dernière au sujet du Ministre* [Narbonne]; « *elle en parle aux échos* » (13-3-96). Désespoir en 1806, au mois de mai, à cause de Prosper; au mois de septembre, à cause de Pedro. Désespoir en septembre 1807, à cause de Benjamin. Désespoir pendant l'été 1808, à cause de Maurice O'Donnel. Désespoir, l'année suivante, à cause de Benjamin, successivement, puis de Prosper. Mais les uns et les autres apprennent, en souriant, que cette malheureuse qui vit, par leur faute, dans les larmes et l'opium et qui appelle à grands cris le trépas, continue en même temps d'éblouir, où que ce soit, par son esprit, ses bals et ses grandes soirées, la société la plus élégante.

Germaine sent la terre « *manquer sous ses pas* » (à Juliette) parce que Prosper quitte Genève en janvier 1810. Germaine veut mourir (« *Priez Dieu qu'il me rappelle à lui* », 15-5-09) parce que Benjamin se marie. Germaine préfère la mort plutôt qu'une vie sans Prosper (1806, *passim*). Germaine rêve d'expirer sur le sein de Don Pedro (14-5-05). Arrachement sans nom, « *qui lui ferait regarder la mort comme un bienfait* ». De qui s'agit-il? De Narbonne, et nous sommes en avril 1795. « *Malheur qui me fait désirer la fin de la vie* [...]. *Je ne peux vivre sans le voir* »; maintenant, c'est la faute à Benjamin, et ces mots sont du 25 ou 26 octobre 1809 (à Juliette). Mais c'est le même 26 octobre 1809 que Germaine adresse à M. de Chateaugiron une lettre déchirante où elle le supplie, où elle le conjure, d'orienter vers elle le cœur de Prosper. « *Je ne vis que par mes senti-ments pour Benjamin* » confie Mme de Staël à Mme Réca-mier en mai 1808, et c'est le temps de ses plus belles ardeurs pour Maurice O'Donnel. Ne jugeons pas trop vite. « *On n'aime personne quand on a vingt amants* », prononçait l'austère Montesquiou (13-3-96). Et Constant, sur un autre ton, disait à Hochet, le 9 août 1809 : « *Il est bizarre que tant de sentiments croisés ne s'affaiblissent pas mutuellement.* » Et voici Germaine elle-même ; à Juliette, 29 janvier 1810 : « *expliquez-moi, chère amie, cette puis-sance du cœur pour réunir des peines qui sembleraient devoir s'exclure* », « *tout ce qu'on a dit et écrit sur le cœur humain n'est vrai qu'à la superficie ; chacun veut y mettre une unité qu'il n'a pas [...]. Ceux qui ne s'abandonnent pas semblent plus conséquents ; mais s'ils parlaient fran-chement, qu'en serait-il? Je vous dis tout cela pour vous seule.* »

L'erreur serait complète d'aller chercher du côté, très simple, de la chair, l'explication de ces « amours » désordonnées. Le *Journal* de B. C. est net à souhait sur ce point : « *Il me faut une femme qui ait des sens [...]. Germaine n'a point de sens* » (15 janvier et 2 mars 1803). La « *femme au cœur colossal* » qu'exaltait Zacharias Wer-ner n'est aucunement la proie de Vénus. Dans le cercle de Chateaubriand, vers 1801, on la baptisait « *Lévia-than* ». Constant, lorsqu'il était tendre, l'appelait « *Minette* ». Minette-Léviathan n'est pas un monstre hybride, et c'était une maman très bonne, faisant de son mieux avec ses enfants. Fins de lettres à son aîné, qui a quinze ans et qui est à Paris : « *Adieu, petit bon-homme* » ; « *Adieu, Minou* » ; « *Je t'embrasse, petit.* »

Quelques mots encore, partis de sa main, nous en disent sur elle plus long, peut-être, que beaucoup d'autres : du 31 décembre 1805 : « *[...] détresse pour moi, cette cloche du temps qui sonne l'irréparable* » ; « *je voudrais que mon histoire fût une suite de recommencements* » (à Hochet, 28-6-02) ; « *quelle triste et longue histoire que la vie!* » (à Juliette, 22-7-14).

Benjamin Constant, qui fut assez ignoble envers elle, écrivait un jour, dans son *Journal* (23-4-07) : « *C'est un enfant enragé* » ; et il parle, dans une lettre à Hochet du 9 août 1812, de « *cette disposition* » curieusement « *enfan-*

tine » qui faisait de Mme de Staël, bien souvent, « *un être naïf et faible* ».

Prosper plaide pour lui-même, je le sais bien, et peut-être répète-t-il Constant, perpétuellement occupé à sa propre apologie; il n'en reste pas moins que ces mots de Barante (1-9-09) sont de ceux qui valent d'être médités : « *Il ne faut pas juger les hommes sur des pièces et des faits, comme le font les tribunaux. Il n'y a de vrai dans l'homme que lui. Décrivez toutes les circonstances où il se trouve, approfondissez-les autant qu'il est possible; plus loin que tout cela, il y a un centre, qui fait l'homme.* »

Adolphe
ou le parapluie de Benjamin

« *Adolphe, ou la grandeur de la sévérité envers soi-même* »; ainsi parlait Charles du Bos. *Adolphe* était à ses yeux un « constat » bien plus qu'un roman, et l'auteur un être d'une « délicatesse » infinie, l' « être rare entre tous, qui croit que l'on est responsable non seulement de ses actes mais de ses sentiments »; « dans le tissu de l'être constantien, pas un grain de convention sociale ». Pour Charles du Bos, la loi de Benjamin Constant, c'est la « véracité » avant tout. Si Benjamin a quitté sa première femme, s'ils ont divorcé, c'est que la vie avec cette personne n'était, honnêtement, plus possible : « Minna n'était pas assez intelligente pour que Constant pût vraiment communiquer avec elle, et, *pour un être de la sincérité de Constant, il n'est pas de supplice plus usant que de ne pouvoir se montrer tel qu'on est.* » Son mérite suprême, c'est sa bonté. Où trouver, s'écriait Du Bos, « un homme qui possède au degré où les possé-dait Constant le sentiment de l'existence d'autrui et la représentation de sa douleur possible? » La *sympathie*, « dans l'acceptation étymologique du grec *sum-pathein*, souffrir avec », « la sympathie au sens le plus fort, est la caractéristique même de Constant »; « la souffrance entre toutes constantienne consiste à souffrir de la souffrance de l'autre »; « l'ordre de la pitié » existe pour lui, « indissociable de ce qu'il y a dans son être même de plus consubstantiel et de plus méconnu », au point

1. Toutes ces citations sont extraites du livre de Ch. du Bos : *Gran-deur et misère de Benjamin Constant*, pages 13, 294, 80, 212, 25, 225 et 24.

que B. C. « mériterait d'être dénommé *le martyr de la
pitié* ».

Du Bos répétait Bourget en le dépassant. Dans sa
célèbre préface pour *Adolphe*, Paul Bourget, à vrai dire,
était moins éperdu et la « charité » de Benjamin Constant n'était pas ce qui le frappait d'abord. *Adolphe*, écrivait-il, cette « monographie rigoureuse d'un caractère »,
est « le plus courageux des portraits ». *Mon cœur mis
à nu*, tel pourrait être, selon lui, « le titre douloureux
de ce chef-d'œuvre ». Constant a su « conserver la plus
complète bonne foi », et « avec les autres, et, ce qui est
plus extraordinaire encore, avec sa propre pensée ». Si
le triste Sainte-Beuve n'éprouvait point, devant *Adolphe*,
cet enthousiasme, il n'a pas fait école. Parmi nous,
aujourd'hui même, nous entendons redire, et par des
connaisseurs, que B. C. est incomparable par ce « ton » qu'il
a, « de dérision de soi », par cette absence de « compassion pour lui-même », par « cette passion d'y voir clair
et de ne rien dire de lui-même que ce qu'il y découvrait »;
« il s'est raconté, dans *Adolphe*, sans arrière-pensée
d'apologie »; il est « franc », « d'une franchise que les
hypocrites trouvent commode d'appeler cynisme »; pas
de faux-fuyant chez lui : pas de bonnes excuses; « le
ton, d'un bout à l'autre, est celui de la contrition [1] ».
Et n'était-ce pas Rosalie, cousine Rosalie, qui répartis-
sait comme suit les sentences : Mme de Staël, « égoïsme
et violence »; Benjamin, « faiblesse et bonté »? De la
« faiblesse », certes, chez Benjamin, mais « fondée sur
un sentiment généreux ».

Commençons par relire *Adolphe*. Rien que l'ouvrage
tout nu, sans « appareil critique », sans notes érudites;
Adolphe hors du temps, comme le sont les chefs-d'œuvre.

---

1. Cette dernière phrase est tirée de l'article, d'ailleurs remarquable,
que P. Bénichou a consacré à « *La genèse d*'Adolphe » dans la *Revue
d'Histoire Littéraire de la France* (numéro de juillet-septembre 1954).
Il faut lire également la savante et vaste introduction de J.-H. Bor-
necque à la nouvelle édition d'*Adolphe* dans la collection des Classiques
Garnier, 1955. Les citations précédentes sont de M. Nadeau, F. Mauriac
et J. Mistler.

Et rappelons-nous seulement le résumé qu'en donnait Paul Bourget : « Un fils de famille qui s'éprend d'une femme entretenue plus âgée que lui, et qui se débat dans cette liaison sans issue » — avec, si l'on veut, ces observations complémentaires de Balzac : « Ce qui tue ce pauvre garçon, c'est d'avoir perdu son avenir social pour une femme, de ne pouvoir rien être de ce qu'il serait devenu, ni ambassadeur, ni ministre, ni poète, ni riche [...]. Adolphe est un fils de famille qui veut rentrer dans la voie des honneurs et des places, et rattraper sa dot sociale, sa considération compromise [1] ».

Tout le thème tient en ceci : ce jeune homme qui n'aime plus (ces choses-là sont de tous les jours; elles ne dépendent pas de notre volonté; l'amour est autonome) qui n'aime plus la femme qu'il a prise pour maîtresse (elle n'est pas épousable, pas de son monde), se déchire l'âme, car il n'ose rompre; il n'ose la quitter tant il mesure la peine que lui causerait cet abandon; et cependant lui-même souffre de voir ainsi sa vie s'écouler « dans l'obscurité et dans l'inaction » (V). Son père lui a fait des reproches : « *Votre naissance, vos talents, votre fortune vous assignaient dans le monde une autre place que celle de compagnon d'une femme sans patrie et sans aveu* » (VI), et le baron de T*** le gourmande : « le résultat » de tous vos dons et de cet « *esprit distingué* » qui est le vôtre « sera de végéter dans un coin », « perdu pour la gloire », alors que « toutes les routes vous sont ouvertes : les lettres, les armes, l'administration; *vous pouvez aspirer aux plus hautes alliances; vous êtes fait pour aller à tout* » (VII). Adolphe sait bien tout cela; il ne le sait que trop! « *J'aurais voulu que la nature m'eût créé faible et médiocre*, pour me préserver au moins du remords de me dégrader volontairement » (VII). Il se désespère en se remémorant son beau départ dans la vie : « Je me rappelais les éloges accordés à mes premiers essais, l'aurore de réputation que j'avais vu briller et disparaître » (VII). Hélas! Mais il obéit à une disposition congénitale et invincible; Adolphe est ainsi fait qu'il « ne résiste pas à une larme » (IV). « *Ce n'est jamais de moi, écrit-il, que je m'occupe le plus* » (IV). Il craint

1. Balzac, *Dinah Piédefer (La Muse du Département)*.

« *horriblement* » d' « *affliger* » (IV). Ses liens avec Ellénore
lui sont devenus pesants et presque insupportables, mais
il n'a « d'autre pensée que de chasser loin d'elle toute
peine, toute crainte, tout regret, toute incertitude » (IV).
S'il lui échappe un demi-aveu, lui-même ne se le pardonne pas : « l'image de la peine que je lui avais causée
me suivait partout », m'emplissait d'une « *fièvre de
remords* » (IV). Il en vient à « dissimuler », à mentir,
afin qu'elle ne pleure pas, et c'est pour lui une douleur
de plus, tant « *la duplicité était éloignée de* [*son*] *caractère
naturel* » (IX). L'infortuné habite un enfer. A cause
d'Ellénore, il ne se marie pas, et pourtant il ne cesse
d'appeler dans son cœur « *une femme que les conventions
sociales me permettent d'avouer* » (VII). « Cette sensibilité
que l'on méconnaît, qu'il me serait doux de m'y livrer
avec l'être chéri, *compagnon d'une vie régulière et res-
pectée!* » (VII.) Il voit distinctement en esprit la femme
qu'il lui faudrait, la « créature innocente et jeune » qui,
« s'alliant à ces images » de vertu et d'honorabilité dont
il rêve, « sanctionnerait tous ses vœux ». Ce n'est pas
tout, encore. N'étant point du commun, il se sent épié.
« *La société m'observait* » (VIII). Adolphe ne tarde pas à
savoir qu'on le juge sans bienveillance. « *Je fus indigné
de cette découverte inattendue. Pour prix de mes longs
services, j'étais méconnu, calomnié! J'avais, pour une
femme, oublié tous les intérêts et repoussé tous les plaisirs
de la vie, et c'était moi que l'on condamnait!* » (VIII.)
    Par bonheur, des anges veillent sur lui : une amie
d'Ellénore lui donne l'occasion d'ouvrir son âme; il
lui expose la vérité et elle en est « émue », car elle reconnaît aussitôt « *de la générosité dans ce que j'appelais de la
faiblesse, du malheur dans ce que je nommais de la dureté* ».
Bienfait de cette confession! « Les reproches d'Ellénore
m'avaient persuadé que j'étais coupable; *j'appris que
je n'étais que malheureux* » (VIII). L'autre ange, c'est
ce vieil ami de la famille, le baron de T***, qui prend
« en pitié » la « *servitude* » du bon jeune homme (IX).
Adolphe, dans son calvaire, avait fini par se tourner
vers le ciel; je l'implorais, dit-il, d'élever « entre Ellénore
et moi un obstacle que je ne puisse franchir ». La Providence n'est jamais invoquée en vain. Le coup dont
Ellénore mourra, ce n'est pas Adolphe en personne qui

le lui aura porté. Le baron de T*** a tout fait. C'est lui,
vilainement, qui communique à Ellénore une lettre
qu'il a reçue d'Adolphe et dans laquelle ce dernier déclarait sa volonté bien arrêtée de « briser pour jamais »
ses liens. Une fois de plus, c'est son « cœur » qui l'a fait
agir; il a vu « plusieurs lettres de son père », où se pei-
gnait « une affliction » qu'il ne soupçonnait pas (IX).
Hiérarchie des devoirs. Les larmes d'un père passent
avant celles d'une maîtresse. Mais le baron se méfie, à
juste titre, de cet adolescent si tendre; quelques sanglots d'Ellénore, et Adolphe n'osera plus rompre. Le
baron l'arrache de force à l'abîme. Ellénore en meurt.
Dieu soit loué, elle n'expire point sans que ses yeux se
soient ouverts, sans qu'elle ait rendu justice à son amant :
« Ne vous reprochez rien, quoi qu'il arrive. Vous avez été
bon pour moi » (X). Et comme si cette absolution orale
et dernière n'était pas suffisante, le narrateur la renou-
velle, écrite; dans les « papiers d'Ellénore » qu'on lui
remet quand elle n'est plus, il trouve ce certificat qu'il
n'omet pas de reproduire : « Vous êtes bon. Vos actions
sont nobles et dévouées. »

C'est à croire que l'on ne lit pas les livres illustres
qu'ensevelissent leurs commentaires. Car enfin Adolphe,
depuis un siècle et demi, est sous nos yeux, dans nos
mains, et ce que j'en entends dire ne cesse pas de me
stupéfier. « Contrition »? Roman du « remords »? La
plus noble, la plus tragique des « auto-accusations »? Le
plus bel exemple d'aveux spontanés? Cette analyse, pas
à pas, que nous venons d'en faire ensemble, j'aperçois
mal comment s'y peuvent ajuster pareilles interprétations. Bien loin d'avoir devant nous quelqu'un qui
s'incrimine, nous assistons à un plaidoyer. Benjamin
Constant a soin de décrire, en traits appuyés, la physionomie morale de son « double », telle qu'il désire que
nous le voyions. « Je n'étais qu'un homme faible,
reconnaissant et dominé » (V); et quand il écrit « faible »,
pas de contresens sur ce terme! Nous l'avons entendu
« déplorer » que la nature ne l'ait point fait (VII) « faible
et médiocre »; son esprit n'est point « faible »; il est
« distingué » au contraire; c'est le cœur qu'il a débile,
un cœur si profondément « sensible », si chaudement
humain qu'il se fend à la seule idée de la peine qu'une

femme, ou qu'un père, pourrait connaître par sa faute.

Et dans sa *Lettre à l'Éditeur*, en guise de postface, craignant encore de n'avoir pas assez convaincu ses lecteurs, Benjamin Constant leur répète la leçon qu'ils doivent se mettre dans la tête : le « malheureux Adolphe », en somme — telle est la morale du livre — a été « *puni de ses qualités plus encore que de ses défauts* ».

Depuis le printemps de l'année 1797, depuis la fin même, peut-être, de 1796, B. C., qui était devenu l'amant de Mme de Staël depuis un an ou deux [1], cherche à sortir d'une situation qu'il tient pour dommageable à ses intérêts. Il perd l'espoir de se faire épouser par « l'ambassadrice »; il en a assez de ce rôle qu'elle lui impose auprès d'elle, subalterne et compromettant. Leur vie est devenue de plus en plus tumultueuse. *Journal*, 7 septembre 1804 : « *Scène effroyable* [...]. *Je voudrais n'avoir pas, moi homme, à supporter les dépits d'une femme que la jeunesse abandonne; je voudrais qu'on ne me demandât pas d'amour après dix ans de liaison et quand j'ai déclaré cent fois que je n'en avais plus, déclaration sur laquelle je ne suis revenu que pour calmer des convulsions de douleur et de rage* »; et quatre mois plus tôt, Benjamin avait noté (29 juin 1804) : « soit comme

---

1. C'est en septembre 1794 qu'il s'était pris à l' « aimer », mais on ne sait, au juste, quand Germaine devint sa maîtresse. Le 10 mars 1796, elle affirme à Ribbing qu'il ne saurait être question d'un lien charnel entre elle-même et B. C., attendu que ce dernier est, physiquement, « *hors de la carrière de l'amour* ». C'était là un bruit, désobligeant pour B. C., mais que Mme de Staël, dans l'intérêt de sa propre réputation, avait répandu, « *sous le sceau du secret* », dans la société genevoise. Ce bruit, effectivement, courait Genève, et Rosalie, la cousine de Constant, en était indignée. Mais il n'est point impossible qu'en mars 1796, Germaine mente à Ribbing sur l'innocence insoupçonnable de ses rapports avec B. C. Il est même tout à fait probable qu'elle ment. Je pense qu'elle a cédé (sans goût, peut-être) aux supplications obsédantes de Constant au printemps de 1795. Mme de Staël a dû se forcer quelque peu pour accepter le contact de B. C.; elle n'éprouvait aucun penchant sensuel pour ce long rouquin aux yeux troubles, au petit ventre proéminent.

plaisir physique [1], soit comme étude et gloire, soit comme
carrière politique, soit comme considération, je me sens
toujours plus déplacé » chez Germaine. Du 9 juillet :
« *Fatale liaison! Ma santé, mon bonheur, ma gloire, tout
en est victime* »; 24 août : il faut sortir d'une situation
« peu sûre et *peu propre à inspirer de la considération* ».
Avec Germaine, « impossibilité de repos et de succès »
(25-1-06); tant que je serai chez cette femme, adieu
cette « gloire » si « désirée » et à laquelle je me sentais si
bien promis, jadis, « *doué que j'étais de facultés univer-
sellement reconnues!* » (1-2-05.)

Alors pourquoi, en 1806, B. C. n'a-t-il toujours pas
rompu? Pour diverses raisons, dont voici les trois principales : parce qu'il s'accroche toujours à l'espérance que
Germaine, en acceptant son nom, lui livrera, en échange,
sa fortune; parce que, même ainsi, même *en marge*, il
jouit de beaucoup d'avantages qu'il perdra s'il s'écarte;
enfin parce que ce n'est pas commode, très difficile au
contraire et très dangereux, de quitter contre sa volonté
une femme aussi célèbre et aussi puissante que Mme de
Staël. *Journal*, 23 juillet 1804 : « ma situation est évidemment fausse, mais *elle a ses côtés brillants* »; avec
Germaine, « le très grand mouvement du monde m'emporte sans que je sois obligé de rien faire pour cela »
(6-1-03); si je la quitte, « *j'aurai beaucoup de relations en
moins* » et « je perdrai la jouissance de ce dévouement
sans exemple dont je puis aujourd'hui disposer » *(id.);*
« il y a facilité de vie sur tous les points en vivant avec
elle [...]; *même en épousant une femme assez riche, je
me trouverai plus pauvre, beaucoup plus pauvre, qu'à
présent* » (22-9-04). Comment faire pour rompre « *sans
que Germaine et ses amis emplissent l'air de clameurs?* »
(5-2-03); « *c'est bien fort de braver à la fois le public* [...]
et Germaine » (4-3-03); il faudrait trouver un biais pour
mettre « *tout le monde de mon côté* » (18-9-04). Quel
problème! Avec un ricanement amer, Benjamin note
dans son *Journal*, le 19 juillet 1804 : « Quand on n'a
pas peur, on a bien du courage. » Or il a peur.

En octobre 1806, B. C. croit avoir trouvé la solution.
« *Italiam! Italiam!* » La terre promise est en vue! Il épou-

---

1. « *J'ai besoin de femmes. Germaine n'a pas de sens.* » (2-3-03).

sera, c'est dit, cette Charlotte de Hardenberg qu'il avait
un peu courtisée, treize ans plus tôt, en Allemagne,
avant sa rencontre avec Mme de Staël, puis oubliée,
puis revue, avec de l'attrait, puis de l'ennui, mais qui,
maintenant sa maîtresse, fait preuve de qualités insoup-
çonnées. Comme elle dispose d'une « *fortune considérable* » (1-8-04) et qu'elle est de grande famille, tout
pourrait s'arranger de la sorte. Il est vrai qu'elle est
mariée — pour la seconde fois; divorcée et remariée;
et Benjamin n'a pas été étranger à son premier divorce.
Charlotte ne demande qu'à divorcer de nouveau. Benjamin a vraiment bien envie, fin octobre 1806, d'épouser
Charlotte. Mais l'énorme question reste ouverte : comment neutraliser Germaine? C'est là qu'un petit écrit
pourrait avoir son utilité : « *Il m'était démontré* — lisons-
nous dans *Adolphe* — *que l'on racontait mon histoire*
[avec Ellénore] *et chacun la racontait à sa manière* » (IX).
Benjamin se propose donc de « raconter » cette « histoire »
lui-même, et de la manière qui convient. Il y a longtemps
d'ailleurs qu'il sait ce qu'il faut dire à autrui lorsqu'il
ouvre son cœur, en confidence, sur ses rapports avec
Mme de Staël. Dès 1798, il a mis au point, là-dessus, son
personnage, et quand, le 15 mai de cette année-là, il
a éclaté, pour la première fois, auprès de sa tante Nassau, la conjurant de lui chercher une femme qui le libé-
rerait de Germaine, il n'a pas manqué de lui dire, pour
lui expliquer la raison de ses atermoiements : « C'est en
vain que j'ai essayé de rompre; il est impossible à mon
caractère de résister aux plaintes d'une autre. » Le
26 mars 1801, pour faire sentir à Mme Lindsay qu'il ne
saurait, en sa faveur, délaisser Germaine, il se décrit tel
qu'il est, substantiellement : « moral, sensible, et *craignant le malheur des autres plus que le mien propre* »;
à Rosalie, 27 février 1804 : « Tout ce que je respecte sur
la terre, c'est la douleur »; à Mme de Nassau encore —
et ces mots-là, il les tire de l'*Adolphe* qu'elle ne connaît
pas : me voici, chère tante, sous vos yeux et sans voiles,
plein de « *ce que d'autres appelleraient faiblesse et que
j'appelle* [moi, en toute équité] *bonté de cœur* » (5-11-08).
Le 24 mai 1804, dans ses notes secrètes, Benjamin a
jeté ceci, d'une admirable limpidité : objectif? « *me
donner une réputation de bonté* », et « *la porter au point*

où *il me la faut pour arranger ma vie sans que tout le*
monde tombe sur moi ». *Adolphe* n'a pas d'autre but.

Toutes sortes de drames interviendront, l'obligeant
à changer sa tactique, à l'infléchir diversement, mais
sans renoncer à sa stratégie. Bien souvent, Benjamin n'a
plus aucun goût pour Charlotte, tant Mme de Staël
l'épouvante sur l'accueil que réserverait la « société » à
cette dame-aux-trois-maris. (« *Au fond, je me jette dans*
une situation pour sortir d'une autre », 11-11-06.) Que
de périls, également, même s'il se décide au mariage,
dans la publication de l' « Épisode » qu'il a conçu pour
se justifier! S'il dressait l'opinion contre lui, au lieu de
la séduire, le désastre serait absolu. Il faut que la clef
du livre : Ellénore = Germaine, soit assez visible pour
qu'on la saisisse aisément, assez cachée pour que
l'auteur puisse toujours, galant homme, affirmer qu'on
s'abuse en donnant à l'ouvrage le sens même qui constitue sa raison d'être. Méconnaissable et irrécusable,
telle doit être Mme de Staël dans son « roman ». Donc
Ellénore est du passé. C'est une morte. Vous voyez bien
qu'il ne peut s'agir de Mme de Staël. Ce n'est pas une
grande dame, une personne du premier rang. C'est une
irrégulière; elle n'est pas mariée; elle a deux enfants
naturels. De plus, Ellénore « n'avait qu'un esprit ordinaire ». Tout est dit par un tel détail. Un « esprit ordinaire »! Comment voulez-vous qu'Ellénore rappelle en
rien Mme de Staël? Sa mort est celle de Julie Talma, que
Benjamin a vue expirer au mois de mai 1805. Sa condition
est celle d'Anna Lindsay, maîtresse en titre de Lamoignon, à qui elle a donné « deux bâtards ». Adolphe chez
Ellénore, devant l'amant qui se rembrunit, c'est Constant dans le salon de Charlotte, devant Du Tertre le
mari, qui lui fait grise mine. Ellénore est un amalgame.
Charlotte confère à Ellénore ce côté qu'elle a de « dépen-
dance pathétique », sans parler des deux détails complémentaires qu'elle fournira plus tard au roman quand
elle frôlera la mort, en décembre 1807; deux ornements
de plus à la grande scène de l'agonie; l'un poignant
seulement, l'autre providentiel, car elle s'est réellement
écriée, parlant de Benjamin : « Qui est-ce qui l'accuse?
Il ne faut pas l'accuser. *Il est bon* » (*Journal*, 12-12-07).
Une merveille démonstrative, cet apport-là! Mais Cons-

tant n'a pas vécu ouvertement avec Anna Lindsay
comme Adolphe avec Ellénore; c'est avec Mme de Staël
qu'il a eu, qu'il a toujours, cette liaison interminable, et
personne ne s'y méprendra. Quand Rosalie lira l'ouvrage,
en 1816, elle en sera toute secouée : « La position est si
bien peinte que j'ai cru être *au temps où j'étais témoin
de cet esclavage indigne* » (12-7-16).

Du travail très concerté. Si Germaine, pour être
amenée en scène sans péril, a besoin d'un maquillage
longuement étudié, le héros de l'histoire, lui aussi, se
doit de n'apparaître que sous un travesti favorable.
Adolphe[1] ne saurait être, comme Benjamin, le fils d'un
colonel suisse; il est « *de naissance illustre* » (VII); son
père était ministre d'un prince allemand. Adolphe n'a
jamais épousé Mlle de Cramm; encore moins se charge-
rait-il de cette sourde réprobation qui entoure, dans la
société de l'Empire, un homme divorcé. Apparaît en
revanche, comme en profil perdu, en silhouette idéale,
celle qui pourrait être sa bien-aimée compagne, parfaite
à tous égards; autrement dit Charlotte. Un aspect
important du caractère d'Adolphe, et que nul ne doit
oublier, c'est son détachement. Il semble « égoïste »
et ne « s'intéressant qu'à soi »; mais il ne s'intéresse, au
vrai, que « *faiblement à soi-même* » (I). Il est « *le spectateur
indifférent d'une existence à demi passée* » (VII). C'est un
des thèmes favoris de Benjamin pour masquer ses voies :
il n'est « *pas tout à fait un être réel* »; et il écrira, en 1827,
à Rabbe qui a bien voulu tracer sa biographie : « *Je
n'ai jamais eu ce sentiment d'individualité qui fait qu'on
s'intéresse à soi* »; « *défaut qui m'a beaucoup nui* », ajou-

1. Le nom d' « Adolphe », B. C. ne l'a pas choisi au hasard. C'était le
prénom de ce Ribbing qui a tant gêné B. C., d'abord, dans ses entreprises auprès de Germaine; à chaque page, dans les lettres de Germaine à Ribbing, ces syllabes murmurées, roucoulées, criées : « *Mon
Adolphe* », « *mon cher et adorable Adolphe* », « *mon angélique Adolphe* ».
En 1806, Adolphe de Ribbing est bien effacé dans le cœur de Germaine; l'y ont successivement supplanté Benjamin lui-même, puis
O'Brien, puis Robertson (puis, en vain, Sir John Campbell et Charles de
Villers), puis Pedro de Souza, puis Prosper de Barante. Alibi, à la
fois, et petite vengeance, ce nom d'Adolphe, dans le « roman » de Benjamin. Lorsque Germaine a lu, fin 1806, la première version de l' « épisode », elle n'y a rien trouvé à redire. Celui que Benjamin mettait là
en cause, devant elle, c'est l'impudent qui avait eu le front, jadis,
de ne plus l'aimer.

tera-t-il [1]. Adolphe a dans la poitrine un cœur « *étranger à tous les intérêts du monde* » (III); c'est dire à quel point l'on se tromperait sur l'auteur du livre en supposant à sa conduite des raisons bassement positives. Il tient d'ailleurs à se rendre, dans son livre même, sur ce point, un « *solennel témoignage* » : « *Je n'ai jamais agi par calcul* » (VIII).

Germaine, cependant, devient intolérable. « C'est la plus égoïste, la plus frénétique, la plus ingrate, la plus vaine, *la plus vindicative* des femmes » (1-1-07). « Que faire avec une femme furieuse et que rien n'arrête! » (18-6-07); « conversation avec Hochet; *elle commence déjà à me faire passer pour un monstre* » (3-6-07). Pour tout compliquer, deux nouvelles expériences qu'il a tentées dans le monde avec son « épisode » ont donné, toutes deux, le même résultat décourageant; 24 février 1807 : « Lu mon roman à Mme de Coigny. Effet bizarre sur elle. *Révolte contre le héros* »; 28 mai : « Lu mon roman à Fauriel. *Effet bizarre de cet ouvrage sur lui.* » En somme, un instrument qui ne donne pas satisfaction. Le 25 février, Benjamin a noté tristement : « La lecture d'hier m'a prouvé qu'on ne gagnait rien à *motiver* », et il en concluait alors qu'il fallait rompre avec Germaine sans notice explicative.

Le 5 juin 1808, B. C. a épousé Charlotte de Hardenberg (ex-Marenholtz, ex-Du Tertre); le maragei a été célébré dans le plus grand secret; Germaine doit tout ignorer. Ce n'est pas le moment de révéler *Adolphe*. Le livre, du reste, n'est toujours pas au point; le 11 août 1809, Constant ne trouve pas encore qu'il y ait « *mis la dernière main* [2] ». Au vrai, ce n'est point l'imperfection littéraire de l'ouvrage qui l'inquiète; c'est qu'il

---

1. Cf. encore B. C. à Mme Necker de Saussure, 8 février 1805 : [...] moi qui ai « *l'avantage* » d' « *attacher peu d'importance à moi-même* », « *moi qui n'ai pas d'identité* »; et à Hochet, 12 juin 1812 : « *C'est un grand malheur que de ne pas s'aimer assez, de ne pas prendre un intérêt assez suivi à soi-même. Je vois tout ce qui m'entoure occupé de soi, arrangeant sa vie, ou sa réputation, ou sa fortune, ayant un égoïsme qui lui sert de fil. Moi, il faut que la chose à laquelle je m'intéresse soit hors de moi.* »

2. Lettre à Mme de Nassau.

n'est pas du tout sûr de *bien jouer* en laissant paraître ce factum. L'avant-veille, 9 août 1809, il a confié à Hochet[1] : « *Je persiste dans mon système de non-justification et de non-apologie. Pendant plus de dix ans, l'on* [Qui donc? L'opinion générale, hélas, sur son compte] *a attribué une conduite, j'ose le dire assez dévouée* [sic] *à des calculs qui étaient bien loin de mon esprit et de mon cœur. Les faits le prouveront.* [Quels faits? Son mariage, dès lors accompli, mais tenu secret, pour le moment, par prudence.] *Cependant, jamais je n'ai daigné me fatiguer ni fatiguer les autres d'une réfutation[2].* »

En 1810, néanmoins, le roman a pris la forme, à peu près, que nous lui connaissons; la copie qu'en fait établir B. C., au cours de l'été 1810, n'offre que de minimes variantes par rapport à l'édition (1816). C'est qu'un événement considérable s'est produit, le 21 mars 1810, dans la vie privée de Constant. Depuis le 21 mars 1810, ses sûretés sont prises, du côté de Mme de Staël, sur un point, à ses yeux, d'une importance extrême. Constant a si bien circonvenu Germaine qu'elle a consenti, *par écrit*, à lui laisser, sa vie durant, et sans

---

1. On goûtera, également, la phrase que voici, dédiée par B. C. au même Hochet, le 12 novembre 1809 : « *Ce m'est une grande douleur d'imaginer qu'il y ait des gens qui croient servir Mme de Staël en attaquant un homme qui lui a été si longtemps et si complètement dévoué.* »

2. C'est en 1809, cependant, on a toutes raisons de le croire, que Constant avait tenté une autre parade, celle de *Cécile*, à laquelle il avait d'abord songé, quelques jours, en octobre 1806; à peine un roman, cette fois, mais un historique (convenablement truqué), un récit touchant de ses amours avec Charlotte, contrariées par Mme de Staël. Il modifiait les noms propres, Charlotte devenant Cécile et Mme de Staël, Mme de Malbée, mais il fournissait les dates même des faits qui s'étaient déroulés. Déposition rigoureuse; rien que la vérité, toute la vérité. Le stratagème était là. L'entreprise avorte, Constant l'ayant vite reconnue impraticable, et cent fois plus dangereuse que celle d'*Adolphe*; ce qui, dans une lettre à Hochet, le 30 mars 1810, se traduit en ces termes : « *Je souffrirais beaucoup plus de voir Mme de Staël mal jugée à cause de moi, que si je l'étais à cause d'elle.* » Ce B. C. est prodigieux. Il gardera soigneusement dans ses tiroirs cette *Cécile* inachevée. Sait-on jamais? A la dernière page d'*Adolphe* (« *Réponse de l'Éditeur* »), on pourra lire cette indication curieuse : qu'on lui a « communiqué, sur la destinée » de son héros, de « *nouveaux détails* » dont « *j'ignore encore*, dit-il, *si je ferai quelque usage* ». Avertissement à Mme de Staël.

intérêts à prévoir, les 80.000 francs [1] (chiffre d'ami)
qu'il lui doit. Benjamin promet seulement d'inscrire
cette somme dans son testament en faveur de Mme de
Staël ou de ses héritiers, et à la condition, encore, que
lui-même n'ait point d'héritier direct. Une affaire d'or,
cet arrangement! Il tient, à présent, la dame en ce qui
touche à l'essentiel. C'est pourquoi, enhardi, il a lu, à
petit bruit, son *Adolphe* remanié devant des auditeurs
choisis, en 1809 et 1810 [2]. Un libraire de Paris lui en
a même offert une somme intéressante. (Cela s'est passé
« il y a un an », dira-t-il, le 4 juin 1811, à sa cousine Rosalie [3].) Mais les temps ne sont pas mûrs.

Trois années s'écoulent. Depuis le mois de mai 1811,
Germaine est au loin, et Benjamin croupit, avec sa
femme, au fond de l'Allemagne, rêvant de cet écrase-
ment de la France qui lui remettrait, peut-être, le pied
à l'étrier. Il rate son affaire, en 1814, ayant misé sur
le mauvais cheval (Bernadotte), mais réussit son coup
— s'imagine le réussir — en se vendant, au mois
d'avril 1815, au même « usurpateur » qu'il avait déchiré
lorsqu'il l'avait vu chancelant, au printemps de 1814.
Pas de place pour *Adolphe* parmi tant d'aventures.
Benjamin a revu Germaine, le 13 mai 1814, et l'a trouvée
« changée », à son égard, « *du tout au tout* », « *distraite,
presque sèche, pensant à elle, écoutant peu* ». En juillet,

1. Soit, à peu près, le pouvoir achat de 320 000 NF.
2. Benjamin avait lu son roman à Prosper de Barante; il y fait
allusion dans une lettre à Prosper du 2 juillet 1809. Le 25 septembre
1809, ce dernier, à propos de B. C., écrivait à Germaine : « *Avez-vous
lu son roman?* [...] *Je l'ai trouvé admirablement triste et flétrissant.
Il est impossible de mieux chercher toutes les plaies du cœur pour y verser
du poison au lieu de baume* »; et, de nouveau, le 4 février 1810, du
même à la même : « *Wallstein a fait un tort sensible* [on le comprend]
à sa réputation de talent [...]. *Pourquoi ne publie-t-il pas son roman?
Quand il vous était attaché, médire des liaisons du cœur et travailler
à les défaire était blâmable. A présent, son roman sera d'accord avec
son sort.* »
Prosper n'entend rien à la situation réelle de B. C. Certes, il est,
lui aussi, dépris de Germaine, mais M. de Barante a une autre assise,
dans le monde, que l'aventurier suisse; il n'a pas à redouter, comme
B. C., les effets dévastateurs que pourrait avoir, sur sa carrière,
l'hostilité mondaine de la baronne.
3. Cependant, c'est le 1er août 1809 que B. C. avait parlé, déjà,
à sa tante Nassau, des « 8 000 *francs comptant* » qu' « *un libraire* »
lui aurait offert pour son petit livre.

gênée, prétend-elle, pour parfaire la dot d'Albertine
(les Broglie ont des exigences sur lesquelles ils ne tran-
sigent pas), elle s'est adressée, tout naturellement,
au père de sa fille : pourrait-il lui remettre, à l'intention
de leur enfant, une partie des 80 000 francs? *Journal:*
Mme de Staël « me demande de lui assurer *le paiement
de ce que je ne lui dois point; c'est fort; je ne l'aurais
pas cru. Filons doux* », mais en prenant « *vite* » les moyens
propres à « *dénaturer ma fortune* » (1-7-14). La bagarre,
entre eux, apparaît comme une éventualité vraisem-
blable; *Adolphe* remue dans sa cachette; 23 juillet 1814 :
« Lu mon roman à Mme Laborie. *Les femmes qui étaient
là ont toutes fondu en larmes.* » Voilà qui est bien; 24 juillet : « Lecture chez Mme de Catelan. *Succès.* » A la fin
d'août, Benjamin s'aperçoit qu'il est subitement devenu
« amoureux » de Mme Récamier. *Adolphe* s'adapte mal
à ce climat nouveau, mais l'adjonction d'un air de
harpe (« *Charme de l'amour, qui pourrait vous peindre?*
[etc.] ») au début du chapitre iv procure à l'ouvrage,
discrètement, ce qu'il lui faut maintenant de senti-
mentalité. Possible, en effet, qu'il faille, probable
même qu'il faudra, sous peu, publier le « petit écrit ».
Germaine, avec ses revendications, va l'y contraindre;
18 septembre 1814 : « *Que diable me fait cette femme?
Qu'elle ne s'avise pas de me troubler!* »; 23 novembre,
après une entrevue : « *nous nous haïssons bien; mettons-
nous à l'abri d'elle* »; 8 février 1815 : « *Quelle vipère!* »
En mai 1815, comme Germaine insiste toujours, Benjamin a trouvé une riposte qui a coupé le souffle à la
fâcheuse. Elle veut de l'argent pour sa fille? Si elle
continue à l'ennuyer, il est en mesure de l'empêcher
net, ce mariage Broglie auquel elle tient tant. Benjamin
fait savoir à Germaine qu'il a conservé avec soin les
lettres d'amour qu'elle lui adressait autrefois; il prélè-
vera, dans le lot, les plus chaudes et les mettra en circu-
lation. Cela fera bon effet sur les Broglie; 15 mai 1815 :
« *Voilà donc la guerre entre nous; je le veux bien; je la
ferai de bon cœur.* » A cette date, et depuis le 20 avril,
Benjamin est un personnage. Il a une grande place,
de gros appointements et toute la puissance de l'Empereur derrière lui. C'est lui qui a rédigé l'Acte addi-
tionnel aux Constitutions de l'Empire. Il ne craint plus

la « *harpie* » Staël (6-5-15) et a d'autres moyens qu'*Adolphe* pour lui fermer la bouche; 31 mai 1815 : « *Lettre furieuse de M*^me *de Staël. Je l'attends, et je l'écrase.* »

Mais la fortune, une fois de plus, se renverse et Benjamin, après Waterloo, est de nouveau sur le sable. Tout est à refaire. Politiquement, pour l'heure, ses chances sont nulles. La publication d'*Adolphe* pourrait être utile, quand ce serait à seule fin d'écarter les esprits des avatars vertigineux dont l'auteur, dans sa vie publique, vient de donner le spectacle. Sans bagage, ou presque, il s'est présenté (le 29 mars 1815) à l'Académie et n'a pas recueilli une seule voix. *Adolphe* peut lui donner des chances. Le 9 septembre 1816, Sismondi écrira à Mme d'Albany qu'avant de faire imprimer son livre, B. C. l'avait lu à « *la moitié de Paris* ». De fait, le *Journal* indique : lecture chez Mme de Coigny, le 2 septembre 1815; lecture chez Mme de Bérenger, le 20 novembre; lecture chez Lady Seymour, le 2 janvier 1816; puis (Benjamin est à Londres depuis la fin de janvier) lecture chez Mme Bourke, le 14 février; chez Lady Besborough, le 17 février, et chez miss Berry, le 25. Il a besoin d'argent et son roman, sur ce point aussi, peut l'aider. (« *Je voudrais le vendre bien* », 14-9-16.) Caroline Lamb, chez qui il a dîné le 23 février, lui a promis qu'elle parlerait du livre à Murray, l'éditeur. Tout le monde sait maintenant que B. C. se dispose à publier son célèbre récit et, le 12 février, Charles de Constant — qu'informe son beau-père, Achard, fixé à Londres — communique la nouvelle à Rosalie : « Benjamin va faire imprimer un roman, en outre d'un ouvrage politique qui doit servir d'apologie à sa conduite. » Deux apologies en même temps, l'une d'ordre public, l'autre d'ordre privé.

En dépit de Caroline Lamb, Murray n'a pas retenu l'offre, et c'est chez Colburn que le roman paraîtra. Le 30 avril 1816, B. C. remet son manuscrit aux imprimeurs Schulze et Dean, 13 Poland Street. L'ouvrage doit être mis en vente vers le 10 juin. Le 9 mai, Benja-

min rédige une préface, qu'il retouche le 13, qu'il
« arrange » encore le 15, puis qu'il écarte définitivement.
Pas de préface; un exercice, ce prélude, à se casser
le cou. Par prudence, même, Benjamin a supprimé
dans son texte quatre pages du huitième chapitre,
périlleuses, et qu'on aurait pu lui reprocher comme
inciviles : une allusion aux amants de Germaine, pendant
leur liaison même. Ne pas se mettre dans son tort.
S'assurer le beau rôle en tout point. D'où ce déluge de
fleurs : « Je la sentais meilleure que moi; je me méprisais
d'être indigne d'elle » (V); « Il n'existe pas sur la terre
une âme plus élevée, un caractère plus noble, un cœur
plus pur et plus généreux » (VII). B. C. n'est pas tranquille, malgré tout, et il a songé d'abord à quitter
Londres, dès le roman paru, pour échapper aux ques-
tionneurs. Quelqu'un l'inquiète, aussi, c'est Juliette.
Il la déteste à présent, et qui sait, elle qui reste liée à
Germaine, qui sait ce qu'elle va dire de son geste?
(Sur Mme Récamier, *Journal,* 22 avril 1816 : « Je n'ai
et ne puis avoir aucune amitié pour elle; j'accepte la
sienne parce que *je ne dois aucune franchise à un être
aussi malfaisant.* [...]. Lui écrire, à la bonne heure [...].
La servir, jamais. *Tout au plus ne pas lui nuire; et
encore!* ») Le 5 juin 1816, B. C. écrit donc à l' « être
malfaisant »; il s'excuse; il a eu tort, certainement, de
céder aux insistances dont il a été environné; « *on* m'a
engagé à faire imprimer le petit roman que *je vous
ai lu tant de fois; on* s'était mis à me le faire lire [...] »;
l'opuscule était ainsi devenu, malgré lui, tout à fait
public; il l'a donc livré à un éditeur. « A présent, je
m'en repens; je ne vois jamais les inconvénients des
choses qu'après les avoir faites. » (Toujours cet irréalisme
qui est le sien; ce malencontreux *état d'absence!*) Et,
maintenant, une idée le tourmente; un incident qui
pourrait se produire, auquel il n'avait pas songé, et qui
le peinerait beaucoup : « Je crains qu'une personne, *à
qui cependant il n'y a pas* [dans ce livre] *l'application
la plus éloignée,* ni comme position, ni comme caractère,
ne s'en blesse. » (Pourquoi cette crainte, alors? Le livre
pourrait-il donc, tout de même, faire penser à « la personne? ») Hélas, « il est trop tard », et c'est navrant;
l'ouvrage est sur le point de paraître. (B. C. a attendu

la dernière seconde avant d'écrire sa lettre.) Que Juliette, si bonne toujours, lui octroie son pardon, au cas où elle verrait là quelque reproche à lui faire. Il s'est laissé aller — c'est vrai, il l'avoue — à « un mouvement d'amour-propre », à une vanité d'écrivain. Mais c'est bien la dernière tentation de ce genre qu'il connaîtra jamais, « car mon talent est fini »; Juliette sait pourquoi...

L'ouvrage est en vente. *Journal*, 19 juin 1816 : « Mon roman a beaucoup de succès comme talent. » Cette précision restrictive révèle que, pour le reste — l'intention, l' « idée-de-derrière » — les commentaires sont alarmants. Trois jours plus tard, explosion : 22 juin : « paragraphe désolant sur *Adolphe* dans les journaux ». Un démenti s'impose. Le 23 juin 1816, B. C. adresse au *Morning Chronicle* les lignes que voici : « Différents journaux ont laissé entendre que le court roman *Adolphe* contient des péripéties s'appliquant à moi-même ou à des personnes existant réellement. *Je crois qu'il est de mon devoir de démentir une interprétation aussi peu fondée* »; l'auteur n'aurait pas eu l'imprudence de se mettre lui-même en scène; quant à s'être permis, pour dessiner son héroïne, quelque emprunt au destin d'une vivante, « *cela jetterait sur mon caractère* — déclare Benjamin Constant — *un opprobre que je ne saurais tolérer* ». Ellénore n'a « *aucune ressemblance avec aucune personne de ma connaissance* », et il ne pouvait en être autrement, car « *non seulement mes amis, mais mes relations même me sont sacrés* ». Personne ne sera dupe, mais la mimique requise est chose faite. Puis B. C., sans plus attendre, revient à l'idée de cette préface qu'il avait écartée. Décidément, il en faut une. Il se remet à la besogne et compose une homélie qu'on placera en tête du volume pour une « deuxième édition », fictive. Tout d'abord, l'indication hautaine du mépris qui, chez un homme de qualité, accueille les ragots du commun. Ces « absurdes conjectures », ces « interprétations » pleines de « malignité » qu'a suscitées mon ouvrage, prononce Benjamin Constant, n'ont « point pris naissance *dans la société* ». Elles sont le fait d'individus qui, « *n'étant pas admis dans le monde*, l'observent du dehors avec une curiosité gauche et une vanité blessée et cherchent à trouver, ou *à causer, du scandale dans une sphère au-dessus d'eux* ». Leur grossièreté oblige Benjamin *de* Constant-Rebecque [1] à une « protestation », que voici : « *Si j'avais donné lieu réellement à des interprétations pareilles, s'il se rencontrait dans mon livre une seule phrase qui pût les autoriser, je me considérerais comme digne d'un blâme rigoureux.* »

Il est à couvert; il pourrait s'en tenir là. Mais son livre, maintenant, court le monde. Germaine l'a sans doute déjà entre les mains. Une sottise, peut-être, qu'il a faite là, au moment où son personnage public est si vulnérable [2]. Alors, payer d'audace. Benjamin décide de nommer, carrément, l'adversaire, d'écrire lui-même ce nom qui est sur toutes les lèvres, mais en l'amenant sous sa plume avec une habileté suprême. Et voici ce qu'il a trouvé : la mésaventure qui m'arrive, dit-il, avec ces « clefs » absurdes que l'on suppose à mon roman, j'en partage l'inconvénient avec de très grands écrivains. Chateaubriand, rappelez-vous, n'a-t-on pas prétendu qu'il s'était décrit dans *René*? Et Mme de Staël, « la femme la plus spirituelle de notre siècle *en même temps qu'elle en est la meilleure* » (cette « furie », cette « harpie », cette « vipère »), Mme de Staël « a été soupçonnée non seulement de s'être peinte dans *Delphine* et dans *Corinne*, mais d'avoir tracé de quelques-unes de ses connaissances des portraits sévères ». Le coup est beau. Personne en effet ne doute, dans le monde, de la ressemblance consanguine qui unit M. de Chateaubriand et René, et chacun sait tout ce que Mme de Staël, très délibérément, a donné d'elle-même aux portraits, si flatteurs, qu'elle a tracés de Delphine et de Corinne. Benjamin pratique l'art d'induire le lecteur, en souriant, à comprendre *noir* quand il lui dit *blanc*. Ce que j'ai

---

1. Benjamin avait fait placer ceci, en 1814, sur la couverture de son *Esprit de Conquête : « par Benjamin de Constant-Rebecque, membre du Tribunat éliminé en 1802, Correspondant de la Société Royale des Sciences de Göttingen.* »

2. Et il n'a tiré de son livre que « 70 louis » (*Journal*, 29-6-16); un peu plus de 5 000 NF.

fait dans *Adolphe*, c'est ce que Mme de Staël a fait la première, et *je suis*, dans *Delphine*, M. de Lebensei, comme Barante est Oswald dans *Corinne*. Pour achever de mettre avec soi les rieurs, Benjamin déverse sur celle qu'il redoute un torrent d'éloges : « Toute perfidie sociale est incompatible avec le caractère de Mme de Staël, ce caractère si noble, si courageux dans la persécution, si fidèle dans l'amitié, si généreux dans le dévouement[1]. »

Innocent, Adolphe, innocent et malheureux, malheureux et admirable, voilà le vrai. Bien loin d'être une auto-critique, *Adolphe* est une apologie, une auto-justification, une auto-glorification, en forme de paratonnerre, ou, si l'on préfère, de parapluie.

« On met un caractère comme on met un habit pour recevoir », notait Benjamin, le 18 décembre 1804.

Ce plumage d'Adolphe que B. C. a revêtu l'aidera dans son ramage publicitaire, et n'a pas fini de l'aider, tant a la vie dure, en ce monde, l'image illusoire qu'un écrivain, toute sa vie, travaille à nous faire prendre pour la sienne.

L'histoire vraie, cependant, de son aventure avec Anna Lindsay, est instructive. Cette femme, que lui « passait » Germaine (comme lui-même « passe » à Germaine tant d'O'Brien et de Robertson), il a joui de son corps et il s'en est saoulé. « Il faut lire », observait Rudler, calme professeur, il faut lire les lettres de Benjamin à Anna (1801) « *pour connaître la férocité de cet égoïsme et savoir jusqu'où peut aller l'insensibilité* »; « Constant mêle Machiavel à Lovelace ; *ses pires angoisses*

[1]. Commentaire sous-entendu : « courageuse dans la persécution »? Voir ses gémissements ininterrompus, ses suppliques incessantes pour rentrer en grâce, auprès de Reubell d'abord, auprès de Napoléon ensuite — et jusque pendant les Cent-Jours; « fidèle en amitié »? Voir ce qu'elle dit de moi dans les salons, depuis son retour, moi qui, des années durant, à mes risques et périls, lui ai rendu tant de services pour l'aider à récupérer les fameux « deux millions » prêtés par Necker au Trésor français; « généreuse dans le dévouement »? Voir ses façons pour m'extorquer, au sentiment, des sommes « que je ne lui dois point ».

n'ont jamais troublé la lucidité de ses calculs »; « dans toute
l'histoire sentimentale, il n'y a pas de plan plus exactement calculé, plus implacablement exécuté que celui
du *faible* Constant ». Sa lettre du 31 mai 1801 atteint
les dimensions d'un chef-d'œuvre. Constant a besoin
d'éviter absolument qu'Anna, en quittant Lamoignon,
son protecteur, ne suscite dans « le monde » un éclat
qui gênerait ses desseins; tout lui est bon, en conséquence : une « argumentation en règle », des « récapi-
tulations d'homme de loi », le « ton hautain du péda-
gogue », puis la bassesse d'un appel caressant : « Anna,
vous, si délicate [...], vous ne pouvez vouloir avilir celui
que vous aimez. » Anna souhaiterait avoir une lettre de
Mme de Staël, non certes pour nuire à Germaine, mais
pour justifier seulement, devant l' « opinion », la liberté
qui lui est rendue à l'égard de Benjamin. Et Benjamin,
épouvanté, entre en indignation; rappelons-nous son
jeu de 1815 contre Germaine, et lisons : « *L'idée de
livrer une lettre d'un être qui m'a aimé me fait frémir.* »
Oui, dit Rudler, un monsieur « *glacialement lucide* »,
Benjamin, et dont « les vacillations de surface » n'ont
jamais cessé de recouvrir « une résolution inflexible ».
Laquelle? Ce que je veux, ce que j'aurai, coûte que
coûte, c'est « *le pouvoir, la fortune, la gloire* » (8-1-01).
Anna ne compte pas devant Germaine. Germaine, c'est
« l'ambassadrice », la femme au premier salon de Paris,
assise sur les millions Necker. Anna? « *une fille* » (20-6-07),
une irrégulière; un corps charmant, mais ni argent ni
autorité sociale. Quand il ne l' « aime » plus, pas de
problème, à son égard; pas le moindre, car elle ne saurait
lui être dangereuse; tandis que l'autre... Les larmes,
pour émouvoir Constant, doivent se mêler au ruisselle-
ment d'un pactole dont elles pourraient changer le
cours. Anna a voulu le revoir, en 1807, et, de nouveau,
elle pleure. « *Vieilles explications sur de vieilles histoires.
Que diable cela me fait-il?* » (9-1-07.)
    Sous la date du 10 novembre 1814, on voit dans le
Journal: « Lecture chez Mme Lindsay. » Serait-ce
Adolphe? Je le crois; car c'est bien de cette façon même
(« Lecture chez Mme de Catelan ») que B. C., le 24 juillet,
a enregistré son expérience de ce soir-là avec le « roman »;
« succès », notait-il, le 24 juillet; pas d'indication, le

10 novembre, sur le résultat obtenu. J'imagine qu'il
a dû pratiquer, devant Anna, quelques suppressions
dans son texte, survolant certains mots trop clairs et
qui désignent trop visiblement la femme dont il s'est
servi pour dissimuler Germaine derrière cette transpa-
rence [1]. C'est l'utilité dernière qu'il aura tirée d'Anna ;
il lui a, publiquement, emprunté son âge et son état
civil. Une Lindsay est sans importance ; tout juste
bonne à cet usage. Mais il était prudent, malgré tout,
de l'associer à l'entreprise. Benjamin a donc lu chez
elle — un vif honneur qu'il lui faisait — ce livre auquel,
à son insu, elle a collaboré. Elle n'aura plus la permission de se plaindre. Et elle se plaindra cependant.
« On dit *une autre personne* furieuse », écrit Benjamin,
narquois, à Juliette ; « *il y a bien de la vanité chez cette
femme ; je n'ai pas songé à elle* ». Mais il n'est pas mauvais
que les imbéciles, les non-initiés, puissent dire : non,
non, rien qui concerne Mme de Staël, dans *Adolphe* ;
la clef est ailleurs ; témoin ce niais de cousin Charles
qui, le 3 juillet 1816, annonce à Rosalie : « Plusieurs
personnes ont reconnu Ellénore ; *elle s'appelait Lindsay.* » Mieux. Benjamin lui-même, en Angleterre, afin
d'égarer les mondains et les journalistes, oriente ses
interlocuteurs, dans l'intimité, du côté d'Anna. Ainsi
fait-il, le 14 juillet, chez Samuel Rogers qui l'a invité
à déjeuner. *Journal* de Rogers, 14 juillet 1816 : « Adolphe.
*Many parts, he will confess, from his own experience.
He has often in his mind an Englishwoman, still living
with a Frenchman in Paris, a Mrs. Lindsay.* »
Si la Lindsay, qui n'est qu'à peine du demi-monde,
échoue à l'ébranler en rien dans ses déterminations
(lui que Mauriac nous montre « jouet des femmes qu'il
aimait » et « désarmé par leur souffrance »), écoutons-le
bien, quand personne ne l'entend, apprécier, dans son
Journal, les objurgations sanglotantes de Germaine.
Elle m'agace tellement avec ses plaintes, note-t-il,
le 8 mars 1803, que j'en aurais presque honte de « *n'être*

---

1. Sismondi, le 14 octobre 1816, expliquera à Mme d'Albany la
manœuvre : B. C. a « *évidemment voulu* éloigner le portrait d'Ellénore » de toute ressemblance avec la dame de Coppet, qu'elle représente en réalité ; il a « tout changé : patrie, condition, esprit ».

pas plus sensible à la douleur ». S'il cède constamment
aux volontés de cette impérieuse, entre autres raisons
concernant ses intérêts, c'est que rien ne lui est insupportable comme « le bruit que font les femmes en colère »
(7-4-05), et si les « convulsions » de Germaine le maî-
trisent à cause des représailles qui les suivront,
du moins, dans le secret de ses cahiers, ce cri de l'exas-
pération qui se débonde : « *Que je hais les femmes qui
réclament les promesses !* » (8-8-07.) Il se drape en rêveur,
en poète qui pense-à-autre-chose; « sa vie n'est jamais
tout à fait la sienne »; mais il suffit de le regarder vivre
pour discerner chez lui une « présence au monde, très
effective [1] » et très redoutable à qui s'interpose, volontairement ou non, entre lui et ce qu'il convoite. Le
succès lui serait venu comme par hasard, sans qu'il
s'en occupât et presque sans qu'il y prît garde, de
soi, pendant qu'il dormait éveillé, simplement parce
que c'était écrit dans le livre du Sort. Mais quel éclair
ont vu passer dans ses yeux jaunes ceux ou celles
qui, à tel instant, gênaient sa marche : le curé de
Luzarches, en l'an VI, qu'il envoie mourir au bagne;
Anna, en 1801; Germaine, en 1815; Marianne, la seconde
femme de son père, lorsqu'elle voudrait que ses enfants
(« les bâtards », comme il les appelle) soient traités
comme lui-même. Mes années, écrit-il dans un de ses
monologues, mes années « perdues et livrées à quiconque a voulu les prendre [...] ». Mais qu'Anna fasse
mine de se coller à lui et de croire, burlesque, à ce qu'il
lui a murmuré pour l'avoir : qu'ils feraient, à jamais,
route ensemble, quel avertissement elle reçoit, quel
coup de lanière en plein visage : « *Je ne me laisse jamais
entraîner* » (6-1-01). Et quand Marianne, qui défend
son fils et sa fille, en appelle à son équité : « *Cette femme
compte sur ma faiblesse; elle se trompe* » (27-10-04).
« Faible roué », dit quelqu'un. Roué, certes, mais non
pas faible [2]; dédaignant seulement la puérilité des

---

1. Francis Jeanson, « Benjamin Constant, ou l'Indifférence en
liberté », dans *Temps Modernes*, juin 1948, p. 2148.
2. « *Faiblesse* » est un mot que B. C. admet dans son *Adolphe* au
sens seulement que nous savons : la « faiblesse » d'un cœur trop bon,
trop tendu, trop vulnérable à la compassion. Mais B. C., lorsqu'il

scrupules, et, pour réussir, capable de tout. Ses hési-
tations, entre son divorce de 1795 et son remariage en
1808, sur ce qu'il doit faire (Rester libre? Épouser une
Genevoise? Une Française? Une Allemande? Ou Germaine? Ah! si seulement il pouvait épouser Germaine!)
ne sont pas, comme il a su, avec *Adolphe*, en convaincre
la postérité, les balancements d'un velléitaire que
retient la tendresse, qu'entravent des « pitiés » incurables;
c'est l'incertitude, qui le met en rage, de la route à
prendre pour risquer le moins et gagner le plus. « Si
je savais bien ce que je veux! » (8-3-o3.) « Qu'il est
triste de n'avoir pas un intérêt clair! » (7-4-o7.) Charlotte, dans une de ses lettres, l'a percé à jour : en lui,
dit-elle, « *une lutte d'intérêts* » perpétuelle, sans qu'il
parvienne à distinguer où est son avantage le plus
sûr.

Après Mme de Charrière qu'il avait délaissée
quand lui avait paru dérisoire et encombrante cette
antique précieuse de province, avant Germaine ou
après Germaine, toutes, Anna, Julie, Rosalie elle-
même, toutes, finalement le devinèrent sous l'épais-
seur de ses déguisements. La première dit à la seconde,
au mois de mai 1801 : « *Adroit comme à son ordinaire,
il ne sortira jamais de sa route tortueuse* »; du 5 juin
1801, ceci, d'Anna également : un « *cœur froid* », un
homme qui « *poursuit une marche invariable* ». C'est
Julie Talma qui lui écrit un jour : « *Constant, il y a en
vous quelque chose de perfide. Vous n'êtes pas si bon
que vous me l'avez dit* »; et c'est elle, encore, le 13 mai
1802, qui lui dit : « *Vous nous trompez* [Anna et moi]
*comme on trompe les enfants, avec cette différence que
les contes qu'on leur fait n'ont pour eux aucune suite
fâcheuse.* » Au soir de sa vie, rangeant ses papiers, au
bas d'une vieille lettre de lui qu'elle vient de relire,
Rosalie ne peut s'empêcher d'ajouter cette glose :
« *Il avait l'art de tromper* [...]. *Il trompait R.* [moi,
Rosalie de Constant, sa cousine, qui voulais lui faire

s'agissait très directement de lui-même, avait soin de préciser (à Hochet,
par exemple, le 12 novembre 1809) : « *Les sentiments que je conserve*
[à l'égard de Mme de Staël] *sont l'effet de ses excellentes qualités, et
non d'une faiblesse indigne d'un homme.* »

confiance] *plus que tous les autres, et celle-ci le jugeait faible et versatile pour ne pas s'avouer dupe.* »

B. C. doit à son atavisme protestant une disposition importune à l'examen de conscience. Personne n'aime à se mépriser, sinon quelques excentriques qui ne sont pas de nos climats. B. C. note dans son *Journal :* « Il y a une partie de l'homme qui agit, et une autre qui juge. *Celle qui juge est indulgente pour celle qui agit* » (16-2-o4). Il n'a qu'à s'observer, agissant et jugeant, pour tirer en effet de son propre exemple cette banalité qu'il énonce comme une découverte. Les hommages qu'il se rend, face à son miroir, sont fréquents et amples. Dans son divorce avec Minna, qu'il se remémore huit ans après, il s'accorde, impartialement, une attitude exquise; j'ai été là, écrit-il, « *délicat, généreux, humain* » (6-1-o3). Nous n'avons plus affaire à Constant sur la scène; il est seul, et c'est pour lui seul qu'il écrit, dans ce journal tenu sous clef, « ignoré de tout le monde », « auditeur » totalement « discret ». Rien de curieux comme d'assister à ces approbations réfléchies que Constant se prodigue à lui-même. Si distant qu'il se veuille du « moi » dont il étudie les méandres, et si prévenu qu'on le sache contre toute complaisance personnelle, le B. C. qu'il regarde force son estime, tant il reconnaît en lui de « *fierté* », de « *générosité* », de « *dévouement* » (11-4-o4). Qui parle de variations? de retournement subit, en 1795, sur la *réélection des deux tiers?* de fructidorien plein de zèle condamnant ensuite Fructidor comme un monstrueux attentat? de « républicain » mal servi par la République, et complice, rémunéré, du 18 Brumaire? Benjamin Constant n'a plus souvenir de ces zigzags et se targue, seul à seul, d'avoir toujours, en politique, « *suivi une ligne irréprochable* » (1-4-o4). Il a eu des torts, peut-être, il en convient, dans « les formes », avec Germaine, mais, invariablement, en lui « *délicatesse des actions* » et « *justice dans les sentiments* » (6-4-o4). Son souci d'objectivité l'oblige à cette constatation : « *Je ne connais que moi qui sache sentir pour les autres plus que pour moi-même* »

(10-4-04). « *Excepté en amour* » (soyons franc) « *je suis l'homme le plus vrai du monde* » (13-4-05). Et telle est sa passion d'y voir clair, tel est son parti pris de tout dire qu'il n'hésite pas à prendre acte de cette vérité d'évidence : « J'aime mieux mes amis que qui que ce soit au monde. Je les sers, je les soigne, je les entoure de plus d'affection vraie, et tous ces gens qui se disent sensibles ne me valent pas comme compagnon d'adversité, de malheur ou de mort » (5-5-05).

Nous avons vu sa « délicatesse » en plein fonctionnement avec Anna, avec Germaine (et que de jolies choses, aussi, dans son *Journal*, sur Charlotte!). Et néanmoins, dans le même *Journal*, ce trait de caractère qu'il couche sur son registre : « La douleur, vraie ou fausse, sera toujours sur moi toute-puissante » (25-1-05). Il tremble devant Germaine, si « vindicative »; il « file doux »; il prépare ses sentes d'évasion; il lui donne le change aussi longtemps qu'il peut; il écrit « *louvoyons et feignons* » (15-11-06). Mais tout cela s'explique, *à ses yeux même*, par la seule tendresse qu'il lui porte. Qu'il est pénible à sa nature de manquer, même accidentellement, même pour un bon motif, à cette loi de sincérité qui a toujours été la sienne! « *C'est par affection que je dissimule*, mais tout ce qui ressemble à la fausseté m'oppresse » (29-10-06); si je « prolonge » ma « fausseté », ce n'est que « *par affection pour elle* »; « *mon calcul a été généreux* » (12-2-07). Ces reculades devant la rupture à quoi le contraignent tout à la fois, des années durant — c'est à en devenir fou! — et l'ignorance où il se débat du parti à prendre le plus profitable et la panique où le jette la prévision de la riposte (cette femme va tout m'enlever, ma réputation, mon argent, mon avenir!), toutes ces marches arrière horrifiées, à chaque instant, lorsqu'il les évoque au tribunal de son âme, se muent en abnégations que lui a dictées son cœur d'or. « *J'ai prodigué ma jeunesse au besoin qu'elle avait de moi* » (24-4-04); « Lettre affreuse; beau résultat de *huit ans de sacrifices!* » (23-5-07); « j'ai *sacrifié* dix ans de ma vie *pour que* [attention!] », pour que Germaine, « en se déclarant mon ennemie, ne nous condamnât pas à une lutte » ouverte et calamiteuse (5-8-04)... Il brûle? Il avoue? Non, il s'est seulement laissé aller;

il ne se surveillait plus; il en oubliait sa règle instinc-
tive : qu'il n'a jamais tort, que le fond de sa nature
regorge de « *qualités excellentes* » (11-4-04).

« La lucidité de Constant *est mauvaise foi* », écrit
F. Jeanson [1]. Ce lucide *veut* s'aveugler. Faute d'avoir
lu, véritablement lu, *Adolphe*, on s'obstine à parler
d'un Constant qui s'accuse, et l'un de ses derniers commentateurs qui ne veut pas, tout de même, s'en trop
laisser conter, rappelle à son sujet la maxime de
La Rochefoucauld : « Nous avouons nos défauts pour
réparer, par notre sincérité, le tort qu'ils nous font dans
l'esprit des autres. » Mais Jeanson a fort bien vu que
les culpabilités qu'avoue Constant sont de celles « *qui
font honneur au coupable* ». De quelle faute réelle Adolphe
se charge-t-il? Aucune faute, chez lui. Aucun péché;
des « bizarreries » seulement, qui tiennent à « notre
cœur misérable » où l'amour ne subsiste guère sans
l'aiguillon de l'obstacle, où la vanité, hélas, est si forte.
Adolphe n'avoue des « bizarreries » communes que
pour dispenser Benjamin d'avouer ce qui est inavouable. Inavouable au point qu'il se refuse à en
admettre l'existence dans l'examen qu'il fait de lui,
et qu'il se crève les yeux exprès pour ne le point voir.
Constant s'octroie beaucoup de respect et n'endure
pas que l'on se méprenne sur ses vertus, qui sont grandes.
Ellénore s'en est aperçue; « elle irrita ma fierté par ses
reproches, raconte Adolphe; elle *outragea mon caractère;* elle me peignit [de telle manière] qu'*elle me révolta
contre elle encore plus que contre moi* » (V).

La lecture, ligne à ligne, du *Journal* de Benjamin
est souvent bien divertissante. En novembre 1804,
B. C., pour tenter de se consoler de l'entêtement dont
fait preuve Germaine qui ne veut décidément pas
l'épouser, accorde qu'elle a, pour dire non, des raisons
sérieuses : « mon état de divorcé lui ferait du tort dans
l'opinion et le nom qu'elle porte lui ouvre les cours »
(26-11-04); « il y a certainement de la vérité dans ce
qu'elle dit de l'embarras que notre mariage jetterait
dans sa vie et dans la carrière de ses enfants » (6-12-04);
« *si j'étais égoïste,* je n'en tiendrais pas compte, mais,

---

1. F. Jeanson, *loc. cit.*, p. 2135.

*tel que je suis, je sens que je ne me consolerais pas de lui
avoir fait tort* » *(Id.).* Et la conclusion immédiate,
je dis bien, immédiate, à la ligne suivante : « Ou secret,
ou public, *il faut que ce mariage ait lieu* » *(Id.).* Il
épousera Germaine et « ne se consolera pas », voilà
tout. Plus amusant encore est son vocabulaire où se
trahit le soin qu'il apporte à s'abuser sur la nature
de ses « liens ». De même que cette peur, mortelle,
qu'il a des vengeances de Germaine, et qui détermine
toutes ses prudences et tous ses mensonges, *jamais*,
dans son Journal, il ne la dénude pour de bon, de même,
ce n'est *jamais* l'intérêt qui lie son destin à celui de cette
femme. « Si elle n'avait que son esprit, je ne lui serais
pas longtemps attaché; mais elle a une telle *bonté!* »
(10-10-04.) La « bonté » de Germaine, c'est l'argent,
d'une part, qu'elle lui alloue, et l'empressement, d'autre
part, qu'elle met à combler d'éloges son intelligence et
son talent. Une bonté chiffrable. Mais c'est « *bonté* »
qu'il faut dire, parce que le mot s'adresse au cœur.
Après sa première tentative de rébellion, en mai 1798,
s'il est rentré sous le joug de Germaine c'est qu'elle
lui a donné, confie Benjamin à sa tante, les plus grandes
« *marques de dévouement* »; entendons qu'elle a payé
ses dettes. Il la soufflettera, en 1815, avec cela même;
parce qu'il a cessé de trembler, parce qu'il se croit
fort désormais, il lui criera qu'il a maintes fois, jadis,
« voulu rompre » avec elle, et qu'elle l'a toujours « *retenu
par des services d'argent* ». Mais quand il reçoit ces
cadeaux, c'est « dévouement » qui vient sous sa plume,
c'est « reconnaissance » qui monte à ses lèvres. Fi de
cette chose sordide, la monnaie! Son cœur seul est en
cause. Et quand, « tout bien pesé », « tout bien consi-
déré », « tout bien réfléchi », « toutes réflexions faites »
(cent fois, dans son *Journal,* ces mots-là) Benjamin se
convainc, une fois de plus, des avantages du *statu quo,*
c'est son cœur, seul, qui a parlé : il « chérit » Germaine;
il ne saurait se passer d'elle. Si l'on considère avec
attention la courbe de ses « sentiments », il s'y avère
que tout élan de Benjamin pour Germaine *et pour
Albertine* accompagne rigoureusement la certitude revenue en lui que ses intérêts matériels sont du côté de
Mme de Staël. Elle l'attendrit quand elle lui profite

et Albertine n'est adorable que si sa mère est généreuse.

Tel est Benjamin, non point d'ailleurs, en tout cela,
« bizarre ». Tout dispensateur de bienfaits fait lever
sous ses pas d'incroyables tendresses, car nous préférons attribuer à un entraînement de notre âme ces
prévenances que nous recommande la bonne entente de
nos intérêts. Ainsi Benjamin Constant, en décembre 1814,
devant le prince de Suède qu'il voyait déjà Régent à
Paris, qui lui marquait de la « bienveillance » et dont,
prêt à l' « aimer », il écrivait dans son *Journal :* « *C'est
un homme excellent.* » (Un minable, un zéro, quand il
aura laissé fuir la chance.) Lorsque Necker meurt,
en avril 1804, B. C. est éperdu. « Point de lettres sur
mes affaires. *Cela redouble mes inquiétudes sur l'état de
M. Necker* » (7-4-04). Le décès du banquier risque de
« bouleverser » ma vie (8-4-04). Comment se passera
la succession? Et les 34 000 francs que Necker lui
avait prêtés, en 1796, pour Hérivaux? S'il fallait les
rendre! C'est l'instant d'étouffer Germaine sous les
embrassements; et il se pourrait même qu'il y ait jour,
maintenant, pour ces épousailles qui sauveraient tout!
Ces réflexions, qui n'ont pas droit à la lumière, aboutissent
à ceci, qui emplit le *Journal :* « Pauvre Minette!...
Pauvre cher ange!... La personne que j'aime le plus au
monde [etc...] » (13 et 18-4-04). Rien de flexible comme
nos sentiments aux conseils des avidités. La concupis-
cence de la chair n'est pas la seule à nous faire croire
que nous *aimons.* Dans les « amours » de Benjamin
entrent beaucoup d'ingrédients; mais l'amour lui-
même (ai-je tort?), je ne l'aperçois nulle part; jamais
et en aucun cas. « *A l'amour près,* lui écrivait Julie Talma,
le 4 juin 1803, à l'amour près, *vous êtes un amant très
aimable.* »

A chaque instant, dans le *Journal,* le déclic d'un auto-
matisme. De ses comportements les plus médiocres,
les plus piteux ou les plus vils, Constant tire matière,
aussitôt, à entretenir cette estime dont il sent bien qu'il
est si digne. Au début de l'année 1805, ayant quelque
peu rôdé autour de Charlotte, il bat en retraite, préci-
pitamment, parce que Du Tertre, le mari, a froncé les
sourcils et qu'un duel pourrait bien avoir lieu. Pas

d'esclandre! Surtout pas d'esclandre! Charlotte s'est
dédorée pour lui d'un seul coup. « *Que diable allai-je
faire dans cette galère!* » (21-3-05.) Pour lâcher l' « ange »
devenu poison, Benjamin lui explique qu'homme
d'honneur il rougit — sa conscience s'est réveillée —
de la vilaine conduite qu'il a eue envers M. Du Tertre,
ce respectable gentilhomme « *auquel j'ai cherché à nuire,
alors qu'il ne pouvait se défendre* ». Benjamin a « honte »,
oui, honte, il est bourrelé de « remords », à la pensée
de ce que la passion lui a fait faire. Avoir agi « d'une
manière aussi ténébreuse et aussi coupable »! Il n'en
revient pas. Mais il s'est repris; il a retrouvé, grâce au
ciel, le sens du devoir. Et croyons bien qu'il se le persuade en effet. Cependant Charlotte l'excite, malgré
tout, et elle est visiblement disponible. La prendre,
pour avoir avec Du Tertre une « affaire » qui ferait
parler tout Paris et mettrait Germaine hors d'elle-
même? Pas si bête! En conséquence, Benjamin va
chez les filles. Par « respect » *(sic)* pour Charlotte;
et il se découvre devant cette preuve qu'il se donne ainsi
à lui-même d'un « *sentiment de délicatesse et de dévouement dont bien peu d'hommes seraient capables* » (14-3-05).
Benjamin Constant excelle à bien diriger l'intention.

« *Il n'y a rien de si comique que les hommes mis en
mouvement par leur intérêt* »; ils « *travestissent drôlement leurs motifs à leurs propres yeux* » (22-3-05). « *Le
nec plus ultra de l'héroïsme humain, c'est de ne pas
s'avouer à soi-même ses mauvais instincts* » (12-4-05).
Cet œil perforateur, dommage que B. C. ne l'applique
guère qu'à autrui, car ces remarques de moraliste
lui viennent, les deux premières, à propos de M. de
Lamoignon, la troisième en considérant Anna Lindsay
et Julie Talma elle-même dans la repoussante agitation
qu'engendrent, autour de ses biens, les derniers jours
de cette femme. Et quand il note encore : « *On ne connaît
presque jamais la véritable source de ses opinions, le
motif réel de ce que l'on veut* » (10-7-04), ce n'est toujours
pas lui qui est en cause; c'est Mme de Nassau.
Mais si, on le connaît, ce « motif réel »! On le connaît
très bien! L'élégance psychologique obéit à cet axiome
que toutes les actions des hommes sont *complexes*.

C'est faire preuve de simplicité, d'innocence, ou d'un
esprit lourdement primaire, que d'assigner à leurs gestes
telle intention sans ambiguïté qui suffirait à en rendre
compte. Doctrine agréablement protectrice. Dans le
dernier repli de lui-même, B. C. sait parfaitement à
quoi s'en tenir sur le mobile de ses options [1]; mais il se
défie de son *Journal* même. « *Je ne lui confie pas tout* »,
note-t-il (18-12-04), et cette loi de sincérité qu'il s'est
faite à lui-même devant ces cahiers mystérieux dont il
n'ouvre les pages qu'en cachette, « *telle est* », dit-il,
son « *habitude de parler pour la galerie* » qu'il ne l'a
« *pas toujours* [cette grande loi] *observée* » *(Id.).* Il a
beau se convaincre que son *Journal* est à l'abri, que
nul être au monde ne le verra jamais, une méfiance
lui reste, et il a déchiré, dans son *Amélie et Germaine*,
les feuillets commencés le 17 mars 1803, comme il a
anéanti, dans son *Journal* de 1807, la page où figuraient
ses notes du 20 novembre au 10 décembre, un des pires
moments de sa crise entre Germaine et Charlotte.
Le B. C. qui se regarde sans tricherie, celui dont on
célèbre l' « impitoyable clairvoyance », celui qu'on
chercherait en vain dans *Adolphe*, le *Journal* ne nous le
révèle qu'à peine, bref, furtif, tout de suite repris par
ses combinaisons. « La fausseté rend vil, et le sentiment qu'on éprouve de s'être avili rend dur » (21-5-07);
« maladroit coquin que je suis! » (31-1-13); « *mon malheur
est de ne rien aimer* » (17-3-12); « j'ai fait assez de mal
dans ma vie [...] » (20-9-13). Barrès ne connaissait pas
Constant comme nous le connaissons aujourd'hui;
Barrès n'avait lu ni les *Lettres à Anna Lindsay*, ni
Germaine et Amélie, ni *Cécile*, ni le *Journal* complété.
S'il goûtait Benjamin, c'est qu'il s'imaginait se retrouver
en lui, « un homme de désir, qui n'aima jamais que soi ».
L'attirait surtout le vieillard cynique, l' « arrivé » de
1830 (B. C. vient d'aider le duc d'Orléans, moyennant
200 000 livres, à duper les républicains, comme il les
a déjà, trente ans plus tôt, dupés au 18 Brumaire,

---

1. Ou peut-être devrions-nous songer à ces créatures, dont parle
Bernanos (*La Joie*, p. 49), qu'habite une « *hypocrisie fondamentale* »;
une hypocrisie qui va plus loin que « *les attitudes* », qui concerne les
« *intentions* », et qui fait de leur vie intérieure un drame assez nauséeux,
dont ces êtres eux-mêmes « *ont perdu la clé* ».

moyennant une place au Tribunat; il est Président au
Conseil d'État; il compte bien forcer sous peu les portes
de l'Académie; et puis après? et à quoi bon?) le vieux
monsieur qui boite, « négligé et sombre », et qui ne va
pas fort, et qui ne résiste plus « au plaisir de se déconsi-
dérer », « humiliant — dit admirablement Barrès —
humiliant ce qui est en lui de commun avec Royer-
Collard et que Royer-Collard porte comme un sacrement ».

Séduisant, c'est vrai, ce B. C. qui renonce enfin à
l'imposture. Nous n'en sommes pas là avec le Constant d'*Adolphe*. L'objet de ces quelques pages était de
rétablir la vérité au sujet de ce « petit écrit » : un livre
qui n'est aucunement ce qu'a fait de lui sa légende;
un livre, comme disait Gide des siens propres, puissam-
ment et directement « *motivé* » par des circonstances
d'ordre intime; un livre entrepris dans un dessein
précis par un homme qui a les plus fortes raisons de
vouloir donner de lui-même, à « l'opinion », telle image
qui lui est utile [1].

L'opération a réussi au point que l'on dit couramment aujourd'hui Adolphe pour Constant, comme pour
Chateaubriand, René. Mais si longues que soient à
détruire les mystifications de la littérature et de l'histoire, elles finissent toujours par tomber.

---

1. Quelqu'un, assurément, ne pouvait pas s'y laisser prendre :
Mme de Staël. « La règle du jeu social, dit Mauriac, exige d'être aveugle. »
Mme de Staël jouait le jeu. Elle avait écrit à B. C., après *Adolphe*,
une lettre amène et B. C. se frottait les mains (*Journal*, 17 juillet
1816 : « *Lettre de Mme de Staël. Mon roman ne nous a pas brouillés.* »)
Mais Byron nous renseigne sur ce que Germaine, trop légitimement,
pensait au vrai de Benjamin pendant l'été 1816. Le 24 août 1820,
envoyant *Adolphe* à Térésa Guiccioli, Byron ajoutait ces indications :
« *Je t'envoie un petit livre*, Adolphe, *écrit par un ancien ami de Mme de
Staël, et sur le compte duquel, à Coppet, en 1816, j'ai entendu Mme de
Staël elle-même dire des choses affreuses, quant aux sentiments et à la
conduite qu'il avait eus à son égard.* »

Benjamin

et sa « bonne tante »

Les très nombreuses lettres qu'écrivit Benjamin Constant à sa tante maternelle, Mme de Nassau, entre le printemps de 1795 (date à laquelle il quitta la Suisse pour tenter de faire carrière à Paris) et le printemps de 1814 (date à laquelle Mme de Nassau expira) ont été assez dispersées.

Un lot considérable d'entre elles, conservé à la Bibliothèque de Genève, fut publié, jadis (1888), par J. H. Ménos, en même temps qu'une partie des lettres de B. C. à sa cousine Rosalie. Mais Jean Ménos avait fait un choix parmi les documents qu'il avait sous les yeux, et une bonne trentaine de ces pièces sont restées inédites.

Ce sont ces textes, bien injustement négligés, que je voudrais, ici, tirer de l'ombre. Les affaires d'argent y occupent tant de place qu'il serait fastidieux de les reproduire intégralement. Ce qu'on en va lire, et qui est l'essentiel, ajoute quelques traits neufs au visage, encore si mal connu, du vrai Constant.

Quelques lettres, d'abord, d'autant plus précieuses qu'elles sont de cette période 1808-1810 pour laquelle nous manque le *Journal intime* de B. C. [1].

En juillet 1808, B. C., marié en secret avec Charlotte de

1. Le *Journal intime* reste, jusqu'ici, béant entre le 27 décembre 1807 et le 15 mai 1811.

Hardenberg (ex-Marenholtz, ex-Dutertre) depuis le 5 juin 1808 — le mariage a eu lieu chez le père de Constant, à Brévans, près Dôle — est chez Mme de Staël, revenue de Vienne. B. C. a longuement hésité devant ce mariage; s'il s'y est décidé enfin, le souci de ne pas déplaire à sa tante Nassau n'était pas étranger à sa détermination. Depuis dix ans, Mme de Nassau le pressait de prendre femme; mais le mariage qu'eût voulu conclure Benjamin (il y songeait depuis 1795) était cette alliance avec Germaine de Staël qui l'eût directement branché sur les millions Necker. Jusqu'à la fin de l'été 1807, il a gardé l'espoir de réussir cette opération colossale. La terrible scène du 1er septembre 1807, a marqué la mort de son espérance. Une note du *Journal intime* est éloquente à souhait sur l'une des raisons principales qui l'incitent à ne point rester célibataire : « *Je renonce*, écrivait-il dans son cahier, le 5 novembre 1804, je renonce, *en ne me mariant pas, à une fortune quadruple de celle que je possède* [1] ». Quelle « fortune »? Celle, précisément, de sa tante Nassau, qu'il considère comme destinée à lui revenir. Il était donc hors de doute que B. C. se marierait.

C'est chose faite. Charlotte possède « *une fortune considérable* » (*Journal intime*, 1er août 1804). Elle a, au lit, des dons exceptionnels que Constant a vérifiés dès le mois d'octobre 1806; de plus, un excellent caractère et une docilité à toute épreuve. Mais la grande affaire, maintenant, pour B. C., est d'éviter les représailles de Germaine. Il n'a pas cessé de trembler devant cette perspective, pour lui horrible, d'une Mme de Staël devenant son ennemie. Obscur Vaudois, il a été *fait* par elle, lancé par elle. Sans Mme de Staël, il ne serait rien. Et il n'est toujours pas grand-chose, puisque cette folle, avec ses intempérances de langage, lui a fait perdre, en 1802, son fauteuil de tribun et les confortables 15.000 livres (60.000 NF) du traitement attaché

---

1. Comme B. C. avoue à Rosalie (23-8-1803) qu'il a « dix mille livres de rente » (disons: 40 000 NF) et comme cette déclaration est très probablement au-dessous de la vérité, on peut estimer les rentes de Mme de Nassau, convoitées par Benjamin, à 40 ou 50 000 livres (soit : de 160 000 à 200 000 NF).

à cette sinécure. Constant n'a aucun bagage de publica-
tions littéraires et, en octobre 1807, ses quarante ans
ont été révolus. Cette terreur, qui ne le quitte pas, d'avoir
Mme de Staël contre lui, il l'a laissé entrevoir à Rosalie,
dès 1803 (« *La personne que je veux à tout prix ménager* [...]. *Il est impossible de calculer jusqu'à quel point
de violence elle se porterait* », 23-7-1803) et il renou-
vellera cet aveu onze ans plus tard (« *Avec l'existence de
Mme de Staël, son immense entourage et son éloquence,
je serais fâché d'être brouillé avec elle* », 23-12-1814).

Aussi Germaine doit-elle ignorer, absolument ignorer,
pour l'heure, qu'il a trahi l'engagement positif, signé
par lui à Leipzig, au début de mars 1804, de lui « *consacrer sa vie* » et de ne « *contracter jamais aucun autre lien* ».
La prudence de B. C. est telle qu'à l'égard de sa famille
même, de cousine Rosalie comme de tante Nassau, il
se tait, avec un soin extrême, sur ce mariage accompli.

Il a planté là Charlotte, sa femme, et il continue à
vivre chez Germaine, comme si rien ne s'était passé.
C'est l'étrangeté de cette conduite qu'il dissimule à sa
tante, laquelle, de toute évidence, prendrait la chose
assez mal si elle en était avertie. Mais comme il feint
de voir en elle sa confidente la plus intime, il lui déclare
seulement que son parti est pris, qu'il aime Charlotte de
Hardenberg — une grande dame allemande, riche, née
à Londres, et qui eut pour parrain et marraine le roi et
la reine d'Angleterre — qu'il l'aime, et qu'il est résolu
à l'épouser dès qu'il aura pu amener, doucement,
l'infortunée Germaine, si aimante et si vulnérable, à
consentir à la disjonction nécessaire de leurs destins
pendant si longtemps réunis [1].

B. C. a entrepris, à l'automne 1807, une adaptation
française du *Wallenstein* de Schiller. Peut-être sera-ce
là, enfin, le moyen pour lui de conquérir en France
cette « *réputation* » et cette « *considération* » auxquelles
il estime avoir droit. *Wallenstein* est le prétexte dont
il se sert auprès de sa tante (qui s'étonne de le voir
s'attarder à ce point chez Germaine) pour prolonger le
plus possible son séjour à Coppet.

1. Plus réservé encore à l'égard de Rosalie, dont il se méfie beaucoup,
B. C. se borne à lui parler, en juillet 1808 (Recueil Roulin, lettre LXVII)
de celle qui, depuis un mois déjà, est sa femme, dans les termes que

Le 30 juillet 1808.

Wallenstein n'avance pas comme je le voudrais. Mille choses viennent dans ma tête à la traverse et m'en détournent. Cependant, avec de l'obstination, j'en viendrai à bout; mais c'est précisément l'obstination qui est difficile.

On répand toujours des nouvelles confuses et contradictoires sur l'Espagne[1]. Le public se dédommage de l'ignorance où le tiennent les journaux et se nourrit de son propre fonds.

Vous aurez su que Genève possède, dans les environs, une grande-duchesse de Russie; mais elle ne voit personne. Elle s'est avisée de réfléchir, en arrivant, qu'avant d'admettre les gens du pays en sa présence, il fallait qu'elle demandât à la Cour de Russie quelle étiquette elle devait prévoir. Elle a écrit à Pétersbourg pour cela, de sorte qu'elle vivra, dit-on, dans la solitude la plus absolue jusqu'à la réponse qui n'arrivera que dans cinq ou six semaines. C'est penser un peu tard à une chose, d'autant plus qu'elle ne reste ici que l'été. Elle apprendra par la réponse de Pétersbourg ce qu'elle aurait dû faire, plutôt que ce qu'elle pourra faire encore.

Adieu, ma chère tante; vous voyez par ma lettre et par la prière que je vous adresse de me répondre et de m'envoyer votre longue lettre, que rien n'est changé dans mes projets. Le temps s'écoule; il est bien vrai qu'il emporte la vie avec lui; mais il m'en restera peut-être encore quelque petite portion pour le bonheur.

Je vous embrasse avec une tendresse que rien ne peut égaler.

Un billet sans date. Il est du mois d'août 1808. B. C. était allé voir Charlotte à Neuchâtel, et Mme de Nassau avait eu l'imprudence de parler de cette « course » devant sa dame de compagnie, Mlle Rieu. Attention!

Vous m'avez parlé, devant Mlle Rieu, ma chère tante, de ma course à Neuchâtel, d'où je conclus qu'elle sait quelque chose sur les raisons qui m'y font aller. Mais, quoi qu'il en soit, je vous prie d'empêcher qu'elle n'en dise rien à Rosalie ni à personne. Quoique je sois déterminé à me délivrer de l'épouvantable dissimulation que je m'étais imposée[2] et qui me révolte tellement que j'en étouffe au

voici : « *Une de mes plus intimes connaissances de Brunswick* [jadis] », et dont « *j'ai toujours conservé un souvenir d'amitié véritable* ».

1. B. C. suivait avec une attention passionnée les événements militaires d'Espagne. Si seulement les Français s'y pouvaient engloutir, et Napoléon disparaître!

2. Mme de Nassau ignore à quel point cette « dissimulation » la concerne elle-même.

physique comme au moral, cependant, le secret n'étant pas le mien,
je ne puis rien vous dire qu'à mon retour, surtout n'ayant pas pu
vous parler seul ce soir, et, même dans mon plan de tout dire à
une personne intéressée [1], je tiens encore au silence pour quelque
temps, vis-à-vis du public. Au reste, je verrai plus clair dans mes
affaires et vous en dirai davantage après-demain. Jusqu'alors,
chère tante, je vous demande le même secret que vous m'avez gardé
jusqu'ici.

Mille tendresses.

Septembre 1808. B. C. est toujours chez Germaine.

Ce 13 septembre.

D'abord que j'aurai achevé de faire copier Wallenstein, *auquel*
j'ai enfin mis la dernière main, ma chère tante, je me donnerai
le plaisir d'aller vous revoir à Lausanne. Pour que la copie soit
achevée et remise à l'imprimeur, il faudra bien dix ou douze jours.
Ainsi ce ne sera pas encore ce jeudi-ci que je vous reverrai, quoique
mon plus grand plaisir, je vous assure, soit de vous voir et de causer
avec vous.

B. C. ne peut avouer à Mme de Nassau que Charlotte,
sa femme, est maintenant à Brévans, chez son beau-
père (le vieux Juste Constant de Rebecque, père de
Benjamin). Il souhaite aller la voir et ne peut, pour
justifier ce déplacement, que le mettre au compte de sa
tendresse filiale. Apparaît ici, dans ce groupe de lettres,
la première allusion aux délicats rapports du fils et du
père.

En 1789, le colonel Juste, craignant de voir ses biens
saisis par la justice bernoise, à la suite de procès qu'il
était en train de perdre, a cru habile, dans sa naïveté,
de « dénaturer » sa fortune et de la mettre tout entière
au nom de son fils Benjamin à qui, cela va de soi, il estime
pouvoir se fier absolument. Il s'est vite aperçu que
son fils, assez singulier lorsqu'il s'agit des questions

---

1. Pendant toute l'année 1808, B. C. ne soufflera mot à Mme de Staël
de son mariage, accompli le 5 juin. Et ce n'est pas lui qui le révélera
à Germaine. Il chargera sa femme de cette effrayante entreprise.
Charlotte, pour ce faire, rencontrera Mme de Staël, le 9 mai 1809, à
l'auberge de Sécheron, tandis que B. C. restera tapi à Ferney.

d'argent, considère désormais cette fortune non comme
appartenant, au vrai, à son père (qui lui a demandé,
seulement, de l'abriter), mais comme la sienne propre.
Or, son père va se remarier — à soixante-cinq ans —
avec sa « gouvernante », Marianne Magnin (sa « servante », dira toujours Benjamin), qui a trente-neuf ans
quand il l'épouse. Veuf, depuis 1767, Juste avait signé
à Marianne une promesse de mariage, le 22 juillet 1772
(il avait alors quarante-six ans et elle en avait vingt).
Deux enfants sont nés de cette union; un fils, Charles,
en 1784, et une fille, Louise, en 1792. Leur père désire,
naturellement, leur assurer à sa succession les mêmes
droits qu'à Benjamin. Ce dernier n'avait pas appris sans
l'irritation la plus vive qu'il devait envisager le partage
avec ces intrus de ce que son père lui avait confié et sur
quoi il avait fait main basse. Le mariage de mon père,
déclarait-il à Rosalie, le 22 juin 1803, a été « une énorme
inconvenance ». Et il notait dans son Journal intime,
sous la date du 7 novembre 1804 : comment mon père
n'a-t-il pas « calculé le tort qu'il me faisait sous le rapport
de la considération? [...]. Ce qu'il y a de sûr, c'est que je
ne veux rien être, légalement, vis-à-vis de ces enfants ».
Autre note du Journal, bien savoureuse (20 mars 1805) :
« Lettre de mon père [...] : On dirait que je suis le seul de
ses enfants qui n'ait aucun droit à sa fortune [...]. Ces liens
du sang pour les enfants d'une femme qui a profité de sa
faiblesse et de sa vieillesse pour le séparer de moi, me
paraissent complètement nuls. » A Rosalie, 3 février 1807 :
« Si Louise [« l'espèce de sœur que m'a donnée mon père »;
29 novembre 1804] devient maîtresse de pension, je
n'entretiendrai aucune relation avec elle. Maudit empê-
trement que cette espèce de famille! » A Rosalie encore,
29 mars 1807 : «Mon père m'a écrit [...] qu'il espérait
que j'irais avec lui, à Besançon, voir Louise à mon passage. C'est un véritable piège. Cette fille est introduite
sous le nom de Mlle de Rebecque [qui était son nom,
en effet] chez le préfet et dans beaucoup d'autres maisons »;
si je veux, explique B. C. à sa cousine, « recueillir un
jour quelque témoignage de l'affection de Mme de Nassau »,
je dois tenir à bout de bâton cette progéniture d'une
domestique; « l'idée que mon bien pourrait revenir aux
enfants de Marianne est celle qu'elle [Mme de Nassau]

m'a plusieurs fois alléguée pour m'annoncer qu'elle
n'était point décidée à faire quelque chose pour moi ».
Munis de ces éclaircissements, nous pouvons maintenant
reprendre la lettre que, le 13 septembre 1808, Benjamin Constant adressait à sa tante :

*Je suis inquiet au sujet de mon père, tant parce que je voudrais
avoir une réponse à mes explications sur l'affaire de Louise, que
parce que je viens d'apprendre que le médecin qu'il avait consulté
a été arrêté et conduit de brigade en brigade, par la gendarmerie,
jusque sur les frontières de Suisse. Cet événement aura interrompu
sa cure et peut-être y aura-t-il plus de mal que de bien à l'avoir
entreprise. Quant à Louise, j'ai toujours peur que mon père ne
soit pas assez convaincu de mes dispositions à cet égard. C'est un
très grand malheur de ceux qui n'ont pas une franchise parfaite
dans le caractère que de ne jamais croire qu'elle existe chez les
autres ; mais, en même temps, l'idée que ces soupçons, bien que mal
fondés, lui font de la peine à quatre-vingt-trois ans, m'est singulièrement douloureuse.*

La suite n'est pas, non plus, indifférente :

*J'ai vu, hier, deux personnes arrivées nouvellement de Paris
et qui en disent des choses très intéressantes. Il paraît qu'on va
pousser la guerre en Espagne avec une extrême vigueur. On demande
une double conscription dont la moitié retombera sur des hommes
qui se croyaient à jamais exempts de service militaire.*

*Les troupes, paraît-il, souffrent de cette vilaine manière d'atta-
quer que les insurgés ont adoptée ; s'ils voulaient faire la guerre
en bataille rangée, ils seraient bientôt défaits, mais ils s'obstinent
à harceler l'armée derrière des buissons, des ravins, des haies et
par petits coups, ce qui est fort désagréable.*

*Vous verrez dans la Vaudoise tous les rapports relatifs à l'affaire
d'Espagne. Ils sont d'un extrême intérêt pour ceux qui ont suivi
cette affaire depuis son origine.*

Adieu, ma chère tante [...]. Je vous embrasse mille et mille fois.

Ce 27 septembre 1808.

*[...] Je vais faire une petite course à Dôle. Je m'y suis décidé
en calculant le temps que prendrait nécessairement l'impression
de Wallstein. J'avais promis à mon père d'aller le voir vers la
fin d'octobre, et je m'aperçois que, soit le temps que j'ai mis aux
corrections, soit la lenteur que je prévois dans les imprimeurs,*

*je ne serai débarrassé de cette entreprise que vers la fin de novembre.
Je ne puis plus supporter d'écrire tous les huit jours à mon père
que je ne vais pas encore chez lui. Cette manière l'impatiente, et,
à son âge, il ne faut plus l'impatienter. En conséquence, je me suis
déterminé subitement à lui faire une visite de huit jours pour
revenir ensuite pousser mon impression et ne plus l'interrompre
jusqu'à la fin. Je pars après-demain en petit char et j'espère un
charmant voyage dans les montagnes. Je serai de retour le 10 ou
12 octobre. [...].*

En vous parlant dans ma dernière lettre [1] *de ce que j'éprouvais,
je n'ai point voulu que vous puissiez croire que je vacillais dans
mes projets. Il est certain que je souffrirai plus ou moins en les
exécutant, mais j'ai mis dans la balance un poids décisif, c'est
l'intérêt et le bonheur d'une autre personne et je ferai pour cela
ce que je n'aurais jamais eu la force de faire pour mon propre
compte. J'ai, en quelque sorte, rusé avec moi-même pour me donner,
au nom du devoir et de l'affection, une force que mon intérêt seul
ne m'aurait pas donnée actuellement. Mon sort est décidé [...].
Il m'arrive une chose assez naturelle mais que je n'avais pas prévue.
Ma situation m'a donné plus de caractère avec une autre personne
que je n'en avais eu, et à mesure que j'y ai mis plus de fermeté,
on a eu plus de douceur, de sorte que l'exigence qui troublait ma vie
et rendait ma position insupportable, a beaucoup diminué. Cela
me remplit de mélancolie quand je vois des efforts sans but, mais ma
tristesse ne changera rien à ce qui est et ne peut pas, désormais,
ne pas être.*

*[...] Il faut laisser aller les jugements qu'on porte sur moi. Je
ne trouve pas qu'on ait tort de les porter, quoi qu'ils soient faux.
Il ne vaut pas la peine de les réfuter d'avance.*

*Adieu, chère et bonne tante. Je vous écrirai de Dôle et vous verrai
à mon retour. En attendant, quoi que l'on dise, je vous demande
toujours le secret.*

Je vous embrasse mille et mille fois.

B. C. se mit en route pour Dôle le 29 septembre 1808
et en revint le 12 octobre pour se réinstaller chez Germaine.

Coppet, 12 octobre 1808.

*Me voici de retour de Dôle, ma chère tante, après une course,
assez pénible à cause du mauvais temps, à travers les montagnes,
et assez triste par la disposition dans laquelle les tracasseries que*

1. Cf. Ménos, lettre n° CIV.

vous savez avaient jeté mon père. J'ai été doublement affligé de cette disposition, d'abord parce qu'elles le rendaient malheureux et influaient sur sa santé d'une manière fâcheuse, ensuite parce que j'ai trouvé en lui, au moment de mon arrivée, des traces de défiance que j'ai dissipées mais dont la seule possibilité, que je ne supposais plus, m'a été douloureuse. Enfin, je l'ai laissé moins triste et moins agité; c'est une consolation de ce que j'ai souffert et de ce que j'ai dû faire.

J'ai actuellement à pousser mon impression de Wallstein. Je vais demain à Genève pour cela. Ce ne sera qu'après avoir parlé à Paschoud que je saurai quand je pourrai m'absenter sans retarder la marche de cet ouvrage et quand mon retour sera nécessaire. Je désire, pour mille raisons, de hâter la fin de cette petite entreprise. Mais, je n'ai pas besoin de vous dire que je saisirai avec un grand bonheur le premier moment où je pourrai m'éloigner sans l'interrompre trop, pour aller causer le plus longtemps possible avec vous. Vous savez que c'est un de mes plus grands plaisirs, le seul de tous ceux dont je jouisse encore qui soit pur et sans mélange. Nous causerons de bien des choses dont il serait trop long d'écrire et j'espère que vous serez et rassurée sur mon avenir et contente de mon cœur.

Wallstein continue à lui servir de prétexte pour ne pas quitter cette bienfaitrice à chaque instant capable, s'il n'y prend garde, de se muer en furie.

                              Ce 15 octobre 1808.

[...] Je me suis bien mal exprimé si je vous ai dit que j'étais hors de l'impression. Le premier acte de Wallstein est commencé d'imprimer, mais voilà tout, et quelques erreurs de caractères et de notes m'ont obligé et m'obligeront encore à des corrections qui me retiennent ici. Cependant la chose va être en train et ne m'empêchera pas de m'absenter incessamment pour passer quelques moments avec vous. Paschoud me promet que tout sera fait, même en calculant le retard qu'occasionnera ma petite absence, dans trois semaines environ [...].

                              18 octobre 1808.

[...] Je vous écris de Genève où je suis venu passer deux jours pour presser l'impression qui va plus lentement que je ne voudrais. L'imprimeur prétend que cette lenteur est inévitable pour la première feuille et que les suivantes iront avec une rapidité qui compensera ces retards. Je le souhaite et je l'espère. Il m'est absolu-

ment nécessaire d'avoir fini au mois de novembre et je veux, avant ce temps-là, faire une course à Lausanne le plus tôt possible, de manière que j'emploie toute mon éloquence, celle de la prière et celle de la menace, pour donner à M. Paschoud l'activité qui lui manque. Je travaille à des notes historiques nécessaires à l'ignorance française, qui m'ennuient assez à composer. Dieu veuille qu'elles ne soient pas ennuyeuses à lire! Je les aurai finies dans deux ou trois jours. J'ai aussi à finir un discours préliminaire. Il est assez avancé et, dans tout ce que je fais, c'est le commencement qui m'est le plus difficile, de sorte que je le regarde comme achevé quoique je n'en aie fait que la moitié.

Mme de Nassau l'a informé d'une naissance dans la famille. Adrienne de Loys (qu'il avait naguère vaguement songé à épouser) lui a fait cadeau d'une cousine. D'où cette galanterie à l'égard de la « bonne tante » :

Il m'arrive, à ce que je vois, une quantité de cousines, Mlle Victor, Mlle Halwill, Mlle Severy. Mais je suis pour les tantes, et on aura beau me faire des cousines, on ne m'en fera jamais à qui je donne la première place dans mon cœur.

Ses projets? Mais rien n'est changé; il est toujours bien résolu à épouser, aussi vite que possible, Charlotte de Hardenberg — qui est sa femme depuis six mois :

J'y tiens chaque jour davantage. Je pense quelquefois que le ciel a voulu me mettre dans des circonstances bizarres pour que je fusse obligé d'éprouver de mille manières un attachement profond et un caractère angélique et me sentir plus disposé et plus obligé à le renforcer par l'affection de toute ma vie.

Un mot, en passant, sur l'École Polytechnique, avec ce ton de pince-sans-rire dont il se fait une spécialité :

Je félicite Mlle Rieu d'avoir ses neveux avec elle. L'École Polytechnique où ils étaient, du moins l'un d'entre eux, était autrefois très bien. Depuis quelques années, on l'a rendue absolument militaire. C'est tout ce qu'il faut dans un temps et dans un pays où l'on ne veut que des mathématiciens et des soldats. On y nourrit très mal les élèves pour les accoutumer à l'être plus mal encore sur les frontières de la Pologne ou de l'Espagne, et on les tient dans une grande gêne, ce qui est aussi une bonne préparation pour leur vie future.

Et, pour terminer, quelques lignes sur son excellent père, à qui répond le cœur d'un excellent fils :

J'ai reçu de mon père des nouvelles qui m'ont fait plaisir [...]. Je bénis le Ciel d'avoir consenti à ce qu'il m'a demandé. Il y a

*longtemps que j'étais déterminé à faire plus qu'il ne demande et
que je ne lui ai promis, mais il m'est doux de l'en avoir convaincu et
de lui avoir fait quelque bien pendant que lui-même en peut encore
jouir.*

*Adieu, ma chère tante. Tant qu'il me reste du papier blanc pour
vous écrire, je continue toujours. Il faut pourtant finir et je finis
en vous embrassant mille et mille fois.*

Mme de Nassau s'impatiente. Enfin, à quoi pense
Benjamin? Comment ne voit-il pas ce qu'a de choquant
cette station qu'il prolonge chez Mme de Staël, alors
qu'il aime une autre femme et se considère, même,
comme fiancé?

Benjamin Constant n'a d'autre recours que le mensonge et les fausses promesses.

8 novembre 1808.

[...] *Tout ce que vous me dites est parfaitement vrai, plus vrai
encore que vous ne le pensez. Aussi ce mois ne s'écoulera-t-il pas
sans que je sois sorti de cette double et douloureuse situation. Ce
n'a pas été ma faute si je n'en suis pas sorti plus tôt. Il n'y a guère
que dix ou douze jours qu'il dépend de moi d'en sortir, et il a bien
fallu que je combinasse la manière. Actuellement, mes plans sont
fixés. J'attends la fin de l'impression de Wallstein et je vous jure
que ce n'est pas une sotte vanité d'auteur qui me fait attendre cette
époque. Mais je veux éviter le bruit que ferait, dans une petite ville,
l'interruption de cette impression et les plaintes que le libraire ne
manquerait pas de faire contre moi. Du reste, tout est décidé, non
seulement dans ma tête, mais tous les arrangements sont faits. Il
en résultera ce que le Ciel voudra, mais quelle que soit mon impression qui varie et me fatigue, j'ai tracé ma route, j'ai mis le devoir
au bout et la suivrai.*

*Je suis sûr du caractère de la personne à laquelle j'attache ma
vie. Chaque jour elle me donne, au prix d'une lutte douloureuse
avec elle-même, des preuves de résignation. Je suis sûr aussi de
mes sentiments pour elle, car je suis pénétré de reconnaissance et
d'affection.*

Adieu, chère tante, je vous embrasse et vous aime.

Gagner du temps, c'est l'essentiel; et parler d'autre chose.

22 novembre 1808.

Oui, sûrement, ma chère tante, je vous dis de m'écrire et je vous le dirai tant que je pourrai, car il n'y a que bien peu de chose au monde qui me fassent autant de plaisir que vos lettres.

Nous nous verrons toujours, j'espère, la semaine prochaine. Tout au commencement. Je n'ai plus que deux ou trois feuilles de ma pièce à revoir pour que tout soit fini, et je vais demain passer deux ou trois jours à Genève pour accélérer la fin de cette entreprise. Elle m'a encore donné beaucoup de peine, tous ces derniers jours. J'ai été obligé de faire suspendre l'impression pour des changements dont la nécessité ne m'est devenue évidente que lorsque le manuscrit était déjà chez le libraire. Si j'ai mal réussi, ce n'est pas faute d'y avoir travaillé, et je ne conçois pas comment j'ai pu y travailler avec tant d'autres choses en tête.

Wallstein est devenue une pièce très différente de celle que vous avez vue, et j'en crois les derniers actes, surtout, beaucoup meilleurs. Une fois imprimée, le public en jugera et je ne m'en occuperai plus. J'y ai ajouté des notes historiques et un discours d'une cinquantaine de pages sur le théâtre allemand. Je serai obligé de batailler avec mon libraire pour qu'il m'en donne quelques exemplaires avant mon départ. Il m'en doit cent, mais il ne veut ni mettre l'ouvrage en vente à Genève, ni m'en donner qu'il ne soit en vente à Paris, depuis des contrefaçons dont on le menace en Hollande et en Allemagne et qui sont déjà annoncées dans les journaux allemands. Je ne sais si je parviendrai à vaincre ses craintes. Il me demande de lui garantir la suite de la distribution de mes exemplaires en cas de contrefaçons, ce que je ne veux pas. J'en serai quitte pour donner aux personnes à qui je me propose de donner Wallstein des billets sur lui pour faire prendre leur exemplaire dans une vingtaine de jours.

[...] Si j'accélère Paschoud, comme je l'espère, je serai auprès de vous samedi au plus tard. Nous causerons beaucoup, sûrement. Mes plans sont ceux que vous savez et je crois, grâce au caractère vraiment angélique dont j'ai eu le bonheur de me concilier l'affection, que tout s'arrangera aussi doucement que la chose peut se faire. Vous vous trompez dans ce que vous m'avez écrit il y a quelque temps sur mes sentiments, ma chère tante. C'est beaucoup plus que de l'inclination que j'ai; j'ai aussi une amitié indestructible, et qui répond au plus intime de mon cœur, pour la personne avec laquelle je ne puis conserver des liens qui ne nous rendent heureux ni l'un ni l'autre, mais que je voudrais remplacer par une bonne et sincère amitié. Réussirai-je? Je n'en sais rien, mais le moment est venu de l'essayer et, si je ne réussis pas, l'avoir essayé de mon mieux me sera toujours une consolation.

Adieu, chère tante. Je voudrais déjà être dans votre petit cabinet
et causer avec vous. J'espère et je suis sûr, autant que l'homme
peut l'être de quelque chose, que ma vie future sera arrangée de
manière à me rapprocher de vous. Je vous embrasse mille et mille
fois.

La lettre ci-dessous date d'un an après. Charlotte de
Hardenberg a avoué, le 9 mai 1809, à Mme de Staël
qu'elle s'appelait Mme Constant depuis onze mois déjà.
Germaine a exigé que le mariage ne soit révélé publiquement que lorsqu'elle-même quittera l'Europe, car
elle affirme vouloir le faire. En attendant, B. C. devra
vivre chez elle, comme par le passé. D'accord! D'accord!
Tout ce qu'elle voudra, pourvu qu'elle ne dirige point
contre lui ses foudres terrifiantes. Charlotte a essayé
de s'empoisonner. Tant pis! Benjamin reprend sa fac-
tion à Coppet.

Le gros ennui, c'est Mme de Nassau. Benjamin lui a
fait part de son mariage, le 13 mai 1809. Impossible
d'agir autrement. Mais lui faire admettre qu'il vive,
de nouveau et toujours, et pour un temps indéterminé,
lui, marié, chez Germaine, son ancienne maîtresse,
c'est le drame.

En 1809, B. C. multiplie les lettres à sa tante. Jamais
il ne lui aura écrit si souvent. Une avalanche ininter-
rompue. Que la chère, que la bonne tante comprenne
que, s'il se conduit de la sorte, risquant sa « considération », s'exposant aux soupçons les plus vils, c'est dans
un esprit de sacrifice. Il s'immole à Mme de Staël.
Il ne peut pas la voir pleurer. Il a toujours eu « la
religion de la douleur ». Et Germaine sanglote tellement! Il se doit de la consoler, de l'habituer, peu à peu,
à la déchirante pensée de leur séparation.

Des questions financières sont souvent évoquées,
dans cette correspondance; si l'on y prête quelque
attention, on verra qu'elles se résolvent toujours de
la même manière : Mme de Nassau avance à Benjamin
de l'argent que ce dernier s'engage à lui rendre, plus
tard.

Mardi 19 septembre 1809.

J'entrerai très volontiers, ma chère tante, dans l'achat de la portion enclavée dans le domaine de Vallombreuse[1] *pour la somme que vous jugerez convenable, surtout avec la bonté que vous avez de m'offrir de m'en faire l'avance; car, quelque modique qu'elle soit, je me trouverai déjà un peu gêné toute cette année, tant par les paiements que j'aurai à faire que par les voyages que j'ai faits [...] Je pense comme vous qu'il est très bon de débarrasser Vallombreuse d'une servitude qui en diminue le prix en même temps qu'elle en gâterait la jouissance si on venait à y habiter. Je serais donc charmé que cette affaire fût terminée comme vous le proposez.*

J'ai reçu une lettre de ma femme. Ma réponse et les instructions que je lui avais données pour éviter toutes les difficultés de passe-port ne lui étaient pas encore parvenues. Je suis donc cloué ici jusqu'à ce qu'elle m'ait écrit le jour de son départ. D'abord parce que je ne veux pas que ses lettres me manquent, si par hasard elle se trouvait dans quelque embarras par le renouvellement de la guerre qui mettra sûrement des entraves aux mouvements individuels; ensuite parce que je voudrais n'arriver chez mon père qu'avec elle. Mais j'espère que cette semaine ne se passera pas sans que j'aie une réponse positive et qu'elle ait fixé le jour où elle quittera Paris.

Les circonstances publiques sont fort désagréables. On a mis en mouvement toutes les gardes nationales du département que mon père habite et je crains, quand j'irai, quelques chicanes de la part du maire de Dôle qui est l'ennemi mortel de mon père. La même chose se fait dans le département où ma campagne est située, ce qui m'empêche aussi d'y retourner, car j'y serais plus exposé qu'ailleurs, puisque je suis naturellement compris dans la garde nationale de mon arrondissement. Tout cela fait que je ne suis pas très fâché du petit retard que mon départ éprouve. Comme l'organisation s'achève et que les bataillons partent, il est à espérer que j'arriverai après et que, mon absence m'ayant fait excepter de cette première levée, on me laissera tranquille jusqu'à la seconde, qui, peut-être, n'aura pas lieu de sitôt.

Adieu, ma chère tante. Je me réjouis de faire encore une acqui-sition avec vous, parce que tout ce qui est en commun avec vous me fait plaisir.

Ce 29 septembre 1809.

Je vous envoie, ma chère tante, la reconnaissance de 668 francs de Suisse, en bonne forme, à ce que j'espère. Je suis charmé que

---

1. B. C. *Journal intime*, 16 septembre 1805 : « Achat de Vallom-breuse ». B. C. avait acheté ce domaine, près de Lausanne, « en commun » avec sa tante. Il s'était fait « prêter » à cet effet, par Mme de Staël (à l'insu de Mme de Nassau), 18 000 livres, soit environ 70 000 NF.

nous ayons la totalité de Vallombreuse sans que personne s'en puisse mêler ni traverser notre terrain. Si la Suisse reste comme elle est et que la France aille comme elle va, un asile dans le canton de Vaud sera très précieux, indépendamment même de ce que, plus on vit, plus on sent qu'il faut mourir où l'on est né. Les déplacements ne servent qu'à démontrer cette vérité et le plus grand bien qu'on retire de s'être éloigné de son pays et de sa famille, c'est d'avoir appris à les apprécier.

Je suis honteux d'accepter encore vos offres, ma chère tante, pour la grange, mais comme je vois venir, plus ou moins, un établissement à faire, c'est avec reconnaissance que je m'en prévaux. Beaucoup de voyages, cet été, m'ont assez gêné et votre bonté m'est extrêmement utile en ce moment. Si je n'ai mis sur la reconnaissance le taux de l'intérêt, mais l'ai laissé en blanc, ayez la bonté de le remplir [...].

Adieu, chère et bonne tante.

Nous voici en 1810, et la lettre qui va suivre demande quelques indications préalables.

Le 1er octobre 1804, Mme de Staël avait joint à son testament le codicille ci-dessous, destiné à Benjamin Constant :

« *Je déclare qu'une maison, rue des Mathurins, dont la moitié a été achetée par M. Fourcault [notaire] sous le nom de Mme Nassau, votre tante, vous appartient (la moitié qui n'est pas à M. Fourcault) votre vie durant.*

Vous en laisserez le fonds à ma fille [Albertine, fille de Germaine et de Benjamin] sans que cela puisse entrer dans le compte du partage de ma succession. »

Une agréable affaire qu'avait réalisée là Benjamin. Il avait eu le soin de ne pas dire à Mme de Nassau, lorsqu'il lui avait demandé son nom pour le marché, que l'achat était effectué par Mme de Staël en sa faveur [1].

1. Pour des raisons de prudence, Mme de Staël effectuait, de préférence, ses opérations financières en France sous le couvert d'un prête-nom. Elle utilisera beaucoup Schlegel pour des services de cette espèce. Ce nouveau cadeau, substantiel, que B. C. avait obtenu de sa maîtresse, en 1804 (et qui n'avait pas peu contribué à le retenir auprès de Germaine alors qu'il songeait à la quitter, ulcéré qu'il était de voir que le veuvage même ne la décidait point à l'épouser), Benjamin avait eu l'idée de le présenter à sa tante comme un achat qu'il effectuait lui-même, déclarant à Mme de Nassau que l'inimitié du Premier Consul l'incitait à ne rien acheter sous son propre nom.

Mme de Nassau devait ignorer à quel point son neveu
profitait des libéralités de la baronne.

Or, en mars 1810, Benjamin a conclu avec Mme de
Staël un arrangement qui règle entre eux les questions
matérielles. B. C. a expliqué à sa femme, à sa tante
et à Rosalie que s'il devait, une fois de plus, revenir
chez Germaine, c'est que sa conscience lui faisait un
devoir de liquider les dettes qu'il gardait envers elle
et que Mme de Staël, disait-il, tentait de maintenir
telles quelles, dans l'intention d'avoir encore, ainsi,
quelque prise sur lui. Il tenait à se libérer, d'une manière
définitive. Mais tout était si compliqué, et l'enche-
vêtrement, selon lui, de leurs intérêts si difficile à
éclaircir, qu'au lieu des quinze jours qu'il avait prévus
pour mettre en ordre ces affaires, six semaines de présence et de minutieux travail avaient été tout juste
suffisantes.

Le résultat auquel était parvenu Benjamin confinait
au prodige. Non seulement B. C. ne restituait pas un
centime à Mme de Staël, mais « l'acte » qu'il avait rédigé
de sa main, sur papier timbré, et fait signer par Germaine, en date du 21 mars 1810, spécifiait que les
« 80 000 livres », en chiffres ronds (soit à peu près
320 000 NF) dont Mme de Staël lui avait fait, au total,
l'avance pendant leurs années de vie commune, figure-
raient simplement (et sans qu'aucun « intérêt » vînt
les alourdir) sur son testament à lui, au bénéfice de
Germaine ou des enfants de Germaine, et pourraient
même n'y figurer point s'il lui arrivait d'avoir, par son
mariage, un héritier direct. Ce coup de maître une fois
accompli, B. C. avait fait croire à sa tante qu'il avait
remboursé à Mme de Staël, scrupuleusement, tout ce
qu'il lui devait, et il avait poussé la précaution jusqu'à
se plaindre, auprès de sa femme, des exigences vétil-
leuses, et presque un peu grossières, de Mme de Staël
sur le chapitre de ces restitutions.

Cependant, la vente de la maison sise rue des Mathurins avait eu lieu, et B. C. désirait encaisser le prix de
cette moitié d'immeuble acquise autrefois, pour lui,
par Germaine, sous le nom de Mme de Nassau — laquelle
avait toujours cru, là, prêter son nom à son neveu.

Paris, ce 1er novembre 1810.

Je vous demande bien pardon, ma chère tante, si je vous incommode de nouveau pour mes affaires. Vous savez que vous avez eu la bonté d'entrer dans l'achat d'une maison à Paris, suivant la procuration et déclaration que vous avez bien voulu en faire par-devant notaire à Lausanne. Cette maison vient d'être vendue, et, comme l'acte porte votre nom, il est nécessaire que vous donniez une autorisation pour cette vente. Je joins ici le modèle de cette autorisation, qui sera la dernière chose pour laquelle je vous importunerai dans cette affaire. Je m'en fais une vraie honte, car je vous ai déjà donné la peine de signer plusieurs choses à cet égard, mais cependant, comme je vous ai vue plus d'une fois avoir le désir que je déplaçasse ma fortune pour la placer plus près de vous, j'espère que vous me pardonnerez. Je joins à cette autorisation un modèle de procuration pour me faciliter un autre déplacement que je veux faire. Je m'arrange pour vivre loin de Paris, dont les habitudes et la cherté me conviennent tous les jours moins. Veuillez m'envoyer cette pièce le plus tôt qu'il vous sera possible. Je désire terminer mes affaires avant mon départ que j'ai fixé vers la fin du mois prochain. Je compte que nous passerons quelques jours chez mon père, que de là nous irons passer quelques semaines à Lausanne et que nous finirons l'hiver en Westphalie.

[...] J'espère, ma chère tante, que vous avez reçu ma lettre du 4 du mois dernier. Depuis, j'ai été assez tourmenté par les chagrins qu'a éprouvés une personne de mes amis[1], et très occupé de mes propres affaires. Le repos vers lequel je tends est encore écarté de moi par des arrangements nécessaires. Mais j'en approche et je suis si bien secondé que j'espère qu'il ne pourra pas m'échapper.

Mon père ne me mande rien sur ses affaires en Hollande. Je les croyais arrangées à sa satisfaction. Le décret qui vient de paraître sur l'organisation de cette nouvelle partie de l'Empire m'a rendu quelque inquiétude. Je ne sais si l'on regardera les pensions comme des dettes et si, en conservant l'intérêt des créances, on retirera les paiements aux tiers.

Adieu, ma chère tante, je profite du prétexte que mes affaires me donnent pour vous presser de me répondre, mais vous savez assez que je désire vivement vos lettres indépendamment de toute affaire. Je vous embrasse tendrement.

La tante se fera tirer l'oreille. Au mois de mai 1811, l'affaire ne sera toujours pas réglée, et B. C., alors, alertera son ami Hochet (tout en lui celant, bien sûr,

---

1. Allusion à la mise au pilon du livre *De l'Allemagne* saisi par la police impériale en septembre 1810 et à l'injonction faite à Mme de Staël d'avoir à quitter la France dans les quarante-huit heures.

que Mme de Staël avait acheté la moitié de l'immeuble,
à titre de présent amoureux) :

> « *Ma tante, en me prêtant son nom, n'a cru obliger que moi.*
> *Elle ignore absolument que notre amie soit de quelque chose dans*
> *l'achat de cette maison. Elle croit m'avoir rendu le service que,*
> *dans le fait, j'ai rendu à notre amie* [sic]. *Je serais donc fâché*
> *qu'elle connût ma transaction avec cette dernière. Je n'ai à lui*
> *remettre, et elle ne redemande, que l'acte de revers qu'elle m'a*
> *donné; il me serait désagréable qu'elle connût l'autre. D'ailleurs,*
> *elle ne consentira jamais à me donner quittance pour une somme*
> *qu'elle n'a pas reçue. Mais, comme j'ai sa procuration, je puis,*
> *moi, donner cette quittance, et elle sera tout aussi valable.*
>
> « *Faites-moi donc le plaisir, cher ami,* [...] *de dire à M. Four-*
> *cault d'arranger la chose de manière qu'il n'y ait que moi qui*
> *aie quelque signature à donner.* »

Le 16 août 1811, — cette histoire-là n'en finit plus! —
B. C. mande à Hochet que Mme de Nassau veut avoir la
garantie écrite qu'elle n'a « *rien à craindre des consé-*
quences de sa signature », et il conjure Hochet de l'aider
à obtenir du notaire une déclaration rassurante pour
la chère vieille dame; « *comme elle m'a rendu,* ajoute-t-il,
plusieurs services de ce genre et que j'ai à lui en demander
la suite, je voudrais lui donner une preuve de mon exac-
titude pour qu'elle ne mît point obstacle à ce dont j'ai
à la prier. »

Les lettres qu'en 1811 B. C. adresse à sa tante sont
pleines des soucis que lui donne son père. Le vieillard
a maintenant quatre-vingt-cinq ans et il est angoissé
à l'idée de ce que deviendront son Charles et sa Louise
lorsqu'il ne sera plus là, avec un demi-frère tel que Benjamin.

Le malheureux a essayé de contester l'acte par lequel,
en 1789, il avait remis sa fortune à son fils; mais il ne
peut nier qu'il a signé cet acte. En vain argue-t-il
du fait que, dans sa pensée — comme Benjamin ne
l'ignore pas — ce n'était là, de sa part, qu'une précaution à l'égard de la justice bernoise; Benjamin, avec
une merveilleuse et farouche mauvaise foi, se réfugie
derrière la *lettre* de l'acte, contre son *esprit*. Pour lui,

tout est très clair; son père a *signé*; il lui a *donné* sa
fortune. Et déjà il se trouve bien bon d'avoir consenti,
en 1808, pour Louise, à un « sacrifice » (« *J'ai poussé
à l'excès l'oubli de mes intérêts et l'abnégation de moi-
même* »; à Rosalie, 14 septembre 1810) et il va écrire
à sa tante : « *Singulière destinée que la mienne! On
me met, à vingt-trois ans, en possession d'une fortune
qu'on me dit à moi [...] et, quand j'ai quarante-cinq ans,
on vient me demander ce que je n'ai jamais cru devoir,
pour enrichir les enfants d'une paysanne*[1]*!* » Admirons
le terme « enrichir ». Benjamin dispose, selon ses dires,
de 10 000 francs de rente, grâce à la fortune de son
père; il a « emprunté » 80 000 francs à Mᵐᵉ de Staël;
sa femme a « 12 à 15 000 *francs de rente* » (c'est ce qu'il
déclare à Rosalie, le 17 juillet 1807, et l'on peut être
assuré que le chiffre exact est bien supérieur). Au total,
la plus large aisance. Constant dispose, au bas mot,
de 25 à 30 000 livres de rente (soit 100 000 à
120 000 NF). Or, ce à quoi il a consenti en faveur
de sa sœur Louise, c'est à lui verser une rente annuelle
de 900 francs (3 600 NF) *lorsque leur père sera mort*.

B. C. se refuse, désormais, à discuter directement avec
son père. Il a chargé un homme d'affaires, l'avocat
genevois Girod, de tous rapports avec sa « terrible
famille[2] », l'ancêtre, sa bonne et leurs « bâtards ».
Il est parti pour l'Allemagne, avec sa femme, le 15 mai
1811; le 30, de Bâle, un billet à sa tante; de Wiesbaden,
le 8 juillet, une longue lettre; nouvelle lettre de Wiesbaden encore, le 11 juillet. B. C. discerne une froideur
chez Mᵐᵉ de Nassau, et ce n'est pas le moment de lui
déplaire; elle a soixante-sept ans; à vues humaines,
l'héritage ne doit plus être fort éloigné. Aussi Benjamin
pousse-t-il sa femme en avant.

1. Recueil Ménos, lettre n° CLXXXIX.
2. Cf. B. C. à Rosalie : « *Ce que veut mon père, c'est l'annulation de
tous les actes passés entre nous depuis vingt-deux ans, et mille choses qui
ne tendent qu'à donner à sa nouvelle famille des armes contre moi [...].
Nous sommes une terrible famille.* » (Recueil Roulin, lettre n° CXIII).

De Charlotte à Mme de Nassau :

6 août 1811.

Combien j'aurais d'excuses à vous faire, Madame, sur mon long silence, si je n'avais espéré que les lettres de Benjamin suppléeraient aux miennes d'une manière plus agréable pour vous. Mais si j'ai compté sur son exactitude à vous écrire pour réparer mes torts, je crains pourtant qu'il ne vous exprime pas assez toute mon affection pour vous et j'ai besoin de me rappeler moi-même à votre souvenir.

Il nous a fallu du temps pour nous déshabituer de la douce vie de Lausanne. C'est surtout pendant notre longue route de Suisse en Allemagne que souvent nous nous sommes sentis isolés et ce n'est qu'au milieu de ma famille, qui m'entoure d'affection et de bienveillance et où Benjamin a été reçu comme s'il y avait appartenu toujours, que nous retrouvons des souvenirs de chez vous. Je mène ici une vie toute tranquille et j'ai le bonheur de voir Benjamin content de la sienne. Nous sommes tous réunis chez l'aîné de mes frères, dans une campagne assez jolie pour me faire un peu moins regretter les beaux sites de la Suisse, et puis cette contrée s'embellit pour moi de tous les souvenirs de mon enfance.

Benjamin travaille une partie de la journée sans que personne le dérange et cela lui donne, pour l'autre, une gaieté que je ne lui ai pas connue jusqu'à ce moment. Quoique bien près d'une Cour où le plaisir est le seul intérêt de la vie, aucun de ces plaisirs ne vient attrister notre petite solitude et nous pouvons nous en croire à mille lieues. L'on nous annonce l'arrivée de l'empereur, sous peu de temps. Il doit, dit-on, traverser ce pays pour se rendre à Hambourg. Tout le monde est dans une grande attente de cet événement et toutes les craintes et les espérances en ont reçu l'éveil.

Êtes-vous toujours tranquille, Madame, sur le sort de la Suisse? Je prends un tel intérêt à ce bon pays et à tous ses habitants que l'apparence même d'un changement, même en bien (ce qui ne peut qu'être, s'il a lieu) m'inspire pourtant une sorte d'effroi. Il ne faut pas sortir des situations seulement tolérables...

Adieu, Madame, je cède à une plume que je préfère et que sûrement vous préférez à la mienne. Croyez pourtant que si elle vous a faiblement exprimé la sincérité de mes sentiments pour vous, ils n'en sont pas moins inaltérables. Veuillez me rappeler, je vous prie, à Mlle Rieu. J'espère la retrouver telle que je l'ai quittée. Je ne puis faire un meilleur vœu pour elle.

Charlotte CONSTANT.

Ma femme m'a laissé si peu de place, chère tante, que je ne puis qu'ajouter en peu de mots que je vous aime avec une extrême tendresse et que je vous écrirai incessamment. Je n'ai toujours rien de mon père, mais mes lettres, faute d'affranchissement, ont pris une route plus longue. Je lui écris encore aujourd'hui. Il me tarde que toute cette affaire soit réglée définitivement. Je mène ici une vie fort douce et que je tâche de rendre moins inutile en travaillant un peu. J'espère passer quelque temps à Göttingue pour y travailler encore davantage, mais ma perspective la plus agréable est de vous revoir au printemps.

Adieu, chère tante! J'espère que vous avez reçu ma lettre du 26.

Bien maintenir le contact!

Au Hardenberg, 23 août 1811.

Ma chère tante, j'ai été quelque temps, et beaucoup plus longtemps que je ne comptais, sans vous écrire. Notre voyage s'est prolongé. Ma femme a eu un commencement de dysenterie. J'ai voulu être hors de toute inquiétude et arriver ici pour vous donner de nous des nouvelles un peu moins vagues que je n'aurais pu le faire d'une auberge. Nous sommes enfin au bout de notre pèlerinage et Charlotte est au milieu de sa famille, qui m'a reçu à bras ouverts, et avec une cordialité dont je ne me faisais pas l'idée.

[...] Nous passerons ici une quinzaine de jours et, si ma femme veut m'en croire, elle y passera tout l'automne, comme sa belle-sœur nous en presse tous les deux. Mais je voudrais bien, moi, me fixer pendant quelque temps à Göttingue pour profiter de la superbe bibliothèque de cette Université. Quelque bien que l'on soit ici, on ne peut pas y travailler aussi librement que cela me sera nécessaire si je veux donner à l'ouvrage qui m'occupe depuis tant d'années [1] toute la perfection dont il est susceptible. La conversation, même agréable, détourne les idées du cours qu'elles doivent non seulement prendre, mais conserver pour être complètes et je veux pouvoir m'isoler quelquefois pendant des journées entières pour m'enfoncer dans le travail. Comme Göttingue n'est qu'à une heure d'ici, je pourrai revenir chez mon beau-frère toutes les fois que cela lui conviendra, ou à moi, et j'aurai tout l'avantage de la plus belle collection de livres qu'il y ait en Europe.

La famille dans laquelle je suis à présent est composée de mon beau-frère, de sa femme, et de trois filles dont l'une est mariée au premier ministre du roi de Westphalie, Français d'origine, mais

---

1. Son livre *De la Religion*.

ayant reçu du roi des biens considérables en Allemagne et un titre allemand. C'est un excellent homme, très simple de manières, n'étant point ébloui par sa fortune, et faisant scrupuleusement tout le bien qu'il peut dans sa place qui lui donne une grande influence.

Mon beau-frère est le meilleur homme du monde, et sa seule figure inspire de la confiance et de l'affection. Il a été quelque temps ministre de la police à Cassel, mais cette place n'était nullement faite pour son caractère. Il est à présent Grand Veneur et l'un des quatre dignitaires de ce nouveau royaume, et ne s'occupe que de ses chasses et des cérémonies où il doit paraître en grande représentation.

Le paragraphe suivant est sur Napoléon, baptisé « *Jacqueline* » à l'intention de la censure :

Vous devinez bien, ma chère tante, qu'au milieu de ces relations je parle peu de Jacqueline et de ce qui la concerne. Je n'oserai introduire dans la conversation de si petits objets, mais ma façon de juger cette jeune fille n'est pas changée et ne changera pas.

Rosalie, la pauvre chère, si désargentée déjà, a été victime d'un vol. Son cousin la plaint bien, et s'en tient là :

J'ai été bien fâché du vol fait à la pauvre Rosalie. Ses finances ne sont pas de nature à supporter une pareille diminution [...]. Je regrette de n'avoir pas été à même de me joindre à ceux de ses amis qui lui ont offert des moyens de parer aux embarras qui pouvaient résulter de cette perte.

Mme de Nassau s'est toujours interrogée sur l'exacte teneur de l' « arrangement » passé entre son neveu et Mme de Staël en 1810. Elle a fini par demander, assez carrément, à Benjamin, de lui faire lire ce papier. On imagine la glissade, de biais, qu'effectue B. C. aussitôt :

Je vous enverrai, sous quelques jours, une copie de l'arrangement que j'ai fait avec Mme de S. Vous verrez par là, plus clairement que par tout ce que je pourrais vous dire, ce qu'il y a de vrai ou de faux dans ce que l'on vous a dit. Il faut que je le copie et je ne peux pas attendre jusqu'à ce que je l'aie retrouvé parmi mes papiers pour vous envoyer cette lettre, parce que je suis déjà fâché de m'être mis dans le cas de ne pas recevoir de vos nouvelles en restant si longtemps sans vous écrire. Vos lettres et votre amabilité sont un vrai besoin pour moi; votre bonté m'est accoutumée, et je ne puis me résigner à perdre cette habitude.

Péroraison :

*Adieu, chère tante. Je vous aime avec une extrême tendresse.
Ma femme vous dit mille et mille choses. Sa santé n'est pas encore
complètement rétablie. Elle a toujours des coliques et des maux de
tête. J'espère que le repos la remettra.*

*Quand vous me ferez le plaisir de répondre, veuillez adresser
chez le comte de Hardenberg, Grand veneur de la Couronne, à
Hardenberg près Göttingue, Westphalie.*

Ne me laissez pas trop longtemps attendre de vos nouvelles.

L'année 1812 commence, et, le 18 janvier, B. C.
signale à sa tante que ses « *déplorables affaires* » avec
le clan Marianne « *deviennent chaque jour et à chaque
courrier plus inouïes* ». L'infortuné Juste, pris à la gorge
par sa signature d'autrefois, se contenterait d'une
« indemnité » de 15 000 francs qu'il demande à son
fils de déposer, en sa faveur, dans une banque, avec
une « lettre de rente ». Il en était venu à rédiger un
mémoire public pour faire juge l'opinion genevoise
des comportements de Benjamin, et ce dernier est assez
heureux, au fond, de s'en tirer à si bon compte;
15 000 livres, pour lui, étant donné ce qu'est la fortune
de sa femme, c'est une dépense qui ne le ruinera pas.
Mais il n'en soupire pas moins, devant sa tante, avec
déchirement : « *Ma vie est lourde, et les coups que l'on
reçoit d'un père sont bien douloureux* »; « *votre amitié
est une bien grande consolation* ».

Mme de Nassau perd sa vieille compagne de toujours,
Mlle Rieu. Les Constant, mari et femme, s'empressent
dans les condoléances :

18 mars 1812.

*Quelle triste, quelle affreuse nouvelle je reçois, ma chère tante!
Je ne sais comment vous exprimer la douleur qu'elle me cause,
ma peine de ne pas être près de vous, mon regret de ne pouvoir
m'y transporter tout d'un coup pour m'associer à tout ce que vous
éprouvez, pour nous rappeler ensemble l'excellente amie que nous
avons perdue, car je puis l'appeler aussi de ce nom. Elle m'avait
toujours témoigné beaucoup d'amitié et, malgré la vivacité de ses
jugements, je l'ai, dans toutes les circonstances, trouvée toujours
plus juste à mon égard que ceux qui avaient l'air de mettre beau-*

coup plus de circonspection et de précaution dans leur manière de voir.

Comme les petites circonstances ajoutent au grand chagrin, je gémis aussi de n'avoir reçu la lettre de Rosalie que plusieurs jours après son arrivée ici, à cause d'une petite absence que la nécessité de mettre en règle mes passeports au milieu de l'agitation guerrière de cette partie du monde m'a forcé à faire la semaine dernière. J'aurais voulu que l'expression de tout ce que j'éprouve avec vous et par vous, ma chère tante, vous parvînt à l'instant même. J'aurais voulu bien mieux encore, et j'y ai pensé bien sérieusement depuis hier; sans le passage des troupes dans tous nos environs, de Francfort ici, et les difficultés qu'on rencontre à chaque pas (surtout avec des passeports comme les miens, qui, ayant dix-huit mois de date, m'ont déjà exposé à mille objections et que je n'ai pu que faire viser, au lieu d'en obtenir de nouveaux comme je le désirais) sans cette raison qui me fait craindre des désagréments sur la route, j'aurais avec un grand bonheur franchi toutes les distances pour me rapprocher de vous dans un moment où j'aurais pu espérer de vous être utile.

Chère tante, permettez-moi de me flatter que bientôt cet avantage me sera accordé et que vous en éprouverez un peu de soulagement. Les affaires relatives à la fortune de ma femme, fortune qui souffre beaucoup de l'état où sont toutes les fortunes de ce pays-ci, seront, je l'espère, terminées dans peu de temps, et je ne connais pas un projet qui nous paraisse préférable à celui de vous consacrer tous les instants qui pourront vous procurer un peu de plaisir.

Je ne puis vous parler de mes affaires; je ne puis même y songer. Ce qui vous regarde est la seule pensée qui m'occupe. Je vous conjure, ma chère tante, de me faire donner de vos nouvelles. Que je sache que vous vous portez bien, c'est en ce moment tout ce qu'il me faut; mais j'ai besoin d'en recevoir l'assurance. Rosalie, dont l'amitié devine ce qui est nécessaire à mon repos, se chargera de m'en donner s'il vous était ou pénible ou fatigant de m'écrire. Ce sera un véritable bienfait.

Je cède la plume à Charlotte qui ne veut pas me laisser exprimer ses sentiments et qui éprouve le besoin de vous les dire elle-même, et je finis en vous répétant que ma vie ne me paraîtra bonne à quelque chose que si je vis pour faire du bien.

De Charlotte :

Sûrement, Madame, j'ai besoin aussi de vous exprimer combien le grand événement que nous venons d'apprendre me frappe et surtout me touche profondément. Pauvre Mlle Rieu ! Je l'ai quittée forte, animée et gaie souvent, malgré les circonstances au-dessus desquelles son heureux caractère semblait l'élever, et il n'a fallu que peu de jours pour détruire tout cela ! Si je pouvais ne considérer

*qu'elle, je serais bien tentée, je crois, de la féliciter d'être sortie
d'un monde où il vaut si peu la peine de rester depuis que mon
propre père que j'aimais avec une tendresse que rien n'a pu remplacer, m'a fait éprouver ce sentiment. Je trouve heureux tous
ceux qui arrivent doucement au terme de leur carrière. Mais c'est
vous-même qui êtes à plaindre, vous que cette perte, après l'intimité d'une longue liaison, laisse dans une triste solitude. Je sens
toute l'impuissance des consolations et pourtant je voudrais que
le tendre intérêt que je prends à ce qui vous afflige pût un instant
du moins adoucir vos regrets. Je voudrais qu'il nous fût accordé,
à Benjamin et à moi, d'aller près de vous, essayer de vous distraire.
Avec un cœur plein d'amitié, et un entier dévouement, nous pour-
rions peut-être espérer de réussir, mais d'odieuses affaires nous
clouent encore ici. Il faut cependant tâcher de les finir après avoir
fait un aussi long voyage dans ce but. C'est auprès de vous que
nous irons, sitôt qu'elles seront terminées, chercher la récompense
de l'ennui qu'elles nous causent et j'ose me flatter, Madame, qu'alors
vous nous permettrez de nous unir à vous avec tout l'attachement
que vos bontés ont fait naître. Veuillez encore en recevoir la sincère
assurance.*

Charlotte CONSTANT.

Le 2 février 1812, l'antique Juste est mort [1] et Benjamin n'a plus, pour l'importuner, que cette Marianne
de soixante-deux ans dont il n'a pas grand-chose à
craindre. Une idée ingénieuse lui est venue. Ces
15 000 francs qu'il va lâcher, en principe, pourquoi
ne les confierait-il pas, tout bonnement, plutôt qu'à
une banque, à sa tante? Ils seraient là si bien en sûreté,
en attendant le décès de Mme de Nassau et son testament
fructueux...

Göttingen, ce 14 avril [1812].

*Je suis bien fâché, ma chère tante, d'être obligé de vous parler
d'affaires dans un moment où je ne voudrais vous entretenir que
de mes sentiments pour vous et du désir que j'ai de vous embrasser,
mais il faut que je vous parle de ma maudite transaction avec*

---

1. Lorsqu'en 1815, Mme de Staël fera, à son tour, l'expérience,
amère, des conceptions de B. C. en matière de « dettes » (elle a *signé*,
en 1810, comme Juste avait *signé* en 1789), elle lui écrira, le 15 mai :
votre père, « *vous l'avez traité comme vous me traitez* ».

10

*Marianne, parce que je ne vois plus que vous qui puissiez m'en
tirer et que j'espère que vous le pourrez sans inconvénient, ni
embarras pour vous. Voici l'état des choses. Girod, au moment de
la mort de mon père, m'écrivit qu'il en résultait pour moi la possibilité de faire un arrangement définitif sur lequel on ne pût revenir.
Marianne, de son côté, m'offrit toutes les déclarations qui pourraient me mettre en sûreté, l'émancipation de Louise, etc... Aujour-
d'hui, tout est changé. Marianne propose que le sous-seing privé
s'exécute en plaçant les quinze mille francs chez un parent, d'Esclans,
son ami intime [...]. Il résulterait de ce placement que mes
quinze mille francs seraient placés chez un homme tout dévoué
à la famille de Marianne, et que mon père avait nommé tuteur
de Louise. Si, à la majorité de celle-ci, elle ou son mari (si elle en
a un) voulaient m'attaquer, ils commenceraient par mettre opposition entre les mains de ce monsieur Esclans, qui ne demanderait
pas mieux que de ne pas me rendre la somme, et j'aurais perdu
la faculté de retirer ces fonds en cas de chicane, faculté qui servira
à empêcher qu'on ne m'en fasse si je la conserve.*

*[...] Il s'agit donc, ma chère tante, que vous me fassiez la grâce
de permettre que cet argent reste chez vous, et que vous m'en donniez
une lettre de rente. Vous ne serez par là en aucun contact avec
Marianne ou ses enfants puisque, dans la lettre de rente, il ne sera
fait mention que de moi. L'intérêt m'est parfaitement égal, qu'il
soit à 3 ou à 4 comme vous voudrez. Si, dans un et deux mois, il
vous est plus agréable de rembourser, vous le pourrez parce que
Louise étant majeure, je pourrai enfin traiter définitivement avec
cette famille. J'ose donc espérer que vous ne me refuserez pas ce
seul moyen qui me reste de ne pas mettre les capitaux destinés à
cette affaire entre les mains d'un homme qui servirait toujours
Marianne et ses enfants de tout son pouvoir.*

*[...] Une autre prière que je vous adresse, ma chère tante, c'est
de ne remettre à personne, pas même à Girod s'il les demande,
les papiers que j'ai laissés chez vous. Marianne a tant besoin d'avoir
de l'argent [1] qu'elle se contentera facilement de la déclaration (que
j'ai autorisé Girod à donner) que, d'après l'arrangement, s'il
restait définitif, ces papiers seraient sans valeur. Mais je désire
conserver tous les moyens qu'ils me donnent dans le cas où cette
famille voudrait revenir sur l'arrangement, et comme ils sont
pressés d'en finir, si vous avez la bonté de dire que vous ne pouvez*

1. B. C. avait autorisé Marianne à prélever immédiatement, comme
elle en avait exprimé le désir, 3 000 francs sur les 15 000. (« *C'est une
tentative,* confiait-il à Mme de Nassau, *pour calmer ses défiances et
pouvoir traiter avec elle plus facilement* »; et il ajoutait aussitôt : « *Mon
cœur souffre de ne répondre à ses offres et à ses protestations, que rien ne
dément jusqu'à présent, que par des marques de défiance.* »

pas remettre ces papiers, ils finiront tout de même [...]. Mon Dieu,
l'ennuyeuse affaire!

   Je vous quitte, chère tante, pour écrire à Girod bien en détail,
quoique l'ennui me saisisse et fasse tomber ma plume. Je finis
donc, pour le moment, en vous embrassant avec la plus tendre
reconnaissance et en vous disant que tout mon bonheur sera de
partager et d'adoucir tout ce que vous éprouvez.

On ne saurait être plus délicat que B. C. dans
les rapports humains lorsque des questions d'argent,
même menues, sont en jeu, et, en avril 1812 [1], il termine
ainsi un billet à sa tante :

   Je vous supplie de permettre que je vous rembourse les ports
de lettres continuels que je vous occasionne. Il est impossible d'affran-
chir ces lettres d'ici ; on ne peut les affranchir que jusqu'à la fron-
tière.

Son thème est maintenant la hâte qui l'habite de
revenir à Lausanne pour embrasser sa tante, la voir
longuement, l'entourer de tendresse, lui rembourser
ce qu'il lui doit et ce qu'il est contraint — il s'en désole —
de lui emprunter encore :

                                   Göttingue, 25 avril 1812.

   Enfin, ma chère tante, le passeport m'est arrivé. Je ne conçois
pas par quelle cause il a mis tant de temps en route. Depuis quelque
temps, toutes mes lettres retardent. J'en ai reçu qui avaient été
un mois en chemin.

   Je m'occupe maintenant de mettre toutes mes affaires en règle
pour aller vous voir le plus tôt possible. Ce me sera une joie indi-
cible que de me trouver près de vous. Je vais tâcher d'arranger que
ma femme s'amuse ailleurs qu'ici pendant mon absence. Göttingue
est un séjour inhabitable pour quiconque n'y passe pas ses journées
dans la bibliothèque entre des auteurs grecs et latins.

   Ma pauvre femme a eu un vif chagrin par le départ de son fils
qui s'est trouvé nommé officier d'ordonnance et qui a été obligé de
suivre le roi en Silésie pour aller de là Dieu sait où. La séparation,

   1. Le billet est sans date, mais Mme de Nassau a porté, de sa main,
sur le pli : « *Reçu le 27 avril 1812.* »

avec une telle incertitude pour l'avenir, a été très douloureuse. Je ne lui ai pas encore parlé de mon départ, parce que je crois inutile de l'y préparer avant l'arrivée du passeport. J'espère qu'elle profitera de ce temps pour aller faire une visite à quelque parent de Hanovre où nous avons aussi des affaires qui ne vont pas mieux que les autres. J'attends de mon côté des nouvelles de Marianne et de Girod, s'il veut bien m'en donner, car il a pris une telle humeur de ce que vous lui avez mandé, ma chère tante, que vous attendiez de mes nouvelles pour lui envoyer l'argent, qu'il m'a écrit qu'il ne se chargerait plus de cette affaire. Je désire fort qu'elle se termine et j'espère que mon envoi de trois mille francs à Marianne, en lui donnant la possibilité de sortir de tous les embarras momentanés dont elle se plaignait, l'aura confirmée dans les dispositions de confiance qu'elle a témoignées.

Vous êtes bien bonne, ma chère tante, de m'offrir de me prêter ce qui sera nécessaire pour compléter la somme qui doit être déposée. Je l'accepte volontiers, si cela ne vous dérange en rien. [...]. Comme on perd horriblement sur le change, je ne voudrais pas donner de mandat sur ceci, ni m'acheter de traite sur la France, et si vous avez la bonté d'avancer cette somme, je pourrais, dans le cas où vous le désireriez, vous la rapporter d'ici.

[...] C'est bien à tort ma chère tante, que vous me croyez peu disposé à me fixer en Suisse. Il y a longtemps que j'y ai pensé. L'incertitude de tout ce qui tient à l'état de tous les pays a été la cause que je n'ai encore rien fait dans ce but; mais, de tous les séjours que je connais, Lausanne est, sinon le plus amusant, au moins le plus doux, et pour moi, si je puis espérer que je contribuerai un peu à l'agrément de votre vie, il deviendrait, sans comparaison, le plus agréable. J'ai renoncé à celui de Paris même avant que j'y fusse engagé par des considérations de raison et de fortune. L'Allemagne est triste comme tout pays constamment malheureux et destiné à l'être depuis longtemps. Enfin, il y a dans le lieu de sa naissance, où l'on a toutes ses relations naturelles, mille choses qu'on ne trouve pas ailleurs. Mais je le répète, la raison la plus décisive serait la pensée que je vous serais bon à quelque chose. Le Ciel m'a fait une grâce, celle de trouver dans la personne de ma famille qui m'a témoigné le plus de bonté et d'indulgence, celle dont l'esprit a pour moi le plus de charme et dont la conversation, quand elle s'y livre, est un plaisir de tous les moments. Il y a donc tout en faveur de Lausanne et rien qui puisse être seulement mis en balance ailleurs. Je ne comprends que trop ce que vous me dites sur vos sensations. Le passé est une terrible puissance qui agit sur notre âme par mille petits fils imperceptibles aux autres. Les mots, les lieux, les gestes, les moindres souvenirs rouvrent les blessures que les indifférents croient fermées, et plus on a de dispositions à ne pas occuper les autres de soi, plus toutes ces petites choses dont on ne parle à personne conservent de pouvoir. Je remercie le Ciel,

*quand nous serons ensemble, de causer à cœur ouvert sur la vie,
sur cette inexplicable énigme, et de jouir du double plaisir de la
pensée et de l'affection.*

*Vous me pardonnerez sûrement de ne point vous parler des
nouvelles publiques. D'abord Göttingue est, de toutes les villes du
monde, celle où on en sait le moins; et en second lieu, il y a longtemps que je ne m'occupe plus de ce qui regarde le monde en général.
Il me suffit qu'il aille bien et je m'en remets à ceux qui le gouvernent
avec la confiance et la reconnaissance qui leur sont dues. On parle
pourtant de paix, à ce que j'ai appris, et j'avoue que nos forces
sont si prépondérantes que j'ai peine à croire à la guerre. La paix
a surtout cet avantage qu'on voyagera plus facilement.*

*Adieu, ma chère tante. Je m'indigne et m'impatiente de ne
vous embrasser que par lettre, mais, s'il plaît à Dieu, ce n'est que
pour peu de temps encore. Je regarde mon passeport avec une sorte
de satisfaction parce qu'il me donne les moyens d'aller près de vous.
Je le remercie comme si c'était mon ami particulier.*

Göttingue, ce 13 mai [1812].

*Je ne saurai assez vous peindre, ma chère tante, la reconnais-
sance dont je suis pénétré pour tout ce que vous voulez bien faire
pour moi! J'ai à la fois un sentiment de honte, en pensant que
j'abuse tellement de votre bonté et un de bonheur, en jouissant
de tant de preuves de votre tendresse. Je rendrais presque grâce
à mes déplorables affaires puisqu'elles me procurent le plaisir
de voir l'intérêt que vous me témoignez et auquel j'attache un prix
fort au-dessus de celui que je mets maintenant à la plupart des
choses de la vie. Chère, bonne, excellente tante et amie, recevez
donc tous mes remerciements et recevez-les avec le sentiment si
profond et si doux qui me les dicte et qui sera éternellement au fond
de mon cœur.*

*Avant de vous parler, pour la dernière fois, j'espère, de mes
discussions avec Marianne pour lesquelles je donne à M. Girod
des directions définitives et qui termineront tout, si elle est de bonne
foi, je veux d'abord vous parler de mes projets qui viennent précisément de recevoir une modification heureusement très passagère,
et qui ne servira qu'à faciliter et à affermir peut-être mon séjour
auprès de vous. La terre sur laquelle est hypothéquée toute la fortune de ma femme, excepté les cinquante-six mille francs qui sont
si tristement placés, vient d'être vendue par l'homme d'affaires
de son fils qui est en Pologne et ce dernier lui écrit de soigner,
autant qu'elle le pourra, tout ce qui regarde cette vente. Toute sa
fortune, à bien peu de chose près, dépend de cette affaire. J'aurais
bien voulu qu'elle ne se fît pas dans ce moment-ci pour être plus*

*libre, mais je suis bien aise qu'elle se fasse, en général, parce que
ma femme pourra retirer une partie de ses capitaux et prendre
des mesures pour que ses rentes ne dépendent plus de la rentrée
des fermages d'une terre qui ne lui appartient pas et qui, dans les
circonstances actuelles, est chaque jour d'un revenu plus précaire,
puisque, depuis le mois de janvier, il a passé, par Brunswick et
ses environs, quatre cent mille hommes aux frais du pays et des
propriétaires. Si ce remboursement d'une partie de sa fortune peut
avoir lieu, cela faciliterait bien, pour nous, un établissement stable
en Suisse, car si toute, ou la plus grande partie, de la fortune de
ma femme reste en Allemagne, je prévois que nous serons perpétuellement obligés de venir ici demander ce qu'on nous doit comme
si l'on nous en faisait présent. Je crois donc, ma chère tante, devoir
consacrer le moins de temps qu'il me sera possible, mais celui
qui sera strictement nécessaire, pour diriger l'homme chargé de
cette vente et recevoir les paiements dont les termes sont très rappro-
chés. Ma femme serait hors d'état de surveiller les stipulations qui
doivent encore être faites et surtout d'empêcher cet homme de faire
quelque placement soit peu sûr, soit à long terme, ce qui aurait,
pour le remboursement partiel que son fils lui a offert, un inconvénient égal. Je ferai une course à Brunswick pour être sur les
lieux, et, pendant ce temps-là, ma femme répondra à son fils qui
a dit à son agent de la consulter avant d'avoir de lui une explication
sur les propositions provisoires qu'il lui a faites. L'éloignement
de la Pologne ici n'est heureusement pas, pour nous, un aussi
grand inconvénient que pour d'autres, parce que nos lettres vont et
reviennent par des courriers qu'on envoie au roi.*

*Si Rosalie ne m'avait pas mandé, ma chère tante, que je pouvais
être tranquille sur votre santé, je ne me serais cependant laissé
arrêter par aucune considération pareille, quelque essentielle qu'elle
eût pu être pour mon avenir, — car j'ai éprouvé ici, bien que seulement en perspective, quelle entrave la gêne de fortune peut être
dans toute la vie, et j'en ai pris une horreur que je n'avais pas
auparavant [...].*

*Ma femme qui partage en tout mes sentiments et qui est un peu
triste de ce que vous n'avez rien répondu à ses deux lettres, se ferait
une vraie joie d'un établissement qu'elle sait être celui qui peut
me rendre le plus heureux. Pensez-y donc, ma chère tante, et commu-
niquez-moi vos idées là-dessus. De toute manière, le séjour de
Lausanne est celui que je préférais pour cet hiver, sauf à faire une
course à Paris, à l'époque du remboursement de mes 90 000 francs,
si j'ai enfin arrangé mes affaires avec Marianne.*

*J'arrive à ces affaires, ma chère tante, tout en rougissant de vous
en occuper si interminablement [...]. Je vais numéroter les articles
pour être plus clair :*

*1º Marianne a refusé de faire usage de la lettre de change que
je lui avais envoyée sur vous. Quel que soit son motif, qui est peut-*

être de ne faire prendre à ses enfants aucun engagement qui les lie, j'accepte son refus et je lui marque que la lettre de change est révoquée.

2° Vous m'avez permis d'espérer que vous me donnerez une lettre de rente pour les 15 000 francs. Ce serait ce que je désirerais le plus vivement, parce que tout serait terminé par là. Je vous ai mandé, ma chère tante, que l'intérêt m'était égal.

3° Vous avez eu l'extrême bonté de m'offrir de compléter la somme à laquelle il manque environ 1 500 francs; ce sera donc une dette que je contracterai envers vous, mais, pour peu que cela vous soit agréable, je vais vous envoyer ou vous apporter (car je ne regarde pas mon arrivée en Suisse comme fort retardée) cette somme aussitôt que vous la désirerez.

4° Je vous supplie de vouloir bien y joindre ce que Girod vous demandera pour les frais de son voyage à Dôle, ce voyage étant la seule manière dont je puisse sortir au moins de l'incertitude où je suis encore et connaître les intentions de mes adversaires [...].

Je vous ai mandé que le passeport était arrivé. Quoique je n'en fasse pas usage tout à fait aussitôt que je l'aurais désiré, ce n'en est pas moins un grand service, car je n'aurais su comment partir sans retourner directement à Paris, et la possibilité que j'ai maintenant de partir d'un jour à l'autre, jointe à l'espérance de passer longtemps auprès de vous, soutient mon courage au milieu des affaires de tout genre qui semblent se réunir pour m'ennuyer et me désoler quelque temps.

Je voudrais pouvoir, en réparation de mes longs et ennuyeux détails, vous en donner quelques-uns de plus amusants sur ce pays-ci. Mais on n'y apprend rien. Il a l'air d'être séparé de la terre entière. Il y a cependant une famille française nombreuse, qui en a trouvé le chemin, et qui a débarqué ici expressément pour enseigner aux dames de Göttingue les belles manières. Ce sont deux filles, un père, une mère et un neveu. On n'a jamais vu une expédition plus extravagante. Aucun ne sait un mot d'allemand. Ils ont, avec une extrême pauvreté, toutes les prétentions françaises. La première chose qu'ait dite le neveu, dans un souper qu'un de ses protecteurs donnait pour le faire voir aux gens qui pouvaient l'employer à leur donner des leçons, la première chose qu'il ait dite à un reproche qu'on lui faisait en badinant, sur je ne sais quel manque d'attention qu'il avait eu : « C'est que, voyez-vous, depuis que je suis en Allemagne, je veux être grossier comme un Allemand. » Comme on lui disait que sa cousine ne saurait peut-être pas assez la grammaire pour enseigner le français : « Je vous assure, a-t-il répondu, qu'elle sait l'orthographe aussi bien que moi. » La mère, de son côté, parle de la situation brillante qu'elle a quittée uniquement pour venir civiliser l'Allemagne et dit que sa fille est malade parce qu'elle va à pied alors qu'à Paris elle n'allait jamais qu'en voiture. Il faut *des têtes françaises pour que tant de bêtise et tant de vanité puissent s'y loger* [1].

Je m'aperçois que si je ne m'arrête pas, je grossirai cette lettre d'une page de plus, et tout ce que je vous mande, ma chère tante, ne vaut pas le surcroît de port. Je veux cependant profiter de tous les coins de papier qui me restent pour vous réitérer encore mon tendre et reconnaissant attachement. L'idée de ne pas me rendre tout de suite auprès de vous me tourmente, et quoique l'affaire qui me retient puisse me donner beaucoup de facilités pour tous les arrangements de ma vie future, je donnerais beaucoup pour qu'elle ne se fût faite que plus tard, puisqu'elle n'a pu se faire plus tôt. Enfin j'espère qu'un temps viendra où nous ne serons plus séparés du tout. Il me tarde d'être fixé, tranquille, et surtout auprès de vous. [...]

Adieu, chère et bonne tante.

Je vous embrasse mille et mille fois.

Göttingue, ce 5 juin 1812.

Que vous êtes bonne, ma chère tante! Combien votre lettre m'a pénétré à la fois de joie et de reconnaissance! Combien je languis de vous exprimer tous les sentiments dont mon cœur est plein!

[...] J'espère que Marianne qui, depuis que je vous ai écrit, m'a adressé une lettre des plus inconvenantes, à laquelle j'ai dû répondre nettement, sera revenue à la raison. Au moins sait-elle positivement mes intentions et, si M. Girod me seconde, elle n'aura aucun moyen d'éviter, en acceptant l'exécution de mes engagements, d'en prendre et d'en faire prendre à ses enfants, qui me mettent à l'abri de toute chicane, ou d'avouer que son but est de leur ménager des prétentions ultérieures; dans lequel cas j'agirai franchement et sans retard. Il me paraît impossible que ce mois-ci n'apporte pas une décision claire là-dessus. En attendant, si l'affaire s'arrange, ce sera vous et toujours vous, ma chère tante, qui aurez rendu cet arrangement possible, par la lettre de rente que vous voulez bien me faire. Je suis destiné toujours, et sous tous les rapports, à vous avoir tous les genres d'obligations.

Je vous envoie le billet que vous avez eu la bonté de permettre que je vous fasse pour l'argent nécessaire au complément des

---

1. Des phrases à ce point limpides sont à mettre au dossier de Constant l'Helvète. Il n'a plus aucun désir de vivre en France, à cette date, par crainte, notamment des levées d'hommes (voir, plus haut, sa lettre du 13 septembre 1808) et il ne se redécouvrira « Français », avec énergie, — comme en 1795 — qu'à l'heure où il espérera, de nouveau, faire carrière chez ses voisins.

15 000 francs et au voyage que j'ai instamment prié M. Girod de faire à Dôle. Je l'ai rédigé de mon mieux. S'il y avait quelque chose à y changer, vous sentez, sans que je vous le dise, que je le rédigerai comme vous voudrez. Quant au remboursement de cette somme, si elle vous est nécessaire, il dépend entièrement de vous de tirer sur moi et je ferai honneur à votre traite à lettre vue. Si vous pouvez, sans aucune gêne, attendre mon retour de Suisse, je vous la remettrai alors, et cela m'évitera la perte de change, qui est au moins de 10 à 12 %.

[...] La vente de la terre dont je vous parlais, et qui est mon principal motif de ne pas m'éloigner, est conclue. [...] Cette vente est une chose très heureuse, les terres étant d'un rapport très incertain à cause des entraves mises au commerce et du passage continuel des troupes ; mais elle m'est pourtant insupportable, comme ayant dérangé mes plus chers projets pour cet été.

Quant aux cinquante mille francs dont je suis en peine, j'aime à croire qu'il n'y a rien à craindre pour le capital. Le débiteur, mon beau-frère, a des espérances fondées sur l'héritage d'un frère aîné qui est à Vienne où il était ministre de Hanovre et qui est immensément riche. Mais, en attendant, il nourrit dans ses terres de Mecklembourg, depuis des années, dix, vingt et quelquefois cent soldats français par jour. On lui a pillé, il y a un an, un château où on lui a pris tous ses chevaux, bu tout son vin, brûlé ou volé tout son linge et emporté assez d'argent comptant. Cependant, non seulement, il promet le paiement des intérêts, dont, comme je crois vous l'avoir marqué, il n'a payé, en quatre ans, que quarante-huit livres de France, mais il prétend qu'il pourra rembourser le capital. Il l'avait promis pour la Saint-Jean ; il parle à présent de la fin de juillet. Un autre frère de ma femme, qui est Grand Veneur à Cassel, et qui est mieux dans ses affaires parce que, indépendamment de ses terres, il a vingt-cinq mille francs d'appointements, nous flatte aussi de nous payer vingt-six mille francs qu'il nous doit. En réunissant tout ceci, nous parviendrons peut-être à acheter une propriété dans laquelle je placerai aussi, en tout ou en partie, ce que je sauverai de Marianne et je crois bien, puisque c'est mon vœu comme celui de Charlotte, que ce sera en Suisse. Mais avant d'y penser, il faut que tout s'éclaircisse. Le bien de ma femme est entre les mains de ses débiteurs et le mien est frappé de saisie.

Je voudrais bien, ma chère tante, que mes lettres, qui vous fatiguent de mes affaires, vous amusassent par quelques anecdotes. Mais Göttingue est le séjour où l'on en apprend le moins. On ne s'y intéresse à personne qui ne soit mort il y a au moins deux mille ans, et l'on se croirait frivole en pensant à ceux qui n'ont vécu que depuis trois ou quatre siècles.

On m'a pourtant raconté une histoire d'un des professeurs les plus célèbres, et comme elle m'a fait rire, il faut que je vous la dise.

Ce professeur a l'habitude de diriger toujours ses regards vers un point fixe d'où il ne les détourne pas pendant tout le temps qu'il parle. Dans une de ses leçons, il y avait un étudiant qui se plaçait toujours vis-à-vis de lui et à l'habit duquel un bouton manquait, remplacé par une déchirure. Le professeur s'était accoutumé à regarder toujours ce trou, de préférence à tout autre objet; mais l'étudiant, ayant reçu des fonds de ses parents, fit raccommoder son habit. A la première leçon où il se présenta, le professeur commença par balbutier, puis s'interrompit, et fut obligé de suspendre sa leçon et de renvoyer ses auditeurs. Il fit ensuite venir l'étudiant chez lui et lui laissa le choix ou d'arracher le bouton, ou de ne plus suivre son cours, parce qu'il ne pouvait voir ce changement sans perdre le fil de ses idées. C'est un homme qui n'était pas fait pour vivre pendant la Révolution.

Si nous ne savons pas de nouvelles politiques, ce n'est pas faute de voir passer des acteurs dans la grande pièce qui se prépare. Ces acteurs sont des canons. Ils passent en silence, on les regarde en silence. On ne les interroge pas de peur qu'ils ne se mettent à répondre. Ils ont la repartie prompte et bruyante. Il vaut mieux les laisser passer sans explication. [...]

Adieu, ma chère tante, j'ai l'âme pleine de tendresse et de reconnaissance pour vous. Je ne me console pas de n'avoir pu exécuter tout de suite mon premier projet, mais je suis bien loin d'y renoncer. Il se peut que mon voyage à Brunswick, que je ferai dès que j'aurai des nouvelles, arrange tout plus vite qu'on ne croit. Ce que je sais, c'est que je ne serai content que quand je me retrouverai auprès de vous. Adieu, encore, chère et excellente tante, qui me servez d'ange protecteur. Ma femme est bien heureuse de ce que vous voulez bien lui faire dire et vous prie d'agréer sa sincère et respectueuse affection. Moi, vous savez que je vous aime plus chaque jour, parce que chaque jour vous êtes meilleure pour moi.

Bulletin de triomphe. Benjamin a reçu de son homme d'affaires, Girod, les nouvelles les plus réconfortantes :

Göttingue, ce 23 juin 1812.

Marianne, ses enfants et le tuteur de sa fille mineure ont signé ce qu'il [Girod] a cru convenable pour ma sûreté; ils se sont engagés à donner la mainlevée de l'opposition formée à Paris, ils ont reconnu n'avoir rien à réclamer ultérieurement. Enfin, tout est aussi bien en règle que je pouvais m'en flatter.

Un petit ennui cependant :

Il a fallu consentir que les enfants de Marianne vous signifiassent juridiquement l'acte passé entre nous, à moins que vous ne préférassiez donner une déclaration à cet égard. Je ne m'attendais à rien de pareil et je suis très fâché que l'on vous importune du nom de cette famille, quoique ce ne soit au fond qu'une simple formalité. J'espère, au reste, que, d'après ce que Girod me mande, vous ne verrez dans cette dernière démarche, purement de forme, rien qui puisse vous déplaire. Mais je vous demande toutefois pardon de ce dernier ennui que je n'avais pas prévu. Voilà donc, et grâce à vous ma chère tante, une affaire finie.

Le voyage en Suisse, par malheur, est encore retardé. Des « trois affaires » que B. C. doit régler, obligatoirement, avant de songer à partir,

l'une, celle qui regarde une terre à vendre, n'a point avancé; la seconde, celle des cinquante-six mille francs qui nous sont dus, non seulement est au même point, mais le débiteur est parti pour le Mecklembourg avec promesse, à la vérité, de revenir dans dix jours; enfin, la troisième, que je croyais la plus sûre et qui consiste en un remboursement fixé à la Saint-Jean, est déjà devenue un peu incertaine, autant que j'en puis juger par quelques mots que le débiteur m'a balbutiés. Cependant, les engagements qu'il a pris sont si positifs que je ne veux pas croire qu'il y manque [...].

Je m'ennuie énormément de ne pas encore pouvoir fixer l'époque de ma venue en Suisse et de me tracasser sans cesse, tantôt avec des gens qui me demandent ce que je ne leur dois pas, tantôt avec d'autres qui ne veulent pas me payer ce qu'ils me doivent.

La vie est un fatigant et morne travail [...].

Adieu, ma chère et bonne tante. Obtenez du Ciel que je sois payé ici. Alors nous vous reviendrons avec un peu d'argent et quelques moyens de nous fixer agréablement. La vie se passe tout en apprêts et, quand on s'est bien arrangé pour vivre, on meurt. Je voudrais pourtant bien passer quelque temps avec vous avant de mourir. Adieu, encore, chère tante. Je vous embrasse avec une extrême tendresse et reconnaissance. Ma femme se rappelle à votre souvenir et se joint à moi dans tous mes vœux pour votre bonheur et tous mes désirs pour notre prompte réunion.

Deux mois se passent. B. C. ne quitte toujours pas l'Allemagne. Ses « affaires » continuent à l'immobiliser, douloureusement, loin de sa « bonne » tante.

La lettre ci-dessous, Constant ne l'a pas datée, mais

Mme de Nassau a porté au dos l'indication : « reçue le 12 août 1812 ».

Il y a bien longtemps que je ne vous ai pas écrit, ma chère tante, parce que j'espérais pouvoir vous mander la conclusion de mes affaires ici, ou du moins d'une partie, et de celle pour laquelle je suis principalement resté, je veux dire le remboursement qui devait avoir lieu le 31 de ce mois. Ce remboursement se réduit jusqu'à présent à un douzième de la somme qu'on a envoyé à ma femme pour l'engager à prendre patience. Il est vrai qu'on promet encore quatre fois autant en huit jours, mais le reste seulement dans six semaines. Si nous n'étions pas ici, nous ne tirerions pas un sol de ces capitaux qu'il est urgent de retirer, parce qu'à la manière dont les affaires vont dans cette partie de l'Allemagne, il devient chaque jour plus difficile de se procurer de l'argent et même des sûretés. Les emprunts forcés et la réduction de dettes embarrassent toujours plus les propriétaires, et une culbute peut très bien s'ensuivre pour quelques-uns d'entre eux, surtout pour ceux qui, comme mon beau-frère, sont rattachés à la cour et empêchés par là de soigner leurs affaires ou de mettre dans leurs dépenses une économie qui puisse les rétablir. J'espère pourtant bien que cela n'arrivera pas.

Contrariété, aussi, côté Girod :

Girod m'a envoyé un compte, pour lequel, indépendamment de ses honoraires, qu'il n'a pas fixés, il est en avance de près de dix louis et les avocats, en général, n'aiment pas à être en avance. Je lui ai répondu, il y a plus d'un mois, que je ne pouvais lui assigner ni le remboursement de cette somme, ni le paiement de ses honoraires sur vous, ma chère tante, comme il me l'avait insinué, n'ayant le désir ni le droit de vous importuner pour des objets de cette nature, très reconnaissant que j'étais déjà de ce que vous aviez bien voulu me prêter pour compléter les 15 000 francs de dépôt.

Il a reçu de Marianne « *une lettre pleine de phrases dans laquelle elle se plaignait beaucoup de Girod et de l'acte qu'il a rédigé* », mais c'est sans importance, car elle ne paraît point « *avoir l'intention de réclamer contre son contenu* ». La situation militaire est captivante et présente « *de grands objets de réflexion* », mais

on ne peut les faire à distance et, des événements particuliers, il n'en arrive point dans notre studieuse ville. Les professeurs y meurent comme des mouches. Il nous en est mort trois en un mois, mais leur réputation n'a pas franchi les bornes de l'Allemagne et je ne pourrais, en vous les nommant, parvenir à vous les faire regretter. Cet été est bien propre, au moins dans ce climat, à tuer tout le monde.

Nous n'avons pas eu un jour sans pluie et chacun est saisi d'un froid ridicule à la fin de juillet. Les saisons sont bouleversées comme les hommes et le bouleversement des unes est presque aussi ennuyeux que celui des autres. Le fils de Charlotte est toujours en Pologne avec des chevaux auxquels il donne à manger tous les trois jours. Ils ne mourront pas d'indigestion. On dit que ce n'est pas là non plus la maladie qui menace les hommes dans ce pays-là.

Adieu, ma chère tante. Je suis tout honteux de vous envoyer de si insignifiantes lettres, mais je ne puis me résoudre à laisser plus d'un mois s'écouler sans me rappeler à vous et vous dire combien tendrement et sincèrement je vous suis attaché.

Nouvelle lettre sans date (« *reçue le 1er novembre 1813* »).

Puisque, par miracle, ma chère tante, les lettres traversent les formidables armées qui me séparent de vous, j'en veux essayer encore une, en priant Dieu qu'il l'ait en sa sainte et digne garde. Je commence par vous remercier de ce que vous voulez bien continuer encore quelques moments à être dépositaire de la somme qui [etc...].

J'espère toujours être de retour auprès de vous après l'échéance du remboursement, c'est-à-dire avant le 2 février prochain. Mais mon très cher beau-frère, et très important débiteur, vient enfin d'arriver de Vienne dans sa terre qui est à quarante lieues d'ici. On nous l'annonce et, s'il ne vient pas, nous irons le voir. Il en résulte qu'après avoir attendu si longtemps, ce n'est pas le moment d'abandonner la partie [...]. Ma femme est aussi intéressée que moi à ce que je ne parte pas avant d'avoir fini ces affaires [...].

Nous jouirons tous deux avec un grand plaisir du séjour de la Suisse après ce long exil en Allemagne. Ce n'est pas que ce pays ne soit intéressant, dans les circonstances présentes. Je voudrais pouvoir vous en donner des détails. Mais pour que ma lettre vous arrive, il faut qu'elle ne vaille pas la peine de vous arriver.

J'ai vu un instant mon cousin Victor[1], arrivant d'Angleterre et allant à Berlin. Comme la plus grande partie du temps que nous avons passé ensemble s'est écoulée au milieu de mille personnes, le lieu n'était pas favorable aux confidences. Je l'ai trouvé vieilli, ce qui ne m'a pas étonné; il y avait vingt-deux ans que je ne l'avais vu.

[...] La ville que j'habite[2] s'occupe de réorganiser son ancien gouvernement que la Westphalie avait supplanté. Les conversations,

---

1. Victor de Constant prendra part à la bataille de Waterloo, du bon côté. Il y figurera comme aide de camp dans l'état-major de Wellington.
2. Hanovre.

en conséquence, se partagent en deux points qui sont les mêmes, quel que soit l'interlocuteur. Le premier point est son propre mérite; le second, les torts du concurrent. Quoique les détails varient dans chaque sujet, le fond commence à me sembler monotone. Je ne vois que gens qui se vantent, les uns d'avoir refusé tout ce qu'ils n'ont pas obtenu, les autres d'avoir été forcés d'accepter ce qui n'a été accordé qu'à leur importunité.

Tandis que Godefroy Polier s'occupe du passé de la Suède, j'ai eu occasion de m'occuper du présent. J'ai retrouvé ici, dans le prince royal actuel, une ancienne connaissance et l'élévation du rang n'avait rien changé à ses souvenirs. Si on le veut, ma chère tante, le procès de Jacqueline[1] est perdu. Dites donc à ses parties qu'ils ne perdent pas de temps. Elle en profitera pour de nouvelles chicanes.

Adieu, chère tante. Je vous aime de toute mon âme.

Et voici la pièce ultime de cette petite série :

Hanovre, ce 12 février 1814.

Je reçois à l'instant, ma chère tante, votre lettre du 14 janvier. Je compte toujours partir pour la Suisse dans le mois de mars ou d'avril.

Toutefois, B. C. a encore une « course »

à faire en Mecklembourg afin de constater que la créance de ma femme est inscrite aux hypothèques. Quoique mon créancier soit son frère et un très honnête homme, je me suis aperçu qu'il n'y avait pas toujours une vérité complète dans ce qu'il disait. Cette inscription, qui est indispensable pour notre sûreté, aurait dû être faite il y a quatre ans et j'ai des lettres de lui où il dit l'avoir fait faire lui-même. Il se trouve que cela n'est pas. Il l'explique du mieux qu'il peut, et vous savez que la parole se prête à tout. Mais, pour lui épargner la peine d'avoir, dans six mois, une pareille explication à nous donner, il faudra, quand il m'aura dit avoir fait l'inscription (qui malheureusement, en Mecklembourg, ne peut avoir lieu qu'avec son consentement) que je vérifie la chose sur les lieux mêmes.

Que les nouvelles sont donc agréables!

[...] Parlons un peu de celui qu'il n'y a plus qu'à désigner par son nom. Je crois qu'il a reçu à peu près le coup de grâce dans les environs de Brienne. Nous venons de recevoir la nouvelle que, les

1. Napoléon.

*1ᵉʳ, 2 et 3 février, il a été battu, a perdu douze mille prisonniers et
soixante-treize pièces de canon. Ce qu'il y a de bien remarquable,
c'est que cette première défaite en France, dans le pays qu'il a
tyrannisé et où il a attiré tous les fléaux de la guerre, a eu lieu à
côté du bâtiment dans lequel il a été élevé par la charité de Louis XVI,
qu'il a remplacé, et par la faveur de M. Necker, dont il a banni la
fille. L'École militaire, théâtre de sa première jeunesse, et la ville
entière où cette école se trouve, ont été brûlées.*

B. C. annonce à sa tante qu'il a « *fait imprimer* »
à Hanovre « *une brochure de deux cents pages* » (c'est
l'*Esprit de Conquête*).

*Ceux qui, jusqu'ici, ont lu l'ouvrage m'en ont paru assez contents
et j'ai reçu de quelques personnes des témoignages flatteurs d'estime
et d'approbation. Je n'ai pu laisser passer cette grande crise sans
faire au moins ce qui dépendait de moi pour en accélérer le succès[1].
L'ouvrage va être réimprimé en Angleterre.*

*[...] Le libraire anglais auquel j'avais envoyé la moitié de mon
livre pendant l'impression m'a fait offrir cinq cents livres sterling
pour le manuscrit[2]. Malheureusement, ou heureusement (car, sans
cela, le livre serait arrivé trop tard), il était imprimé en entier quand
l'offre m'est parvenue, de sorte que, pour cette fois, je ne tirerai rien
de mon travail, mais l'offre est d'un bon augure pour l'avenir.*

*Adieu, chère tante; vous devez être fatiguée de lire mon griffon-
nage, mais vous en déchiffrerez toujours assez pour y voir que je
vous aime de toute mon âme et que je me réjouis du fond du cœur
de me réunir à vous.*

Mᵐᵉ de Nassau mourra, brusquement, à la fin de
mai 1814. Du décès de cette tante chérie, à laquelle il
portait, comme on sait, « *une tendresse que rien ne
pouvait égaler* », B. C. ne fait même pas mention dans
son journal intime. On y lit seulement, sous la date
du 7 juin, cette note laconique : « *Testament de
Mᵐᵉ de Nassau.* »

1. Le 29 janvier 1814, B. C. disait déjà à Rosalie : « Je vous enverrai
bientôt un petit ouvrage que je viens de publier et *qui est tout à fait
un acte de devoir et de conscience.* »
Déclaration que complète cette note du *Journal intime*, en date du
21 janvier : « *Le temps presse si je veux arriver à l'hallali.* »
2. B. C. omet de signaler à sa tante que c'était à Mᵐᵉ de Staël et à
son insistance personnelle auprès de l'éditeur Murray qu'il devait
cette proposition.

La déconvenue de Benjamin avait été très rude. Tant de caresses, pendant tant d'années, dépensées pour rien! B. C. ne se retiendra pas, le 15 juin, d'avouer à Villers : « *J'avais cru qu'elle* [la personne qui vient de trépasser] *me laisserait une grande partie de sa fortune, et elle ne m'a laissé que très peu de chose.* » Des poussières! 3 000 francs comptant, une rente viagère de 1 600 livres, et « un cinquième du revenu de son action de la tontine d'Irlande ». Ce gros capital, si longtemps, si assidûment convoité, Constant en avait raté la capture.

« *Mon affaire avec les petits bâtards s'embrouille* », notait-il, le 13 avril 1814, dans son *Journal*. Trop probable que la tante Nassau, le voyant toujours sans postérité, à quarante-sept ans et après six ans de mariage, a reculé d'effroi à la pensée de sa fortune, si elle la laissait à son neveu, tombant finalement aux mains des rejetons de la « paysanne ».

« *Maudits bâtards!* »   (*Journal intime*, 27 juin 1814.)

Antoniella-Graziella

« *La pauvre Graziella qui versa tant de larmes...* » Ainsi parlait Antony Deschamps dans un dithyrambe en vers que publia *La Revue de Paris* (septembre 1852) en l'honneur du roman de Lamartine. Et Deschamps donne place, sans hésitation, à Graziella parmi la divine cohorte des Béatrix, des Laure, des Juliette et des Virginie.

Tout le monde, il est vrai, ne partageait pas ces transports [1], et Louis Veuillot, par exemple, affectait un bon rire. Doucement, disait-il, doucement! Avant d'éclater en sanglots sur la Napolitaine morte d'amour, peut-être serait-il bon de savoir au juste la part de la vérité et celle de la fiction dans l'émouvante histoire que M. de Lamartine nous raconte. « *On ne m'ôtera pas de l'idée que Graziella n'est point morte* [...] *; je parie qu'elle est aujourd'hui une des plus respectables matrones de la Margellina, mère de cinq ou six magnifiques lazzaroni.* »

Si nous essayions, après un siècle, de savoir là-dessus à quoi nous en tenir? J'ai l'impression qu'il y a moyen de le faire, aujourd'hui.

---

1. Notamment Alfred de Vigny qui, dans un projet de poème-pamphlet contre Lamartine, écrivait ceci, en 1850 : « *Dès l'adolescence, tu as sacrifié froidement une femme qui t'aimait aux scrupules de ta vanité. Tu as sacrifié* [ensuite] *ton peuple à toi-même* [etc...]. *Tu as fait verser du sang vrai; tu n'as versé que des larmes feintes.* » (Cf. A. de Vigny, *Mémoires inédits*, 1958, p. 406.)

Écoutons d'abord Lamartine romancier.

Il avait « dix-huit ans »; il venait de Rome; une voiture de poste l'avait amené, « le 1ᵉʳ avril », à Naples où, « quelques jours plus tard », débarquait, pour le rejoindre, son ami Virieu. Libres, oisifs, les deux jeunes gens vivent en plein air pendant tout l'été; ils mènent, pour se divertir, la vie des pêcheurs. Puis « septembre » arrive, « avec ses pluies et ses orages ». Un jour qu'ils étaient en mer, comme de coutume, avec ce vieux marin, Andréa, dont ils se sont fait un ami, la tempête les jette sur l'île de Procida. Andréa y possède une bicoque. Sa « petite-fille » est là; elle est toute jeune et ravissante : grande, mince, des yeux bleu sombre, de longs cheveux noirs, de petites dents éclatantes; elle s'appelle Graziella. Neuf jours sans qu'on puisse quitter l'île; la barque d'Andréa est en miettes. Virieu et Lamartine se cotisent pour lui acheter un bateau neuf. Toute la famille les couvre de bénédictions.

On rentre à Naples. Virieu reçoit une lettre de sa mère qui le rappelle en France, mais Lamartine n'est pas pressé de l'imiter, et il se dispose à passer l'hiver dans ce pays qui l'enchante. Mais voici qu'il tombe malade, à peine Virieu est-il parti; il ne connaît personne dans la ville, excepté un « vieux parent de sa mère » qu'il n'avait guère vu jusqu'alors et qui, par malchance, venait de se rendre « pour plusieurs mois dans les Abruzzes ». A qui s'adresser, dans cet abandon? Lamartine envoie un gamin avertir Andréa, lequel délègue tout de suite Graziella au chevet du fiévreux. Elle le soigne et, pas plus tard que le lendemain, il est debout, faisant à Andréa et aux siens la surprise d'une visite. On l'entoure d'affectueuses gronderies; on ne veut pas qu'il regagne, « faible et pâle » comme il l'est, le « vieux couvent » où il loge : qu'il reste donc chez ses humbles amis. Il cède, avec joie. « Je vécus ainsi [à la Margellina] pendant les derniers mois de l'automne et les premiers mois de l'hiver. » Graziella est pour lui comme une sœur. Elle serait pourtant en âge de se marier et elle a même un prétendant, le pauvre et bon Cecco, un peu disgracié. Au moment de Noël, Lamartine va faire l'excursion classique du Vésuve et de Pompéi. Il ne revient chez Andréa qu'après le nouvel an et pour y

tomber en plein drame : le père de Cecco a fait sa
demande et Graziella s'enfuit, laissant « un billet
trempé de pleurs » : « J'aime mieux me faire religieuse. »

On la cherche en vain, de toutes parts. Lamartine a
une idée : elle doit être à Procida. Il y va, seul, et l'y
trouve, qui attend la mort. C'est là qu'elle lui avoue son
amour, et lui-même s'aperçoit qu'à son insu il s'est mis,
aussi, à la chérir. Purs comme des anges, ils reviennent
à Naples.

Les grands-parents de Graziella promettent à la jeune
fille qu'on ne l'ennuiera plus avec Cecco. Et, de nouveau,
Lamartine passe auprès d'elle, chez elle, « trois mois »
pleins de bonheur et d'innocence. Soudain, à la fin de mai,
Virieu survient à l'improviste. Les parents de Lamartine
ont chargé Virieu, expressément, de ramener leur fils.
Lamartine s'en va, pendant que Graziella est endormie,
se promettant, et lui promettant par écrit, de revenir
avant « quatre mois ». Il reçoit, en chemin, des lettres
d'elle, confiantes; mais, dans la seconde, Graziella
parle de mauvaise santé, de son cœur « qui lui fait
mal ». Lamartine est à Mâcon. Trois mois s'écoulent;
aucune nouvelle ne lui arrive plus de Naples et il est
sur le point d'y repartir quand un voyageur, revenant
d'Italie, dépose chez lui une lettre de Graziella qui est
son adieu : « Le docteur dit que je mourrai dans trois
jours... Je te parlerai bientôt, et toujours, du haut du
ciel. » Fin.

Il est amusant de constater que ce roman, *Graziella*,
n'avait pas été du tout, d'abord, dans la pensée de
Lamartine, un livre. Pendant l'été de 1844, l'écrivain-
député — il avait cinquante-quatre ans — était allé
faire un séjour en Italie, avec sa femme et deux de ses
nièces. Au mois d'août, à Ischia, en vue d'une édition
nouvelle, et de luxe, de ses *Œuvres complètes*, il avait
entrepris d'adjoindre à chacun de ses poèmes d'autrefois
des « commentaires » en prose. Eugène Pelletan, pour
lui préparer gentiment le terrain, publiera, à ce sujet,
dans *La Presse*, le 23 novembre 1844, tout un feuilleton
publicitaire, où il signale notamment le « *poétique*

récit » consacré par Lamartine à ses « *amours avec la
jeune fille qui lui inspira le* Premier Regret ». Ce que
nous appelons *Graziella* n'était, à l'origine, que le
« commentaire », démesuré, de cette pièce fameuse des
Harmonies.

Les archives de Saint-Point conservent une partie
de ce texte. Le début a disparu ; mais j'ai vu la fin de ce
manuscrit (de la page 93 à la page ultime, 120) ; en
haut du premier feuillet (93), ceci : « *Suite du commentaire sur* Le Premier Amour » (Lamartine avait l'intention de modifier le titre de son poème, changeant
Premier Regret en *Premier Amour*) ; dans l'angle, une
date : « *Ischia,* 30 *août* 1844) ; et une autre date à la fin
du texte (120) : « *Ischia,* 10 *septembre* 1844. » Puis Lamartine s'était ravisé ; enfouir un si gros joyau dans une
simple édition de ses œuvres anciennes — même une
édition coûteuse, réservée à des souscripteurs — cela
lui semblait un peu gâcher le métier. Aussi avait-il
fabriqué, à la hâte, un autre « commentaire », d'une
page, pour le *Premier Regret* et le long « Épisode »
rédigé par lui à Ischia, en août et septembre 1844,
il lui donne place dans ses *Confidences,* publiées en 1849.
La couture est faite sans beaucoup de soin, à la diable ;
Lamartine ne se rappelait plus, en 1849, que dans ses
Confidences (écrites en 1843), son ami Aymon de Virieu
était nommé sans mystère. Virieu, dans le « commentaire », n'avait droit qu'à une initiale. Tant
pis ! Virieu restera « *V* » dans l'Épisode qui surgit au
milieu du Livre VII. Lamartine, en outre, appose à
la fin de son texte la date, fictive, de « 1829 », tout en
ajoutant à ses lignes une allusion, inconsidérée, au
Premier Regret, qui date de 1830. Mieux encore, dans la
nouvelle version de son commentaire pour l'édition des
souscripteurs, il affirme que l'idée de cette pièce lui est
venue en voyant entrer dans une église le cercueil d'une
jeune fille, alors que, dans *Les Confidences,* c'est un
tableau représentant l'exhumation d'une vierge qui lui
aurait inspiré ces vers.

Tout cela n'est pas rassurant.

Graziella, détachée des *Confidences*, avait formé un
petit volume, en 1852. Le succès de vente restait considérable quand soudain, en 1857, un incident fâcheux
se produit. Paraissent en librairie, à la fin de cette
année-là, les *Souvenirs* de l'académicien Charles Brifaut,
et le public apprend que Brifaut dirigeait contre Lamartine une accusation de plagiat : « *Ah ! Monsieur de Lamartine* [...], *vous volez des sujets de roman ! On vous surprend
en flagrant délit. Mais où est donc votre conscience ?* » Brifaut
soutient que Lamartine, dans *Graziella*, répète sans
vergogne le *Charles Barimore* de Forbin, publié en
1810. « *Votre Graziella n'est-elle pas calquée sur la Nisieda
du comte ? Le lieu de votre scène n'est-il pas le sien ?
N'est-elle pas Napolitaine comme votre héroïne, fille de
pêcheurs, comme votre héroïne, malade d'amour et prête
à en mourir, comme votre héroïne ? Ah ! Monsieur de Lamartine, vous êtes un plagiaire sublime, mais un plagiaire,
et cette balafre vous défigure...* »

On n'est pas plus catégorique. Et l'inculpation est
d'autant plus redoutable que Lamartine avait connu
Forbin, qu'il était lié, fort amicalement, avec le gendre
du comte, Marcellus, et que Marcellus avait donné en
1843 (l'année qui précéda la naissance de *Graziella*)
une réédition de *Charles Barimore*. Quand on ouvre le
livre — j'ai entre les mains sa « troisième édition »,
« *Paris, chez Maradan, libraire, rue Guénégaud, n° 9,
1817* [1] » — on est saisi. A la première page, face au titre,
une gravure qu'on jurerait tirée d'une édition illustrée
de *Graziella*. Puis on entame la lecture, et voici,
comme sous la plume de Lamartine, un fils de famille
(celui de Forbin est Anglais) qui, à Procida (Forbin dit :
« Procita »), « surpris par le mauvais temps », cherche
refuge dans « la maison isolée » d'un pêcheur, Andora.
Il y découvre une adorable jeune fille, Nisieda, « d'une
taille souple et élevée », avec de splendides « cheveux
noirs »; le jeune homme, plein de cœur, vient en aide à ces

1. Le livre du comte de Forbin avait eu un immense succès. Une
preuve supplémentaire nous en est fournie par le détail que voici :
en janvier 1815, à Porto-Ferrajo, au bal travesti donné par Napoléon,
seigneur de l'Ile d'Elbe, sa sœur Pauline apparut déguisée en « Nisieda ».
Et il y avait près de cinq ans, à cette date, qu'avait paru le roman
de Forbin.

pauvres gens, qui le bénissent de sa bonté; il passe
chez eux quatre mois; Nisieda et lui s'aiment d'un amour
aussi tendre qu'irréprochable; hélas! la jeune fille a été
promise au cloître; maintenant qu'elle est amoureuse,
cette pensée la déchire au point qu'elle en croit mourir.
Mais là s'arrêtent les ressemblances, et le roman du
comte de Forbin, qui n'est pas encore à la moitié de
son parcours, s'oriente dès lors dans une direction
qu'ignore absolument *Graziella*. Un abbé providentiel
apparaît, qui délivre Nisieda de ses vœux. Barimore
l'épouse. Ils vivent dans une opulence grandiose; leur
maison de Pouzzoles est un palais; rien n'est assez beau
pour Nisieda; son mari fait construire dans leur villa
« des bains à la manière antique »; il « prodigue » les
marbres « les plus précieux »; des eaux « abondantes
et limpides » courent ou jaillissent dans les jardins, etc.
Puis l'histoire se complique d'incidents lamentables
pour finir sur une fuite de la jeune femme, qui, se
croyant trahie, a mis au monde un enfant mort et va se
cacher et rendre l'âme dans un mystérieux couvent de
Sicile.

Au total, l'accusateur Brifaut n'est pas très convain-
cant. *Barimore* et *Graziella*, c'est vrai, ont un « départ »
assez pareil; mais c'est bien tout. L'Anglais épouse
l'Italienne malgré « le peu de convenance de cette
union »; l'idée ne viendrait pas à Lamartine d'épouser
Graziella, et si le soupirant Cecco a risqué sa demande en
mariage, c'est qu'il avait sagement pensé, écrit l'auteur
des *Méditations*, que « j'étais d'une condition et d'une
fortune *évidemment incompatibles* avec celle de la fille
d'un marinier » (X, vi). Plus d'authenticité, en somme,
dans *Graziella* que dans le livre d'où serait sortie cette
histoire. Deux écrivains n'ont-ils pas le droit d'avoir été,
l'un après l'autre, à Naples, et d'y avoir, chacun, aimé
une fille pauvre? Toujours est-il que Lamartine a
repoussé, du ton le plus ferme, l'incrimination de Brifaut.
Le 14 février 1858, il a fait tenir à la *Gazette de France*
un démenti péremptoire : j'aurais dérobé à M. Forbin
le thème de mon épisode? « *Permettez-moi de protester
par deux alibis. Le premier, c'est que je ne connais même
pas le livre qu'on m'accuse d'avoir pillé.* [Dont acte.]
Le second, c'est que Graziella ne fut jamais un roman »;

non pas un produit de mon imagination, mais un
souvenir toujours vivant; une pure et simple « *réminis-
cence de mes dix-huit ans*[1]. »

Trois fois encore, dans sa vieillesse, Lamartine, en
public, affirmera qu'il s'agit bien d'une aventure vécue.
Dans son *Manuscrit de ma mère* (1858), il évoque, à la
rencontre, « l'épisode, *vrai au fond*, de *Graziella* » —
formule qui signifie clairement : l'histoire est de fantaisie
dans ses détails, mais véridique pour l'essentiel. La
deuxième allusion figure dans les *Mémoires politiques*
(1861). Une ligne seulement : [j'ai dit, ailleurs, ce que
furent, à Naples, mes] « amours naïves et champêtres »
avec Graziella; « mon départ l'avait tuée ». Et voici
le troisième texte, important celui-là. Lamartine rédige
d'ultimes *Mémoires ;* il adopte l'allure d'un qui change de
registre, qui s'en veut d'avoir triché, dans ses *Confidences*, et d'y avoir tu ou maquillé trop de choses. J'ai
vu, à Saint-Point, le manuscrit de ce livre inachevé;
son seul aspect est éloquent; c'est la dernière chose à
laquelle ait travaillé Lamartine, les dernières pages qui
partirent de cette main lassée. Ce que la nièce du poète
publia, en 1871, sous le titre *Mémoires inédits*, ne nous
livre pas la totalité de ces feuillets. Le récit, dans l'imprimé, s'interrompt avec l'année 1815. Le manuscrit va
au-delà. Mais l'homme n'en peut plus; l'écriture, irrégulière, crispée, réduite, ne rend lisibles, à la fin, que des
membres de phrases; la pensée, semble-t-il, balbutie.
Au début de mai 1867 Lamartine eut une attaque
qui fit de lui, en quelques jours, un « centenaire ».
Il composait ces *Mémoires* lorsque son esprit sombra.
Les chapitres concernant *Graziella* doivent dater de
1866. Lamartine avait alors soixante-seize ans.

Quelles sont donc les rectifications qu'il nous apporte?
La chronologie, d'abord, n'est plus celle de l' « Épisode ».
Lamartine spécifie qu'il n'arriva point à Naples au
printemps, comme il le disait dans *Graziella*, mais à
l'automne, presque au début de l'hiver. Ensuite et

1. Au salon de 1885 figura une toile, de Rudolf Lehmann, intitulée
Graziella. Le 25 juin 1855, Lamartine écrivait au peintre : « *Graziella
n'était qu'un songe; grâce à vous, elle devient une réalité. Quand je dis
songe, je parle métaphoriquement, car rien dans cette page de ma vie n'est
imaginaire, que le nom.* »

surtout, il nous révèle un fait nouveau, considérable ;
à savoir qu'au moment où il quittait Mâcon pour son
périple italien, il y laissait une jeune fille, « Mlle P. »
(lire : Henriette Pommier), qu'il se proposait d'épouser.
Cette position sentimentale ne l'avait point empêché
toutefois — il le reconnaît — de tenter sa chance, à
Rome, auprès d'une femme peintre, Bianca Boni,
laquelle avait sèchement découragé ses avances (elle
m'apprit, ajoutait avec un discret humour le vieil
homme, « que les grandes artistes italiennes étaient
aussi de grandes vertus »). Mlle P. s'effaçait dans son
cœur. « Je lui écrivais quelquefois, mais je ne dois pas
dissimuler que je sentais ma passion pour elle se refroidir,
et finalement se glacer. »

Lamartine se loge, à Naples, « à l'auberge de la rue
des Florentins ». Virieu vient l'y rejoindre, et tous
deux se mettent à jouer, horriblement. Lamartine est
bientôt sans le sou. Aussi se résigne-t-il à aller saluer,
pour se tirer d'affaire, un « parent » qu'il avait à Naples,
M. Dareste de La Chavanne, « directeur des tabacs ».
Dareste le prend chez lui, comme il l'espérait bien ;
il a sa chambre à la manufacture, qui est « l'ancien
monastère de *San Pietro martyr* ». Attention ! « C'est
là qu'une des aventures les plus décisives de mon
existence allait changer ma vie » (IV, III) ; « quand
j'écrivis, en 1847 [à vingt ans de distance, il se trompe,
et dit 1847 pour 1844] le roman vrai de *Graziella* »,
j'en altérai « légèrement les premières pages, *par vanité* » ;
« *maintenant je vais tout dire* ». M. Dareste avait deux
adjointes, l'une, « de vingt à vingt-cinq ans », nommée
Antoniella, « bien, mais sans rien de remarquable » (« sa
familiarité avec M. de La Chavanne indiquait une
longue habitude dans la maison ») ; l'autre, beaucoup
plus jeune, et d'une grande beauté ; « elle est », dit
M. Dareste, qui présente à Lamartine son personnel, « elle
est la fille d'une pauvre famille de pêcheurs de
Procida, chargés d'enfants ; elle reçoit la solde
d'ouvrière en cigares », mais « ne travaille pas avec
les autres » ; « elle est notre aide de camp » ; c'est
Graziella.

Lamartine entend ne se reconnaître aucun tort à
l'égard de « *Mlle P.* ». Il affirme, dans ses *Mémoires*

qu'une lettre de Mâcon lui parvint chez M. Dareste :
un vieil ami des « P. » lui demandait de préciser ses
intentions. « Vous ne pouvez pas répondre des volontés
de vos parents[...]. Mlle P. est demandée en mariage[...] ».
« J'écrivis une lettre *franche et prudente* qui remettait
à Mlle P. elle-même la décision de son sort et du mien [...].
J'appris |*quelques jours après* qu'elle se mariait. » Tout
va bien.

Si Mlle Antoniella, d'après les *Mémoires*, est quelque
chose comme la contre-maîtresse en chef de la manufacture, Graziella en serait un peu l'intendante, malgré
son très jeune âge. C'est elle-même, cependant, qui
procède à l'installation de Lamartine. « Elle déplia
mon petit paquet; elle le plaça dans l'armoire; elle se
mit à genoux pour ôter les plis de la route à mes habits. »
Tout emporté qu'il est par sa fureur du jeu, le jeune
homme ne songe guère à elle. « Tout le reste de l'hiver »
est voué aux cartes; Virieu et Lamartine passent leurs
soirées « tantôt à l'hôtel [où est resté Virieu], tantôt
chez M. de La Chavanne »; « on n'entendait que *trente
et quarante* [...]. Antoniella et Graziella travaillaient à
quelques ouvrages de femmes sur le sopha de paille [...].
De temps en temps Graziella regardait de mon côté
et s'efforçait de sourire, mais elle reprenait vite son
sérieux et semblait dire : Quel dommage que ce jeune
homme si sage ait la folie des cartes! »

Arrive le « précoce printemps » de l'Italie méridionale.
Lamartine va voir le Vésuve, Pompéi, Castellamare,
Sorrente, Paestum. Il rentre chez M. Dareste pour
apprendre que Graziella a fait un coup de tête; elle est
partie sans permission pour Procida, lui laissant le
billet que voici : « *Gia che sei partito, non posso più
restar. Non ti rivedro mai* », signé : « *La Damigella.* »
(« Depuis que tu es parti, je ne peux plus rester. Je ne te
reverrai jamais »; la signature curieuse, archaïque,
correspond peut-être au nom que l'on donnait à l'intendante, dans la manufacture.) Lamartine montre ces
lignes à Virieu, qui constate, pratique et amusé : « Tiens!
Un roman qui commence! *Il faut le mener à bonne fin* »
(V, vi).

Notre intérêt est vif. Lamartine a bien l'air, dans ce
texte, d'être vraiment parti pour « tout dire ». Déception.

Ce prélude posé, il s'en tient là et tourne court. Le gros
aveu qu'il avait à nous faire est fait, paraît-il. C'est sur
la profession seulement de Graziella qu'il avait menti,
dans son Épisode. « Il en coûtait trop à mon orgueil
d'avouer que mon premier amour n'avait pour objet
qu'une plieuse de cigarettes », même montée en grade;
« *tout le reste du roman est littéralement exact* »; « les détails
que je viens de raconter forment *la seule différence
entre la fiction et la vérité* »; Graziella était « aussi jeune,
aussi naïve, aussi pure, aussi religieuse que je la représente dans le roman », dont « *toutes les scènes sont vraies* ».
Lamartine ajoute simplement que si Virieu revint, au
printemps, le « forcer » à partir, c'est que « *M. de La
Chavanne avait sans doute averti ma mère* » de la « *vie
suspecte* » que menait son fils « à la Margellina », — que
Graziella ne dormait pas quand il l'a quittée et qu'il la
laissa « *évanouie dans les larmes* », — que, sur la route du
retour, il s'attarde à Milan, pour y jouer encore, quinze
jours, — qu'il voyagea, de Milan en Suisse, « avec un
négociant de Lausanne *et sa servante* qui eurent grand
soin de lui », — et qu'enfin, oui, comme il l'a conté
dans son Épisode, il reçut, peu de temps après, à Mâcon,
l'adieu de Graziella mourante[1].

Soit. Seulement pourquoi Lamartine, peu avant cette
mise au point des *Mémoires*, a-t-il confié à Emile Ollivier, qui évoquait devant lui le cruel destin de Graziella : « *Mais non! Elle n'expira point; elle a eu des tas
d'enfants!* » Invention d'Emile Ollivier? Forfanterie de
Lamartine qui aimait assez, entre amis, se moquer
lui-même de son pathétique littéraire? Le petit Carné,
en 1830, tout ébloui par les *Harmonies*, était demeuré
pantois quand le grand homme, cordial et cynique,
lui avait jeté : « *Les Harmonies?* de la graine de niais! »

1. L'examen des pages ultimes, non publiées aujourd'hui encore,
de ces malheureux *Mémoires* que Lamartine n'acheva point, apporte
une petite révélation. La pensée du poète faiblit; sa mémoire s'en va;
il oublie qu'il a, plus haut, maintenu la fiction « Graziella », et on le
surprend à écrire, lorsqu'il aborde le récit de ses amours avec Julie
Charles, ceci : « *Je n'avais goûté de l'existence que sa fleur, avec Antoniella, et son délire, avec la princesse X...* » (Ses souvenirs s'embrouillent-
ils? Ou bien Lamartine, à dessein, renverse-t-il l'ordre réel des événements? Dans ses *Mémoires*, il place sa liaison avec Julie Charles *après*
son aventure avec Mme de Larche).

C'est tout juste bon pour me faire nommer député! » Un monsieur complexe, Lamartine. Toujours est-il qu'Ollivier, en 1906 (il ne mourra qu'en 1913), avait autorisé Doumic à faire état, sans réserve, des mots qu'il avait entendu, disait-il, Lamartine en personne, prononcer devant lui à propos de Graziella : — Morte d'amour, la petite? Plaisanterie, cela va de soi! Et Doumic publia la chose, le 15 février 1906, dans la grave *Revue des Deux Mondes*.

Autrement dit, jusqu'à présent, nous voilà plutôt perplexes. Une seule continuité, dans les diverses affirmations de Lamartine : oui, Graziella a bien existé; oui, j'ai eu autrefois, à Naples, une aventure d'amour qui a laissé sur moi sa marque.

La publication, en 1873, de la *Correspondance* du poète sembla donner raison aux douteurs. Pas une fois, dans ces lettres, le nom de l'Italienne; en revanche, d'inquiétantes précisions de dates et quelques compléments d'information, eux aussi troublants.

Lamartine n'avait point « dix-huit ans », mais vingt et un ans lorsqu'il se rendit à Naples pour la première fois. Il était arrivé dans la ville le 28 ou le 29 novembre 1811 (son *Carnet de voyage*, publié en 1908, attestera que, le 1er décembre 1811, il est déjà à Naples depuis deux ou trois jours); le 8 décembre, il prépare son excursion au Vésuve; le 15, il écrit : « J'arrive d'Herculanum »; le 28 : « Je vis seul, partout seul, avec mon domestique et un guide. Je suis monté seul au Vésuve [...]. Je suis allé seul à Pompéi, Herculanum, Pouzzoles, partout. » Virieu n'est toujours pas là, et Lamartine, « sans le sol et avec des dettes », le presse d'accourir. Le 14 janvier 1812, il annonce à son camarade : « Je ne suis plus à l'auberge. J'ai pris un petit appartement chez un de mes parents que j'ai trouvé ici [...], M. Dareste de La Chavanne, directeur de la manufacture royale des tabacs, à *San Pietro martyr*, près de la Marine. » Le 22 janvier, Virieu se fait toujours attendre, mais il est sur le point d'arriver (« j'espère t'embrasser dans deux jours »); Lamartine, cependant, a découvert les plaisirs du jeu :

« Je viens de me mettre à jouer. » Dans la pensée du jeune homme, lorsque son ami l'aura rejoint, ils ne passeront que « quelques jours » à Naples et s'empresseront de gagner Rome : « *J'ai tout vu* », à Naples, et, « *sans l'espoir de te voir arriver, il y a longtemps que j'aurais secoué la poussière de mes pieds.* »

D'où il suit :

1º Que Lamartine et Virieu n'ont aucunement passé, comme dans *Graziella*, l'été à Naples, et sur mer du matin au soir.

2º Que la fuite de Graziella, soit de chez elle, comme dans le roman, soit de la manufacture, comme dans les *Mémoires*, ne se situe, si elle eut jamais lieu, ni au retour de l'excursion faite par Lamartine au Vésuve, ni pendant cette excursion, puisque c'est dès les premiers jours napolitains, et alors qu'il vit constamment « *seul* », que Lamartine remplit cette obligation touristique.

3º Qu'aucun amour, de toute évidence, n'attache encore Lamartine à Naples *à la fin de janvier* 1812, attendu qu'à cette date il n'a qu'une envie : en sortir.

4º Que Virieu ne *revint* point, à l'improviste, comme dans *Graziella* et dans les *Mémoires*, contraindre son ami à le suivre en France, pour la bonne raison que les deux jeunes gens, une fois réunis à Naples vers le 25 janvier, ne se séparèrent *qu'à Rome*, au début d'avril, — à Rome et non à Milan; et ce n'est pas Virieu, c'est Lamartine qui rentre en France le premier.

Plus de lettre à Virieu, ni à personne, dans la *Correspondance*, jusqu'au printemps. Un billet, sans date, de Florence; puis un message du 24 avril 1812. Ce 24 avril, Lamartine est à Milan depuis « *douze ou treize jours* ». Virieu, malade, a dû rentrer à Rome. Quand avaient-ils quitté Naples? Vraisemblablement dans la première semaine d'avril. Et Lamartine avait-il réellement été rappelé par sa famille? C'est peu probable. Lisons plutôt : « *Milan, 24 avril* 1812. [...] *A mesure que je me rapproche* [de la France], *on me dit qu'il serait beaucoup plus prudent de m'éloigner. Mon père pense peut-être de même* [...]. *Je vais peut-être retourner à Rome.* » Pourquoi? La conscription; les levées d'hommes prescrites

par l'Empire, gros consommateur de soldats. A Milan,
Lamartine reçoit de son père une lettre apaisante : il
« *ne m'ordonne point de rester en Italie* »; « les réformés,
et surtout ceux qui ont des numéros aussi éloignés que
le mien, ne marcheront pas même dans le premier
ban »; on peut donc, pour l'instant, rentrer sans péril
au pays. Le Journal de Mme de Lamartine contient ceci :
« *7 mars 1812. Alphonse a dû partir de Naples le
1er décembre.* » S'il n'en est parti qu'un mois plus tard,
c'est vraisemblablement que sa famille lui avait donné
le conseil et les moyens, de prolonger là-bas son séjour,
pour des raisons de sécurité.

Et comment est-il, côté cœur, en quittant Naples?
Déchiré, sanglotant? Assez peu. Certes, il signale que
ses relations de Florence lui ont trouvé, au passage,
mauvaise mine : « changé, maigre et jaune ». Mais c'est
tout naturel, en revenant du Sud. Quel délice que l'air
de Florence, si pur, après les miasmes de celui « de Rome
et même de Naples! » En ce mois d'avril 1812, Lamartine fait des vers comiques; il vient d'ajouter « deux
ou trois cents vers *excellents* » à une *Satire sur le jeu*
que Virieu a vu naître. Il a, en outre, « un appétit
d'enragé » et s'est offert, depuis Rome, en quinze jours,
« dix ou douze indigestions ». Il interroge, le 24 avril,
son camarade : « *M. Dareste a-t-il écrit?* Envoie le tout à
Mâcon » et, pour rester sur le même sujet, secrètement
féminin, il poursuit : « A propos de Mâcon, je n'ai encore
pris aucun parti, formé aucun plan *relativement à ma
grande affaire* », la « grande affaire » Henriette Pommier. Une fable, par conséquent, cet échange de lettres
qu'il nous raconte dans ses *Mémoires*. Pas réglée du tout,
la question du mariage possible; et même un sérieux
souci. Enfin, on verra. Lamartine se propose d'y penser
« demain, en voiture », pendant qu'il roulera vers le
Simplon et Lausanne, « *si* » du moins, ajoute-t-il, « *une
aimable et grosse Suissesse qui va à Saint-Maurice avec
moi* [est-ce la « servante » des *Mémoires*, qui prit si
« grand soin » de lui?] *m'en laisse le temps* ».

Difficile, on le voit, de regarder cette curieuse lettre
du 24 avril 1812 comme le témoignage d'un désespéré.
De Lyon, le 4 mai — il sera le lendemain à Mâcon —
Lamartine fait part à Virieu de ses embarras : « Je veux

me conduire avec le plus de circonspection et en même temps de délicatesse possible. Mais qui sait comment cela se renouera ou se dénouera? » Par une lettre du 27 mai, nous saurons que cela s'est « dénoué », en effet; les Pommier l'ont prié de leur rendre les lettres qu'il avait reçues de leur fille, bien que, reconquis sans doute, il eût parlé devant elle « *comme je parlais avant mon départ, comme un amoureux parle toujours* ». (Henriette épousera, le 25 août 1813, un M. Leschenault du Villard.)

Le 1ᵉʳ mars 1813, au château de Cormatin, vient au monde ce petit Léon de Pierreclau dont Lamartine — il aura vingt-trois ans en octobre — est le père; l'arithmétique permet de déduire que Nina, mère de l'enfant, avait donc, dès la fin de mai 1812, une intimité fort étroite avec l'ex-fiancé d'Henriette Pommier, retour de Naples, via Rome et Milan, depuis le 5 du même mois.

Et si la *Correspondance* du poète, telle du moins qu'on nous la laissait lire depuis 1873, évoquait encore, çà et là, son séjour de 1811-1812 aux rivages parthéno-péens, c'était de la façon que voici : 18 avril 1813, à Virieu, de Paris : « Longchamp a été peu magnifique; *cela ne valait pas, à beaucoup près, les filles de Tolède et de Capo di Chino.* » Tolède? Comprendre : la rue de Tolède, à Naples, célèbre par ses prostituées (« il y a de charmantes femelles [à Naples], et pas cher, écrira Flaubert à Louise Colet, le 24 avril 1852, et celles-là sont aussi poétiques *dans la rue de Tolède que sur la Margellina* »); 13 juillet 1820, de Rome, à Mᵐᵉ de Rai-gecourt : « Nous allons tomber à présent dans le pays de la pure et brutale volupté. Naples ressemble plus à l'Asie qu'à l'Italie; *il n'y a que les délices du corps.* »

Hum, n'est-ce pas? *Graziella*, dans un tel contexte, fait assez piteuse figure. Un conte bleu, pour provinciales. Du Forbin revu et corrigé.

Ce fut en 1925 que, sans bruit, tout se mit à changer. Dans le coin d'un modeste article où l'érudit lyonnais Camille Latreille rassemblait quelques inédits lamarti-niens (*Revue de France*, 15 juillet 1925), un nom tout

à coup surgissait, et au sein d'une phrase qui en disait
long.

M. Latreille avait retrouvé à Saint-Point une épreuve
d'imprimerie, un rebut de la *Correspondance.* Sur cette
épreuve de trois pages, que j'ai étudiée à mon tour, des
vers, et la fin d'une lettre à Virieu. Valentine avait
finalement écarté cela de son édition, soit parce qu'elle
ne savait où le mettre et qu'en faire, soit, plutôt, pour
une autre raison. Les vers s'intitulent « *Élégie sixième* »;
puis viennent ces mots qui s'y enchaînaient directement : « Qu'en dis-tu? Autant mourir là qu'ailleurs et
*être enterré sous quelque oranger de Resina auprès d'Anto-
niella que dans les cimetières de mon froid pays.* » Pas de
date, mais une certitude : ce bout de lettre de Lamartine
à Virieu est antérieur à 1820.

Un événement, exactement un événement dans
l'histoire littéraire, cette trouvaille faite à Saint-Point
en 1925. Deux grosses nouvelles nous étaient assenées
à la fois : la Napolitaine avait bien existé; et elle était
morte avant que Lamartine ne fût célèbre. Ce nom
d'Antoniella, glissé comme subsidiairement dans les
Mémoires, c'était le bon. Et peu importait qu'une
Graziella eût vécu, c'est possible, chez Dareste, aux côtés
d'Antoniella; c'était elle, Antoniella, que Lamartine
avait aimée. Alors s'expliquait ce titre donné par le
poète au dernier roman publié par lui, en 1867, dans
l'indifférence générale : « *Antoniella* »; et prenait un
sens également le prénom qu'il avait introduit, en 1849,
dans *Raphaël.* Au moment où il allait lancer ce livre,
il s'était aperçu, ou on lui avait signalé, qu'affectant de
n'y point relater sa propre histoire mais celle d'un autre,
il devait en bannir ces syllabes : « Graziella », qui
figuraient, trois fois, dans son manuscrit de 1847 (ch. v,
viii et xxix). Et quel nom de remplacement avait-il
choisi? « *Antonine.* » Lamartine ne mentait donc point
lorsqu'il parlait de *Graziella* comme d'un récit « *vrai
au fond* », et, s'il a dit à Ollivier ce qu'Ollivier prétend
avoir recueilli de sa bouche, c'est à lui, pas à nous, qu'il
aura menti.

Cette *Élégie Sixième,* qu'est-ce qu'elle raconte?
« *Un jour* », un jour qu'il était assis « *sur les rochers* »,
avec Antoniella — le soir tombait; les vagues « *reten-*

tissantes » venaient battre la côte — Antoniella s'est
mise à pleurer. Tu vas partir, lui dit-elle; je le sais;
je le sens; « *l'ambition* » t'attire; « *un désir* » te tourmente;
tu veux conquérir la gloire, une grande position dans
le monde; rien ne te retiendra, ni mon amour, ni « *l'amour
de ta mère* [1] ». Eh bien, va-t'en, insensé! Tu reviendras,
dis-tu? Trop tard. Tu n'embrasseras plus jamais ta
mère, et moi aussi je serai morte. Sous le travestis-
sement lyrique, Antoniella, débaptisée, se nomme
Elvire. Et voici que s'éclairent les raisons du choc
qu'avait éprouvé Mme Charles à la lecture des poèmes
composés par son amant pour celle qui l'avait précédée
dans son cœur. M. Doumic nous a fait connaître [2] la
lettre bouleversée qu'adressa Julie Charles à Lamartine le 1er janvier 1817. Lamartine lui avait confié,
sur sa demande, le petit recueil d' « élégies » qu'il avait
constitué. (Le 28 juin 1816, il disait à Vaugelas qu'il
« comptait » le « *faire imprimer* », ce recueil, « *incessamment* »); « *quatre petits livres d'élégies en un petit volume* ».
Ce sont ces poèmes que Mme Charles a « *dévorés* »; ils
sont pleins d'amour pour une « Elvire » ensevelie. Et
Julie, secouée d'un frisson, se demande si elle est capable
de lutter, telle qu'elle est, contre cet ardent souvenir
dont elle imagine « *son* » Alphonse ravagé. « *Oh! mon
Alphonse, qui vous rendra jamais Elvire? Qui fut aimée
comme elle? Qui le mérita autant? Cette femme angélique
m'inspire, jusque dans son tombeau, une terreur religieuse.* »

On devine, on ne devine que trop, ce que Lamartine avait dû, pour l'émouvoir, développer devant
Mme Charles sur son douloureux passé, lorsque, dans le
désœuvrement d'une cure, à Aix-les-Bains, au mois
d'octobre 1816, il avait entrepris la conquête de cette
parisienne. L'Antoniella qu'il avait évoquée alors, de
façon poignante, n'était certes pas la même qu'avait
connue Virieu; c'est une autre Antoniella, plus « *angélique* » encore, sans doute, que Lamartine décrira à sa

---

1. J'ai lu, et par deux fois, à propos de ce texte, sous la plume
de commentateurs, cette étrange assertion : qu'Antoniella, à la façon
de Julie Charles (ou de Mme de Warens) se déclarait, ici, au figuré, la
« *mère* » de son ami. Contresens total. Rien de pareil dans ce document.

2. *Revue des Deux Mondes*, 1er février 1905.

jeune épouse, en 1820; et c'est une troisième Antoniella,
perdant, cette fois, jusqu'à son nom, qu'il inventera,
en 1844, à l'usage non seulement de la foule, mais aussi
de cette nièce, Valentine, qui est avec lui à Ischia, qui
l'admire, qui le vénère, et à laquelle il va bientôt dédier
cet énorme mensonge : « *Je n'ai aimé qu'en Dieu dans
ma belle jeunesse* » (16 août 1847). Nous avons donc, avec
l'*Élégie Sixième*, une de ces pièces que Julie Charles lut
et relut, dans la souffrance, — ces mêmes pièces dont
Lamartine, en juin 1816, disait à Vaugelas : « *ce ne sont
encore que des études, des bagatelles, juvenilia ludibria* ».
Mais nous en connaissons d'autres. Lamartine en avait
glissé au moins quatre, et peut-être cinq, et peut-être
six, dans ses *Méditations*, premières et secondes. Le
« commentaire » de 1844 désigne expressément « *A
Elvire* », « *Le Golfe de Baïa* » et « *Tristesse* » comme
appartenant au cycle napolitain. Sur *Tristesse* : « *Lisez*
Graziella [...] *c'est la clef de ces vers. J'avais vingt ans;
j'avais quitté Naples et la maison du pêcheur; j'avais
laissé sur le bord de cette mer la jeune fille que j'aimais.
J'ignorais encore qu'elle fût morte. J'étais à Paris, dans
la dissipation et le jeu. Je me trouvais un jour, seul,
dans le jardin du Luxembourg, le long de ce petit mur à
hauteur d'appui qui séparait ce jardin du terrain, alors
inculte, des Chartreux* [etc...]. » *Sur Le Golfe de Baïa* :
« *Ces vers faisaient partie d'un recueil que j'ai jeté au feu* »;
des vers « *écrits à Naples* »; « *mon ami Aymon de Virieu
avait, par hasard, conservé une copie de cette élégie,
et me la remit au moment où je faisais imprimer les* Méditations ». Sur la pièce « *A Élvire* » : « [...] *souvenir de la
jeune fille napolitaine dont j'ai raconté la mort dans les*
Confidences »; « *ces vers faisaient partie d'un recueil,
en deux volumes, de poésies de ma première jeunesse, que
je brûlai en* 1820 [...] ». Ce n'est pas tout. La pièce
« *A El...* », des *Nouvelles Méditations*, Lamartine pré-
tendra, en 1844, qu'elle « *se rattache au temps* » dont il
a « *donné le récit dans* Raphaël ». Certainement pas.
Il en existe un manuscrit daté « 1815 », et par conséquent
antérieur à la rencontre avec Julie Charles. Et « *L'Hymne
au Soleil* » des premières *Méditations* (« *Conduis-moi,
chère Elvire, et soutiens ton amant...* »), ces vers dont le
« commentaire » déclare qu'ils furent écrits par le poète

« *à dix-huit ans* », eux aussi, je le crois, sont nés de l'aventure italienne. Deux fois, en effet, observons-le, dans la pièce « *A Elvire* » et dans « *L'Hymne au Soleil* », deux fois la même situation : un jeune homme, malade, et une Elvire près de lui, ou qui supplie le ciel pour qu'il se rétablisse, ou qui « *soutient* » ses pas chancelants. Et *Graziella* relate — sans s'y étendre — une maladie traversée par Lamartine à Naples. « *Le Temple* », enfin, nomme une Elvire également, une Elvire qui n'est pas Julie Charles, qui ne saurait être Antoniella, et sous laquelle j'incline fort à deviner la petite Henriette. Elvire, c'est l'être féminin, à qui le sort confère des visages successifs; c'est « l'autre », la bien-aimée, la messagère. Marianne Birch, légitime épouse d'Alphonse de Lamartine, sera Elvire à son tour, un moment.

Julie Charles a lu de ses yeux, dans l'*Élégie Sixième*, un vers qui ne lui permet pas de se méprendre sur les liens qu'avait tissés la chair entre l'Elvire italienne et l' « enfant » auquel elle-même s'est donnée :

Dans la longueur des nuits, sur le sein d'une amante...

Ainsi parlait naguère celle qu'elle a remplacée, mais dont elle craint d'être impuissante à conjurer jamais le fantôme. Et voici, que le 1er janvier 1817, Virieu lui rend visite. Tout éperdue de ce qu'elle vient de lire, Julie l'interroge, fiévreusement, sur la Napolitaine, et ce qui se produit la laisse interloquée. Les « éloges » extrêmes qu'elle faisait d'Elvire et de ses « touchantes vertus », Virieu les lui avait coupés net. — « *Oui*, avait-il tranché, en homme de sens qui tient à ramener les choses à leurs vraies dimensions, *oui, c'était une excellente petite personne, pleine de cœur, et qui a bien aimé Alphonse.* » Julie en est « demeurée confondue » (elle raconte l'incident, dès le lendemain matin, à Lamartine); puis une espèce d'indignation l'a prise. Comment Virieu pouvait-il s'exprimer en des termes à ce point « ordinaires » sur cette immolée! Julie n'a pu se retenir : « Mais elle est morte d'amour, la malheureuse! Elle aimait Alphonse avec idolâtrie! Elle n'a pu survivre à son départ! » Virieu, à ces mots, entrevoit brusquement la transpo-

sition dont son camarade a jugé bon de parer, pour
Mme Charles, la fin de son aventure. Lamartine n'a fait
à Virieu la leçon que sur un point seulement (et c'est
en 1942 que nous l'avons appris, lorsque, grâce à
M. de Luppé, les lettres à dessein omises et les passages
censurés de la *Correspondance* sont enfin sortis des
ténèbres). Le 16 décembre 1816, Lamartine a recom-
mandé à son ami, qui va rencontrer Mme Charles :
« *Si elle te parle d'Antoniella, ne lui dis pas qui elle était.* »
Mme Charles, qui est « du monde », doit ignorer absolument la condition basse de l'Elvire à laquelle elle succède.
Une ouvrière! De quoi lui donner un haut-le-corps.
Étrange compagnie que lui inflige en son cœur cet
amant qu'elle croyait bien né. L'inconvenance est tout
de même bien forte... Virieu a été parfait, comme toujours. Il n'a *découvert* en rien le camarade, laissant
entendre, je suppose, ce qui allait de soi : qu' « Elvire »
appartenait à la société la meilleure. Mais pourquoi
son ami Alphonse ne l'a-t-il pas associé à l'affabulation
complète? Il lui a dit qu'Antoniella s'était éteinte,
« *de la poitrine* », vers le début de 1815, et que lui-même,
Lamartine, n'en avait été informé qu'au mois d'avril
1816 (Virieu, à cette date, était au Brésil); pourquoi
a-t-il fait la sottise de lui cacher l'arrangement littéraire qu'à l'intention de Mme Charles il a tiré de ce
trépas? Où Virieu n'a vu jusqu'ici qu'une consomption
de poitrinaire, il s'aperçoit qu'il aurait dû saluer, selon
la version officielle, l'agonie d'une amoureuse-martyre.
Il fait ce qu'il peut, en toute hâte, pour réparer sa bévue;
il dit qu'il n'était pas au courant, que c'est la faute de
son voyage au Brésil, que ses yeux s'ouvrent, à présent,
sur l'incomparable grandeur d'Elvire. « Votre ami, écrit
Julie Charles, parut regretter d'en avoir parlé légèrement et finit bien, *surtout quand il apprit comment elle
avait terminé sa vie,* par lui reconnaître des qualités;
mais l'impression était faite. » Mme Charles a senti une
main lui serrer le cœur. Est-ce que par hasard?... Est-ce
que tout cela?... « Retour sur soi-même », dit-elle.
Julie s'est demandé, une seconde, comment Lamartine
parlerait d'elle, avec Virieu, lorsqu'elle-même ne serait
plus là.

Alors? La vérité sur « Graziella »?

Les révélations de 1942, jointes à tout le reste, permettent à peu près d'y voir clair.

Le 20 janvier 1813, Lamartine écrivait à Virieu : « Je ne sais rien de Naples. M. Dareste et *son Antoniella* ont beau m'oublier, je ne puis, moi, oublier le ciel et la mer de Chiaia. » « *Son* » Antoniella? Alarmant, ce possessif. M. Dareste, dans les *Mémoires*, n'est plus le « vieux parent », presque invisible, qui traversait la scène, une seconde, dans *Graziella*. M. Dareste, en 1866, prend consistance; c'est un homme « de quarante à cinquante ans », d'une « figure joviale » et qui a dû « laisser sa femme en France » pour y veiller à l'éducation de leurs enfants. Excellent mari, du reste, les *Mémoires* y insistent, et qui souffre beaucoup de cette séparation. Est-il aberrant, est-il criminel de penser que ce gentilhomme de belle humeur ne se fit point grief, peut-être, d'une liaison sans conséquence avec une indigène, et par surcroît son employée? Les *Mémoires* avouent qu'Antoniella est « familière » avec son patron, et quand Dareste la présente au petit cousin : « — C'est une bonne fille », dit-il. « *Familiarité* », « *bonne fille* », « *son* Antoniella », tout cela invite à quelque rêverie [1]. Remarquons aussi la manière dont le « nom chéri » de l'Italienne est amené par Lamartine dans ses vers du *Passé* (1822) : immédiatement après l'évocation des « beautés crédules ou volages » que Virieu et lui, jadis, entraînaient sur l'eau, à Naples, en parties carrées. Les deux adjectifs à la fois, peut-être, pour Antoniella; « *volage* » parce qu'elle a *volé* de M. Dareste à lui-même; « *crédule* » parce que Lamartine, pour la convaincre d'être avec lui sans dureté, lui aura murmuré à l'oreille ces paroles usuelles et chaudes où le désir met plus d'amour qu'il n'y en a. « *Mener le roman à bonne fin* », comme le lui conseillait Virieu... Lamartine, pour y parvenir, n'a

---

1. Un travail inédit, dû à M. Charmeil et consacré à la famille Dareste de la Chavane (avec un seul « n »), éclaire assez bien la physionomie du parent de Lamartine. Antoine Dareste, né le 7 mars 1760, mort le 17 décembre 1836, avait cinquante-deux ans en 1812, et M. Charmeil tient pour très probable qu'Antoniella fut sa maîtresse. (Renseignements communiqués par M. J. Pasquier, directeur de l'Institut Français de Naples.)

pas à pousser beaucoup ses avantages; d'un côté, ce
quinquagénaire hilare, le patron (on est sa maîtresse
parce qu'il le faut bien); et de l'autre ce nouveau venu, et
qui n'est qu'en visite, ce jeune homme beau comme un dieu.

A quoi ressemblait la jeune fille, cela même nous le
savons aujourd'hui. Le 2 avril 1819, à propos d'Albertine de Broglie qu'il vient de rencontrer, Lamartine,
tout ému, dit à Virieu : « As-tu remarqué *à quel point
c'est le portrait d'Antoniella pour le port, les yeux, presque
tout?* » Mais Albertine (fille de Constant) est rousse,
comme son père, et elle a les yeux bruns. Et après?
L'important est que nous avons maintenant, de ce
qu'était Antoniella, au physique, une idée approxima-
tive et garantie : le portrait du baron Gérard nous montre
Albertine à vingt-deux ans.

Et de l' « Episode » lui-même, que peut-on retenir
qui ait chance d'être véridique? Une chose au moins,
sûrement : la maladie de Lamartine. Pudique au suprême
degré, bien entendu, le récit de *Graziella*. La jeune fille
ne serait restée qu'un seul jour, et même seulement
« une partie du jour », au chevet du fiévreux. (« Elle
m'acheta des oranges; elle en mordait l'écorce avec
ses dents pour l'enlever... ») Mais, au vrai, quelle
occasion, ce tête-à-tête, si facile à renouveler, sous le
même toit, dans cette chambre où le jeune homme est
couché et où la contre-maîtresse-intendante, toute
dévouée, comme il convient, au cousin de M. Dareste,
le comble de prévenances, « *sans crainte, sans réserve
affectée, sans fausse pruderie* » (IX, VI)! Je croirais assez
également, à l'amulette accrochée, « avec une épingle »
au rideau du lit, cette médaille qu'Antoniella a enlevée
de son cou d'où elle pendait, « par un cordon noir »,
entre ses seins. Et j'ai bien peur aussi que Lamartine
n'ait dit vrai à propos du déguisement : Antoniella,
« *pour m'apparaître tout à coup plus de mon espèce* », dit
Lamartine, s'est habillée en jeune Française « à la mode »
(robe moirée, ceinture rose, souliers de satin), mais si
gauchement que le gentilhomme étouffe mal un rire. Coup
de couteau. Elle éclate en sanglots : « Je croyais qu'en
changeant d'habits je ne te ferais pas tant de honte, un
jour, si *je te suivais dans ton pays* » (X, XXXI). Le suivre
à Mâcon! Elle en a de bonnes, la petite prolétaire!

Il y a aussi, dans *Graziella*, un aveu qu'on n'y remarque guère, à peine indiqué, en effet, mais qui est là pourtant. Lamartine est un écrivain-né. A l'époque de son voyage en Italie, il compose des tragédies; il médite même une épopée; ses lettres à ses amis sont pleines de « poésies légères »; et chacun sait que « les passions » sont nécessaires au talent, qu'elles sont l'aliment même du génie. Rouvrons *Graziella* : « ces nuits tièdes et lumineuses [du golfe de Naples] me semblaient une des plus mystérieuses voluptés de la nature qu'il fallait surprendre et connaître, *ne fût-ce que pour les raconter* » (VII, iii); et plus loin : pourquoi étais-je là? « pour recueillir des impressions, des sentiments, des idées *que nous écririons peut-être ensuite en vers* » (VII, ix). Une liaison à Naples, voilà de quoi l'inspirer! Les filles de la rue de Tolède n'ont que leur corps — fort agréable. Mais cette fille-là, de chez Dareste, visiblement est une sentimentale; avec elle, aux délices des sens se joignent les transports du cœur. Comme cela devient intéressant! Intéressant et dépourvu de tous les risques dont ne manquerait pas de s'alourdir une aventure avec une dame, ou, pis encore, une jeune fille de la « société ». Antoniella, ce n'est rien. Ce qui n'est pas « du monde » — les mots mêmes le disent — est comme s'il n'existait point. Utilisable, mais dénué de réalité; il suffit, pour l'abolir, d'en détourner les yeux. Qui sait si dans son ultime roman, *Antoniella*, Lamartine ne nous a pas livré ce que la Napolitaine lui avait confié de sa propre histoire? Ces secrets, plus ou moins noircis ou embellis, peut-être les lui avait-elle révélés pour qu'il ne la méprisât pas trop d'être ce qu'il la voyait; la sinistre enfance qu'elle a eue; sa mère qui meurt lorsqu'elle est encore toute petite; son père, un cordonnier qui boit; on l'a violée, à peine pubère; la police l'a jetée dans une maison de correction. Bien possible que ces détails, qui viennent du roman portant pour titre le prénom même de celle qui fut l' « Elvire » de Naples, constituent le *curriculum* d'Antoniella et sa fiche signalétique. *Graziella* nous aveugle au moyen de cette poudre-aux-yeux, d'or et d'azur, que Lamartine aime à répandre. Mais, à bien regarder, protégeant nos paupières, c'est dans *Graziella* tout de même qu'apparaît ceci, tout à

coup, brutal : la vue qu'on a de la masure où vivent les
grands-parents de la jeune fille; c'est la mer, sans doute,
au loin, mais, au premier plan, l'affreux paysage, « *vul-
gaire et livide, des faubourgs d'une grande ville* » (IX, ix).

Le mot qu'il ne fallait pas dire, Lamartine l'a dit;
il l'a dit à Virieu, de qui c'est le langage; tous deux,
Lamartine et lui, sont gens de bonne compagnie;
27 mai 1812 : « Je n'ai aucune nouvelle de Naples. Je
suis en peine de cette pauvre petite Antoniella. Je ne
retrouverai peut-être jamais un cœur comme celui-là.
Où diable va-t-il se nicher? » Le cœur est le privilège
des personnes distinguées. Inadvertance du sort, un
cœur sensible dans ce néant qui n'est pas « le monde ».
Il en résulte des complications comme celles dont
auraient pu souffrir, plus tard, les rapports, avouables
ceux-là, du jeune Alphonse de Lamartine et de sa
maîtresse, Mme Charles, au brillant salon parisien.

Dargaud, qui vécut trente ans dans l'intimité de
Lamartine, l'avait-il interrogé sur « Graziella »? Qu'il
ne l'eût pas fait serait peu croyable. Cette phrase inédite,
tirée de ses *Mémoires* (j'en dois la communication à
M. Jean des Cognets), atteste qu'il avait compris :
Graziella? « une jeune fille de Naples qui devint sa
maîtresse et qu'il abandonna comme un étudiant
abandonne une grisette, ou comme un fils de l'aristo-
cratie abandonne une fille du peuple » (*Mémoires manuscrits de Dargaud : p.* 63). Ce livre cependant, cet
« Episode » écrit en 1844, et dans lequel Lamartine
prend avec l'histoire vraie tant de libertés poétiques,
ne serait-ce pas un peu, tout bas, une réparation?
Car le gros aveu y est lâché : celui qui était inconcevable, naguère. Et je sais bien que 1844 n'est pas
1812, ni 1816; qu'en 1844, parallèlement à *Graziella*,
Lamartine bâtit ses *Girondins*, qu'il est député d'extrême-gauche, qu'il prépare son avènement et que ce n'est
pas mauvais pour sa popularité d'avouer qu'autrefois,
jeune homme, il a aimé une ouvrière. Mais loin de se
glorifier de sa conduite, loin d'offrir à l'admiration des
électeurs sa belle absence de préjugés sociaux, il s'accuse
au contraire, et avec loyauté. Il avait dit à l'ouvrière :
« Graziella, Dieu me garde du jour où j'aurai honte de
ceux qui m'aiment » (IX, v). Et ce jour était venu,

et il avait renié l'ouvrière. Et il en fait la confession
publique et courageuse : rentré en France, « je n'aurais
pas osé avouer sans rougir et sans m'exposer aux
railleries quels étaient *le nom et la condition* de l'objet
de mes regrets[...]. Cet amour, qui enchantait mon cœur,
humiliait mon respect humain ». (X, xxxiv.)

Qui « enchantait son cœur »? Faible enchantement.
Cette date du 27 mai 1812, à laquelle il adresse à Virieu
les mots que nous avons cités, c'est, à deux ou trois
jours près tout au plus, celle où fut conçu, par ses soins,
l'enfant qui s'appela Léon de Pierreclau, et sept mois
plus tard, le 6 janvier 1813, il ne cache point au même
Virieu qu'une « *jolie petite actrice* » fait alors son bonheur;
« elle m'aime aussi à la folie »; absurde, n'est-ce pas?
Mais « *il faut que j'aime, n'importe qui;* cette nouvelle
passion, si le mot est juste, dure depuis deux mois;
depuis deux mois elle augmente et la jouissance la plus
assidue n'y fait rien ».

Antoniella, si facilement quittée, trahie si vite, et
dont tant de femmes (on en voit distinctement *cinq*
avant Julie Charles; et il y en eut bien d'autres), tant
de femmes ont pris la place entre ses bras, Antoniella
pourtant n'est pas oubliée. Elle ne le sera jamais. « *Toute
ma vie je la regretterai et j'ai quelquefois les larmes aux
yeux en pensant à elle.* » De quand cette confidence-là à
Virieu? Du 27 mai 1812, dans la lettre du haussement
d'épaules ricaneur, la dame du moment étant une
châtelaine. Et si la phrase sur le « cœur » drôlement
« niché » avait un arrière-sens que Lamartine garde pour
lui? Si elle n'était pas seulement basse et odieuse? Si
c'était un gémissement. Si cela voulait dire, tout au
fond : est-ce bête, hein, est-ce bête qu'une telle vérité
de sentiments, qu'une telle et si rare puissance d'aimer,
dans le don total de l'âme et l'absolu désintéressement,
me soit apparue chez cette femme inépousable, non pas
seulement qui travaille pour vivre, mais victime d'un
pareil passé!

Lamartine ne sait pas encore qu'Antoniella est morte
quand il est l'amant, en 1815, au bord d'un lac, d'une

autre fille qui rame pour lui comme faisait la Napolitaine; puis il apprend, au printemps de 1816 — par une
lettre de M. Dareste, je pense — qu'Antoniella n'est plus
qu'une ombre, et cela déjà « depuis quinze mois ».
Et tout n'est pas *littérature* dans les vers qu'il écrit
alors en souvenir du tendre corps à présent dissous, de
cette âme en allée, qu'ici-bas il a fait souffrir. Julie
Charles (de nouveau, dans sa vie, pour la troisième fois,
une barque, le mouvement des rames, mêlés au trouble
du désir), Julie Charles le bouleverse plus que n'a fait
Antoniella elle-même; peut-être à cause de la mort
qui s'approche d'elle, comme s'il était voué à n'aimer
d'amour que des femmes qui vont mourir; mais voici
Antoniella nommée dans deux lettres à Virieu de 1819;
la voici, présente et cachée, dans les premières *Méditations;* la voici, avec *Le Passé*, dans les *Nouvelles Méditations;* la voici, en octobre-novembre 1829, brusquement reparue. Lamartine vient d'entrer, le 21 octobre,
dans l'année de ses quarante ans; il est à Montculot,
près d'Urcy, dans ce triste château que lui a laissé son
oncle, l'ancien prêtre; un grand vent noir souffle sur la
forêt et dans son cœur; finie, sa jeunesse; c'est l'âge,
comme dira Céline, « où l'on n'a plus en soi assez de
musique pour faire encore danser la vie »; Lamartine
se repaît de songes et de nostalgies; et qui évoque-t-il?
Pas Julie, mais l'Italienne, comme s'il savait maintenant
que ce fut là une félicité dont il ne retrouvera jamais
plus l'égale. Antoniella devient pour lui « *l'apparition
matinale et céleste* »; il se revoit, assis avec elle, « à
l'heure du réveil », devant le soleil et la mer, parmi les
« châtaigniers », dans l'air plein d' « odeurs », de « clique-
tis d'insectes » et de « cris d'oiseaux ». Il dit que l'amour
qu'il lisait dans ce regard, « plus doux que la mer et
l'aurore », était étranger à tout égoïsme, au point qu'il
ne pouvait le comparer qu'à celui dont il avait connu,
enfant, près de sa mère, la chaleur et le rassurement.
Il dit qu'un « immense élan », né de cette joie transfigu-
rante, ressuscitait en lui la ferveur éteinte et que l'idée
de Dieu lui revenait pour le « consumer »... Il transpose?
Il reconstruit? Il se figure, à quarante ans, que c'était
ainsi, jadis, alors qu'en vérité l'Italienne impure n'était
pour lui qu'un divertissement? Nous n'avons pas le

droit d'en décider. Et pour dire ma pensée tout entière,
je crois, quant à moi, que le Lamartine de 1829 ne se
trompe pas plus qu'il ne cherche à nous tromper. La
preuve que, par instants au moins, ce qui s'était passé
entre lui et cette Antoniella avait été autre chose, et
de son côté même, qu'un jeu, elle est inscrite dans
l'Élégie Sixième, où nous entendons pleurer la jeune
femme :

> *Dans la longueur des nuits, sur le sein d'une amante,*
> *Il est donc un bonheur que tu ne trouves pas ?*

Il faut nous résigner à voir un Lamartine vrai : ni
séraphin ni imposteur. « Je n'aime pas les écrivains de
métier, dira-t-il dans sa vieillesse; je les regarde comme
des comédiens qui jouent un rôle. » (*Cours familier de
Littérature ; Entretien* 116; août 1865.) Si peu qu'il ait
été un homme de lettres, si différent qu'il ait tenu à se
dire d'un « écrivain de métier », Lamartine a bien, malgré
tout, endossé un rôle, assumé, pour ses lecteurs, un
personnage. Les *Méditations* lui ont collé à la peau, et
il a « joué », trop souvent, la candeur. Une part de lui-
même était celle qu'il a dite. « Ma vie, confiera-t-il un
jour à Hugo, n'a été, jusqu'à vingt-sept ans, qu'un
tissu de dévergondages. » Il aurait pu dire : jusqu'à
trente. Mais dans ces assouvissements perpétuels, il
demeurait inassouvi. L'homme *du* désir, en vain, suivait sa pente; restait, toujours appelant, l'homme *de*
désir. C'est cela, dans notre misère, les cœurs purs;
ceux qui n'arrivent pas, quoi qu'ils fassent, à venir à
bout de leur âme. Lamartine n'eût pas été Lamartine,
il n'eût pas, dans son siècle, suscité cet ébranlement,
s'il n'avait pas été, sous tout ce pauvre et banal désordre,
un autre, en même temps, meilleur.

C'est l'autre, une fois de plus, en novembre 1829, qui,
dans *Novissima Verba* [1], pousse son cri de soif. C'est lui,
au mois de mai 1830, qui jette les strophes du *Premier
Regret* parce que, dans une église, le visage d'Antoniella,

---

[1]. La pensée de sa mère, curieusement, se mêle au souvenir d'Antoniella, dans cette pièce : nul ne l'avait aimé si fort, auparavant, sauf
sa mère. Et de même, dans *Raphaël* (xxix), sa mère, « Antonine »,
et Julie seront rapprochées, réunies.

une fois de plus, s'est levé vers lui. C'est lui, à cinquante-quatre ans, dans *Graziella*, qui essaie de se
rendre, pour s'enivrer de son délice, « ce vertige continu
d'une âme » qu'un premier amour arrache de la terre.
C'est lui, à soixante-seize ans, dans ses *Mémoires*, qui,
cherchant à « tout dire », enfin, s'arrête au seuil des
aveux : on ne comprendra pas, on se déroutera, on ne
croira plus l'essentiel, la seule chose qui compte, que
je l'aimais, cette fille marquée, cette fille violée et qui
couchait avec son employeur, et qu'elle m'aimait comme
personne peut-être ne m'a aimé depuis. Je le jure, dit-il,
je vous le jure, elle eut « *sur ma vie entière une influence
impérissable* ». (*Mémoires*, IV, III.)

Flaubert, au mois d'avril 1852, écrivait à Louise Colet :
« *J'ai lu Graziella. Le malheureux! Quelle belle histoire
il a gâchée là!* » Flaubert tempêtait : ces gens que
Lamartine met en scène, « *ce ne sont pas des êtres
humains!* » Quel « *parti pris* » idiot! Comment? « *Voilà
un gaillard qui vit continuellement avec une femme qui
l'aime, et jamais un désir! O hypocrite! [...]. Il y aurait eu
moyen de faire un beau livre avec cette histoire, en nous
montrant ce qui, sans doute, s'est passé; un jeune homme,
à Naples, par hasard, au milieu de ses autres distractions,
couchant avec la fille d'un pêcheur et l'envoyant promener
ensuite — laquelle ne meurt pas, mais se console, ce qui
est plus ordinaire et plus amer [...]. Oui, je le répète, il y
avait là de quoi faire un beau livre...* » Je ne suis pas
sûr que Flaubert, avec tout son talent autrement sagace
et ductile et « moderne » que celui de Lamartine, aurait
su réussir ce livre-là, parce que je ne suis pas sûr qu'il
eût bien deviné *tout*, parce que lui aussi, en sens inverse,
obéit à un « parti pris ».

Ce livre manqué, *Graziella* — et pourtant si célèbre,
longtemps si populaire, le best-seller lamartinien —
même ainsi, médiocre et puéril, et insoutenable d'invrai-
semblance, même ainsi, par endroits, il parvient encore
à nous atteindre, quand ce ne serait qu'avec ces lignes
où se devine un vague écho : « *Souvent, elle demeurait
immobile, le regard perdu vers l'horizon. Je lui demandai :
— Graziella, qu'est-ce que tu regardes donc ainsi, là-bas,
au bout de la mer? — Je vois la France, derrière des
montagnes de glace. — Et qu'est-ce que tu vois donc de*

*si beau en France? — Je vois quelqu'un qui te ressemble,
quelqu'un qui marche, marche, marche, sur une longue
route blanche. Il marche sans se retourner, toujours devant
lui, et j'attends, espérant qu'il se retournera pour revenir;
mais il ne se retourne pas. »*

Lena

Que la vie « sentimentale » de Lamartine ait été, comme on dit, orageuse jusqu'à son mariage, c'est ce dont nous sommes de longue date avertis. Les *Confidences* du poète, telles que nous les lisons aujourd'hui, évoquaient, en glissant (livres XI et XII), la « *dissipation* » de son adolescence : « *J'étais lié avec ce qu'il y avait de plus évaporé et de plus turbulent* [...] *dans la jeunesse de mon pays* [...]. *J'allais aux égarements par toutes les pentes.* » Mais les *Confidences*, avant de paraître en librairie, avaient été publiées, en feuilleton, dans *La Presse*. Du journal au volume, l'écrit changea de forme, un peu. Lamartine y fit des coupures, jugeant qu'il en avait trop dit, qu'il nuisait à son personnage, et que la pérennité d'un livre lui conseillait plus de prudence. Les deux paragraphes que voici, absents du volume, seuls en eurent connaissance les lecteurs du feuilleton : « *Je n'ai rien écrit sur ces trois années de ma vie où je vécus, loin de la maison paternelle, dans toutes les légèretés, dans toutes les dissipations, dans tous les désordres d'une jeunesse inactive, années qui ne laissent qu'humiliations et regrets à l'âge avancé et dont on écarte de soi les souvenirs comme une amertume des lèvres qu'on voudrait pouvoir oublier.* » Et ceci : « *Je n'aurais eu à écrire que des dérèglements, des fautes et des malheurs. Le jeu avait été ma principale occupation.* »

Il avait vingt et un ans lorsqu'il s'éprit de sa Napolitaine. A peine rentré au pays, on le sait, il devint l'amant de Nina de Pierreclau. Pour le faire échapper à la conscription, son père a obtenu du préfet qu'il soit nommé

13

maire de Milly. On n'a pas perdu de temps : Alphonse,
retour d'Italie, avait reparu à Mâcon le 5 mai; l'arrêté
de nomination est du 6. « *Du 6 mai 1812. Le Préfet de
Saône-et-Loire, en vertu de la loi du 28 pluviôse an 8 et
du décret du 15 avril 1806, nomme pour maire de la
commune de Milly M. de la Martine de Prat, Alphonse,
en remplacement de M. Duroussay, démissionnaire.* »
Signé : « *Roujoux* ». Tel un évêque d'ancien régime, ce
maire « *réside* » peu sur les terres qu'il administre.
L'année 1813 est sans doute celle de ses pires excès. Il
a réchauffé son hiver mâconnais, 1812-1813, dans la
compagnie « *d'une jolie petite actrice* ». D'avril à septembre 1813, il est à Paris, « *fort gai, fort animé* ». Le voici,
en juillet 1814, par la grâce de Louis XVIII, garde du
corps, et « *très vaniteux de* (son) *uniforme* ». (L'aveu est
dans ses *Mémoires* posthumes); « *tous les yeux me remar-
quèrent; quelques cœurs s'attachèrent à moi* » (*Ibid.*).
A son ami Fréminville, 25 janvier 1815 : « *Je m'abandonne moi-même. Je me laisse entraîner aux sots caprices
de mon cœur; je ne les combats plus* [...]. *Je flotte entre
l'ennui et le tourment des passions.* » Et deux lettres
inédites à Virieu, 15 et 29 janvier 1815, évoquent une
liaison qui traîne, avec une femme depuis dix ans mariée
à un monsieur qu'elle n'aime pas. Est-ce la dame?
Est-ce le jeu? Lamartine a dû avouer à sa mère — qui
se saignera pour lui aux quatre veines — une dette
énorme : 16.000 francs (disons 6 millions NF).

   Celui qui écrira les *Méditations* et les *Harmonies*, le
voici, inattendu, mais par lui-même dépeint, dans sa
Lettre à A. de Musset (1857), tel qu'il se revoyait, à
« vingt ans » :

> *Tous mes propos n'étaient qu'amère raillerie*
> *Je plaignais la pudeur comme une duperie*
> . . . .
> *Méprisant mes amours et les montrant du doigt*
> . . . .
> *Je détestais l'aurore en sortant des orgies.*

   Vint la rencontre avec Julie Charles, et la commotion
que l'on sait. « *Je suis maintenant dans l'accès de la
passion la plus violente qu'un cœur d'homme ait jamais
connue* [...]. *Ma vie est liée à celle d'une femme que je*

crois mourante [...]. *Nous avons été amants et nous ne sommes plus que des amis exaltés* [...]. *Nous ne voulons plus être que cela. Je te conterai à loisir les détails déchirants de toute cette histoire où il n'y a que des larmes* [...] » (Lamartine à Virieu, 12 décembre 1816.) Au même, deux ans plus tard, le 27 octobre 1818 (Julie, depuis dix mois, n'est plus de ce monde) : « *Je ne descendrai plus de la sphère où elle m'a ravi.* »

La « passion » nouvelle où se laissera prendre, cependant, Lamartine, naîtra peu de temps après. C'est à la fin d'octobre 1818 qu'il disait comprendre, si terriblement, « *le vide affreux de tout ce qui n'est pas Dieu* »; quatre mois n'auront point passé qu'il étreindra une autre femme. Cette aventure, dite « de la princesse italienne », peut-être sommes-nous en mesure d'en préciser ici quelques détails, et d'y ajouter un complément [1].

Six fois, dans les dernières années de sa vie, Lamartine parlera d'elle au public : trois fois avant la mort de sa femme (1863), dans les *Nouvelles Confidences,* d'abord, puis, dix et douze ans plus tard, dans les « Entretiens » LV et LVI du *Cours familier de Littérature* et dans ses *Mémoires politiques;* et trois fois encore, devenu veuf, en mars, puis en avril 1866 (Entretiens, CXXXII et CXXIV du *Cours Familier)* et dans l'Entretien posthume (CLX, avril 1869) où se profile, en silhouette fuyante, cette « *belle princesse romaine* » que Mme de Raigecourt, venant voir le poète, avant son mariage, croisait « *quelquefois sur son escalier* ». Tel paragraphe, aussi, des *Souvenirs* de Dargaud (partiellement révélés en 1913 par Jean des Cognets dans son beau livre : « *La vie intérieure de Lamartine)* est bien connu. « *La princesse avait beaucoup entendu parler de moi par mes amis* [...] *Elle vint de Rome* [sic] *à Paris pour me voir. Elle s'était munie de lettres qui m'étaient adressées. Elle*

1. En collaboration avec G. Roth, j'ai publié, jadis, dans la *Grande Revue* (septembre 1933) un article, « Lamartine et Mme de Larche », repris dans mon ouvrage de 1942, *Connaissance de Lamartine,* sous le titre « La princesse italienne », et que complète la présente étude.

*me donna rendez-vous chez elle. J'y allai. Elle me reçut
au lit, le sein nu* [texte de l'autographe Dargaud;
M. des Cognets, dans son ouvrage, avait omis ces trois
petits mots], *belle comme la beauté même* [...]. *J'y retournai
tous les jours. Je l'accompagnais au spectacle, au Bois de
Boulogne* [etc...). » Mais voici du neuf. Ces *Mémoires*
ultimes que le poète avait entrepris de rédiger en 1866,
et qu'il ne put achever, Valentine de Lamartine n'en
fit imprimer, en 1871, que les chapitres consacrés aux
années antérieures à 1816. Ce qui suit, jusqu'à ce jour,
est demeuré inédit [1] :

« *... la belle princesse X. était née d'une famille illustre des environs de Florence. Un vaillant romain l'avait épousée. Il mourut
peu de temps après.* [*Sic*. Mais respect. Ne sourions pas.] *Elle
revint à Florence où elle fut aimée d'un charmant officier français.
Il l'enleva et l'épousa en France.* » Le ménage s'installe à Mâcon,
où l'officier est en garnison.

« *Elle entendit parler de moi par une de mes sœurs, très jeune et
qui me ressemblait. Cela lui inspira une passion imaginaire. Elle
y céda et vint m'apporter une lettre, à Paris.*

*Elle descendait de voiture, un soir, sur le boulevard de Gand où
je me promenais. Elle me reconnut. — N'êtes-vous pas, me dit-elle,
le frère de Mlle de Lamartine ? — Comment le savez-vous ? répondis-je. Parce que je vous ai vu, dit-elle. Montez dans ma voiture.
J'y montai. Elle ordonna à son cocher de la conduire à son hôtel
où elle avait des lettres à me remettre.* »

Lamartine se sent « *extasié* » devant « *cette incomparable figure* ». « *Il y avait en elle quelque chose d'étranger
et de naïf qui me rappelait l'innocente Graziella.* » Elle
invite le jeune homme « *à dîner, pour le lendemain,
à son hôtel* ». « *A 5 heures, j'étais chez elle. J'y trouvai
le général B., le marquis Capponi, et deux aimables
vieillards du midi de la France qui semblaient être à
la fois les adorateurs et les tuteurs de la princesse. Excepté
moi, tous paraissaient amoureux. Je restai silencieux
et froid dans le cercle. Je n'y connaissais personne, et
tout m'ordonnait le silence.* »

Les visiteurs s'en vont. « *Eh bien, me dit-elle, je
croyais qu'ils ne s'en iraient jamais !* » On dîne ; et Lamar-

1. Que M. de Noblet, arrière-petit-neveu de Lamartine, et qui
conserve, à Saint-Point, d'innombrables manuscrits du poète, veuille
bien trouver ici le témoignage de ma gratitude pour la libéralité avec
laquelle il m'a ouvert ses trésors.

tine, très ému, dit son trouble à la princesse. Elle
l'interrompt. « — *Parlons d'autre chose; et elle jeta sa
serviette sur le dos de sa chaise. Je me levai aussi. — Quoi,
vous vous en allez déjà? me dit-elle. Je comptais passer
la soirée avec vous. Etes-vous attendu? — Non, répondis-je,
mais je ne saurais parler d'autre chose...* » Elle soupira.
« *— Parler d'amour n'est plus de mon âge. J'ai trente ans,
et c'est à mes filles qu'on peut faire la cour. L'aînée est
déjà mariée. Elle est plus belle que je ne le fus à son âge.
L'autre est au couvent. Elle n'a que treize ans. Vous la
verrez. Mais si nous allions achever la soirée au théâtre?
— Partout où vous me permettrez de vous accompagner,
je ne vous quitterai jamais volontairement. — Eh bien,
allons, dit-elle. Elle jeta un cachemire sur ses épaules.
Je lui donnai le bras et nous descendîmes l'escalier.* »

Suit un paragraphe assez singulier, à éclaircir. Lamartine et la princesse vont au Théâtre Italien « *où
M*me *Malibran débutait* ». « *J'aurai plus tard —* écrit-il —
*à parler d'elle et même, peut-être, à me frapper la poi-
trine de sa fin. Mais c'était une enfant, à cette époque.
Garcia, son père et son maître, la faisait à la fois trembler
et chanter.* » La Malibran naquit en 1808. Je doute que
Lamartine ait pu l'applaudir en 1819. Mais cette phrase
de son manuscrit n'en reste pas moins curieuse. Passons,
pour aujourd'hui. Celle qui nous occupe n'est pas la
cantatrice mais la « princesse ». Au sortir du théâtre,
Lamartine raccompagne l'Italienne jusqu'à sa porte.
Il voudrait entrer. « *— Non, dit-elle. Je pris sa main
humide et je la baisai. — Venez demain à midi.* »

Ce que nous venons de lire s'accorde à peu près
(moins Rome, moins le « *sein nu* ») avec le récit conté
à Dargaud. Mais c'est une affabulation. Lamartine,
à la fin de sa vie, et pour le public, ne voulait pas avouer
qu'il avait fait les premiers pas vers cette femme, si
tôt après la mort de Julie Charles. Je ne suis pas sûr
non plus qu'il ait bien dit toute la vérité lorsqu'il
confiait, le 23 février 1819, à son ami Virieu : « *J'ai
rencontré, en arrivant ici* [à Paris; il n'y a pas cinq jours
qu'il y est] *une femme dont j'avais perpétuellement*

entendu parler depuis six mois comme de la perfection
de la beauté et du génie. C'est une Florentine, mariée
depuis quelque temps en France. J'étais chargé de plu-
sieurs commissions pour elle. J'y allai en arrivant.
J'ai trouvé que la réalité surpassait encore ce qu'on m'en
avait dit. Bref, je n'ai pu la voir sans une grande émotion.
Je l'ai revue tous les jours, et, tout en cherchant à me
défendre de ce genre d'impressions qui me font frémir,
je me sens violemment agité par je ne sais quels senti-
ments qui ne ressemblent en rien à ceux que j'eus pour
*M*ᵐᵉ *C[harles]... »*

Qui était cette « Florentine »? Elle s'était appelée,
jeune fille, Maddalena del Mazza. Née à Florence, le
6 avril 1788, elle avait donc — Lamartine, pour une fois,
est exact — trente ans lorsqu'il la rencontra. A seize ans,
en 1804, tandis que le petit Alphonse (quatorze ans)
était écolier à Belley, Maddalena devenait comtesse,
comtesse Gabrielli. (Grande famille, les Gabrielli,
seigneurs de Fano; dans la lignée, pas moins de
quatre cardinaux). Deux enfants naissent dans ce foyer,
deux filles : Teresa, Clorinda. En novembre 1808,
à vingt et un ans, Maddalena perd son mari. Sa première
vie conjugale aura été brève. Second mariage, à Florence
également, le 11 mars 1812 (Lamartine, alors, est à
Naples, avec son Antoniella). Elle épouse un officier
français, Amant-Élisée Hondagné de Larche, lieutenant au bataillon des Vélites de Florence, qui est de
deux ans son aîné. (Elle, vingt-quatre ans; lui, vingt-
six). C'est un méridional. Il a vu le jour en Avignon
le 17 février 1786. De Larche a des mérites, ou des
relations. Il se fait attacher à l'État-Major Général le
9 avril 1813, et passe capitaine en juillet, d'abord au
1ᵉʳ Régiment d'artillerie de marine, puis (septembre)
à l'État-Major du 11ᵉ Corps d'Armée. Fait prisonnier,
le 1ᵉʳ mars 1814, à Bar-sur-Aube, il est libéré le 9 juin.
Sous la monarchie restaurée, le voici de nouveau, en
janvier 1815, « affecté à l'État-Major de la 4ᵉ division
militaire ». Le 17 avril 1816, il demande « *un congé*
de trois mois pour aller chercher [à Florence] *son épouse*
qu'il n'a point vue depuis la campagne de Russie ».
Il s'attarde auprès de cette épouse retrouvée; prolongation de congé, le 31 août 1816; nouvelle prolongation

le 5 octobre. Le 6 août 1817, Amant-Élisée Hondagné
de Larche est nommé capitaine à la Légion de Saône-
et-Loire. Le destin, cette fois, fait converger les routes
de Maddalena l'Italienne et d'Alphonse le Mâconnais.
Quand le capitaine de Larche avait rejoint sa garnison,
sa femme l'accompagnait-elle? N'a-t-elle, au contraire,
gagné Mâcon qu'un peu plus tard? Je ne saurais le dire
avec précision. Toujours est-il qu'au mois de janvier 1819, Lamartine écrit, de Mâcon, à Éléonore de
Canonge qu'il a « eu le plaisir de rencontrer », récem-
ment, ce « *M. de Larche* » qu'Éléonore connaît un peu
(ils sont du Midi, l'un et l'autre); « *c'est un très aimable
garçon* [...], *major, et en garnison ici depuis un an.
Je le vois souvent* »; il a « *une charmante femme, une
princesse florentine* ».

Comment croire que Lamartine, qui « *voit souvent* »
M. de Larche et qui déclare « *charmante* » la femme du
capitaine, ne la connaissait pas encore lorsqu'ils se
rencontrèrent à Paris? On peut supposer sans imprudence que, même devant Virieu — associé comme le
fut ce dernier au « grand amour » Julie-Alphonse —
Lamartine recule devant l'aveu d'une aventure déjà
préparée à Mâcon. Il cache à Virieu que cette femme qui
le tente réside dans sa propre ville des bords de la
Saône. Les choses prennent une allure moins basse
s'il n'est question que de Florence et de Paris. Mais
je crains bien que tout n'ait été tristement plus simple.
Lamartine a dû discerner, à certains signes qui ne trompent pas, que Mme de Larche ne tient point à se montrer
farouche, mais qu'elle attache du prix, en revanche,
à sa réputation. Impraticable, une liaison avec elle,
dans cette très petite cité où le mari a sa caserne, et
où tout le monde connaît tout le monde. Paris est
autrement commode. Maddalena s'y est rendue, seule,
pour quelques semaines, et Lamartine l'y retrouve.
Le prétexte pour la revoir sera ces « commissions »
diverses dont il s'est obligeamment chargé pour elle.
Un vilain tour qu'il joue là à ce « *très aimable garçon* »,
le « major » avec lequel il est en relations cordiales et
fréquentes; mais ce n'est pas la première fois qu'Alphonse
de Lamartine emprunte sa femme à un ami. Guillaume de
Pierreclau était un camarade; Nina, la « *jeune comtesse* »,

était « *d'une rare beauté* »; et nous lisons dans les *Nou-*
velles Confidences (I, XLIII) cette petite phrase un peu
narquoise, un peu cynique :

« J'étais devenu un des amis les plus intimes de son mari. »

Le texte inédit des *Mémoires* posthumes nous apporte
un fait nouveau. Quelque chose que l'on soupçonnait,
mais sans en avoir la preuve. Nous l'avons maintenant.
Au milieu de janvier 1819 (le 18), Lamartine expose
à Virieu, pour l'y allécher, un « projet » qu'il a, dit-il,
« combiné » depuis quelque temps. Il s'agirait de louer,
coloniser, mettre en valeur, l'îlot de Pianosa, terre
inculte, toute plate, proche de l'île d'Elbe, et qui,
dédaigné, appartient au gouvernement de la Toscane.
« *Je suis le régisseur; MM. de Veydel et de Nansouty*
seront les agriculteurs »; « *vois si tu veux en être* ». D'où
avait pu bien venir à ces Bourguignons l'idée de cette
entreprise tyrrhénienne? Qui leur avait parlé de Pianosa? Nansouty est le lieutenant-colonel de la Légion
de Saône-et-Loire, où de Larche est capitaine. Aucun
doute; de Larche est à l'origine du dessein. Et Lamartine
a si bien pris feu qu'il a écrit, dès le 15 janvier, une
belle lettre au chevalier de Fontenay, secrétaire de la
Légation de France auprès de S. A. le Grand-Duc de
Toscane, à Florence. Le Grand-Duc accepterait-il
« *d'accorder la concession* », de Pianosa, « *soit pour un*
temps donné, soit à perpétuité, à une association d'agri-
culteurs-propriétaires français »?
Ici trouvent leur place certains paragraphes du
manuscrit conservé à Saint-Point : Lamartine vient de
raconter une promenade qu'il a faite avec Maddalena
dans les bois de Saint-Cloud. « *Nous recommençâmes*
plusieurs fois la même excursion [...]. *Nous nous aimions.*
Cet amour devint, en peu de temps, une véritable démence. »
Une démence où néanmoins se mêlaient des projets
de richesse. Lisons. « *Il y a dans la mer de Toscane,*
non loin de l'île qu'habite aujourd'hui Garibaldi [c'est
Caprera que Lamartine veut dire; il confond, volontairement peut-être, Caprera, qui est fort au sud, et
Capraïa, qui est beaucoup plus proche], *une petite île*

inhabitée appelée Pianoza. Elle n'a que 4 à 5 lieues de tour. Elle sert aux chevriers de l'île d'Elbe et des rivages voisins à mettre leurs animaux au pâturage pendant la belle saison. Des herbes sèches et quelques arbustes épineux sont tout ce que le sol y produit. Cette île appartient au Grand-Duc de Toscane. L'idée me vint d'obtenir du Grand-Duc la concession de ce territoire, au nom d'une compagnie française d'agriculteurs dont la princesse, moi, et quelques amis nous ferions partie, d'y bâtir un fort pour nous défendre contre les corsaires barbaresques et d'y exploiter la terre en commun. Une faible source, située à une extrémité de l'île, suffisait pour abreuver les colons. Nous nous proposions, une fois la concession obtenue, de développer la source et de creuser des citernes pour les besoins de la colonie.

Mon plan dressé, avec la prodigalité d'illusions dont la passion était le mobile et la base, j'en parlai à quelques amis, hommes d'imagination comme moi, le colonel de Nansouty, neveu du général de cavalerie de Napoléon, lassé du service en temps de paix, M. de Veydel, garçon sensé, solide, et agriculteur passionné. Je fus chargé par eux de négocier l'affaire avec le gouvernement toscan. Un autre de mes amis, M. de Fontenay, était à ce moment Chargé d'Affaires de France à Florence. Plus âgé que moi de quelques années, il était aussi complaisant qu'aimable. Je lui écrivis mon projet. Il en parla au prince, qui n'y trouva point d'objections. Fontenay me répondit favorablement. M. de Veydel, en qualité d'agriculteur, se prépara à se rendre à la Pianoza [... Il] nous rapporta de bons renseignements sur l'île, et des propositions, bien acceptables, du gouvernement toscan. La seule difficulté, c'est que ce gouvernement demandait que la compagnie se chargeât d'entretenir cent galériens sur l'île. Veydel revenait avec un rapport que nous étions prêts à signer. L'amour et la chimère me pressaient également d'aller vite. »

La suite, dans les *Mémoires*, n'est plus qu'un conte; tout était réglé; la date était fixée à laquelle ils se rejoindraient, « la princesse » et lui, dans l'île, quand l'adorable fille de l'Italienne, qu'elle envoyait à Rome, auprès de « *son oncle, le prince X...* », expira, pendant le voyage, « *à Lanslebourg, dernier village de la Savoie*

au pied du Mont Cenis » (ressouvenir de *Jocelyn*).
« *J'accompagnai la princesse à Lanslebourg. Elle partit
de là le jour même où nous devions nous réunir à Pianoza.* » « *Ainsi finit* » notre « *rêve* »; « *la chimère* » était
devenue « *catastrophe* ». Au vrai, Maddalena avait si
peu perdu sa petite fille, « *sortant du couvent* », que nous
allons voir, et très singulièrement, reparaître cette
Térésa dans la vie du poète. Quant au projet de « colo-
nisation » (MM. de Veydel et de Nansouty avaient bien
surgi à Livourne au début de juin 1819; nous le savons
par une lettre de Fontenay à son beau-frère, en date
du 5), il avorta sur l'affaire des « pirates barbaresques »
auxquels, quoi qu'en disent les *Mémoires*, ni Lamartine
ni ses amis n'avaient songé, et que M. de Fontenay
leur présenta comme un danger redhibitoire.

Lamartine était resté à Paris jusqu'au 30 avril 1819,
un peu essoufflé du régime que lui imposait sa maîtresse.
« *C'était une Circé,* dira-t-il, quarante ans plus tard, à
Dargaud. *Je ne sais quel feu courait dans ses veines.
Elle aurait épuisé un dieu.* » Sur le fait, le 26 avril 1819,
ceci, à Virieu : « *Je suis toujours avec cette belle Italienne,
mais elle part bientôt. Je n'en suis pas désolé [... car]
je n'ai pas une force vitale en harmonie avec un tempé-
rament même médiocre, à plus forte raison avec un tem-
pérament d'Italie.* » C'est lui, d'ailleurs, qui a pris la
diligence le premier. Le 4 mai, il est au château de
Montculot, près Dijon, chez son oncle l'abbé — l'ex-
abbé. Mais Maddalena ne le tient pas quitte. « *Je ne
puis partir avant au moins cinq ou six jours. J'ai donné
rendez-vous à Dijon à la personne que tu sais.* » Ils se
retrouveront à l'auberge de Pont-de-Pany et les lettres
du jeune homme nous le montrent enchaîné jusqu'au
6 juin dans cette contrée d'où il croyait pouvoir, le
4 mai, s'échapper bien vite. Il ne fait que toucher barre
à Mâcon. Le 11 juin, il est à Lyon, « *en route pour le
Dauphiné* » (il va chez Virieu, au Grand-Lemps). C'est
ce qu'il signale à « Mlle Éléonore », précisant qu'il s'y
trouve « *pour un jour, avec un de vos anciens amis,
M. de Larche* ». Le capitaine vient d'être promu (19 mai)

chef de bataillon à la Légion de Tarn-et-Garonne.
Sa femme est-elle à Lyon, aussi, entre son mari et son
amant? ou est-elle restée à Mâcon? Le journal intime
de la mère du poète indique, sous la date du 9 juin, que
« M. et Mme de Larche » ont passé « à peu près trois jours »
chez les Lamartine; « ils couchaient à l'auberge et man-
geaient ici ». Mme de Larche a beaucoup plu à Mme de
Lamartine; « charmante », vraiment, cette personne;
« elle m'a beaucoup parlé d'Alphonse, qu'elle a vu souvent
à Paris. »

Alphonse est résolu à se marier. En octobre, il entrera
dans sa trentième année. Il veut promptement s' « enchâsser dans l'ordre établi », épouser quelqu'un pour avoir
à son tour un foyer, des enfants, mener une vie droite.
« C'est par religion », dit-il, à Virieu, qu'il « veut absolument [se] marier ». Pour la première fois de sa vie,
des scrupules, des remords, une gêne, jusqu'alors
inconnus, l'avaient tourmenté pendant sa liaison avec
Maddalena. Il avait essayé de lutter contre la tentation.
Du 23 février 1819, juste avant de céder, ces lignes, à
Virieu, sincères, importantes : je sens trop « tout ce que
je perdrais encore si je me livrais » à cet entraînement.
Il s'est délié, la fatigue aidant. Il s'est repris. Il ne veut
plus de maîtresses, mais une femme à laquelle il donnera
son nom et engagera sa parole, devant Dieu, pour toujours.

C'est au début de juin 1819 qu'il a quitté Mme de
Larche. Avant la fin de juillet, il a choisi celle qu'il
épousera (on connaît la lettre, en date du 31 juillet,
où M. de Lamartine, le père, consulte sa femme sur le
« nouveau projet d'Alphonse », ce mariage qu'il désire
avec une anglaise, et qui pose de gros problèmes de
« conscience »). Mary-Ann Birch, qui deviendra, en
juin 1920, Mme Alphonse de Lamartine, son fiancé
lui cachera bien des choses de sa vie passée. Pas l'existence de Julie Charles; impossible, à cause des Méditations; encore inventera-t-il, pour la jeune fille, toute
une légende bleue sur ces amours déchirantes et pures.
Mais une amie de Mary-Ann (Clémentine de La Pierre,
déçue peut-être et jalouse) l'ayant desservi auprès
d'elle, il s'enfonce, hardiment, dans le mensonge;
Clémentine a su quelque chose, je pense, de sa dernière

liaison; d'où ces grands propos, inexacts, de Lamartine à Mary-Ann, le 17 août 1819 : « *Comme, à cause de ma position dans le monde, de mes voyages, de quelque ombre de talent, et d'un extérieur qui était mieux alors, on m'a vu dans des rapports extraordinaires avec quelques femmes à Paris ou ailleurs, on a supposé ce qui n'était pas, ce qui ne pouvait pas être, dans l'état où était mon cœur depuis longtemps.* » Les *Mémoires Politiques* (III, II) disent bien que « *Mme de L...* », « *bravant les fausses interprétations pour obéir à une amitié qui défie tout parce qu'elle est sûre d'elle-même* » et passant « *des matinées entières, comme une sœur hospitalière, auprès de* [son] *alcôve* », vint soigner Lamartine, dans sa chambre de l'Hôtel Richelieu, rue Neuve Saint-Augustin, quand il fut si gravement malade, à Paris, peu avant son mariage. Mais j'ai bien le sentiment que le narrateur, ici, confond les dates, qu'il ne revit point Léna de Larche, à Paris, et que, s'il arriva effectivement à l'Italienne de jouer tendrement à l'infirmière avec lui, ce fut lors de ces deux mois d'intimité complète entre eux, en mars et avril 1819, et non pas en 1820. (Sa lettre du 16 février 1819 à Éléonore de Canonge insiste sur sa mauvaise santé : « *Je pars demain pour Paris, et je pars bien malade* [...]. *Je crois que j'ai la goutte dans l'estomac, tant j'endure de douleurs.* »)

Mais si Lamartine n'a pas revu Mme de Larche à Paris, il l'a revue, cette même année 1820, à Florence. Je n'y croyais guère, jusqu'ici. Jadis (*Grande Revue*, septembre 1933), j'ai cru pouvoir donner pour très probablement « inventée de toutes pièces » la rencontre, assez tumultueuse, qu'évoquent les *Mémoires Politiques* (III, IV), écho d'un paragraphe, très antérieur, des *Nouvelles Confidences*, où l'on voit Regina accabler de malédictions Saluce, son amant, qui, par esprit de sacrifice, épouse une de ses parentes : elle le déclare indigne « *du battement d'un cil d'une Romaine* »; elle ne veut plus le connaître; qu'il disparaisse, qu'il s'abolisse, « *qu'il aille aimer les filles de neige et d'écume de son pays !* » L'Entretien 124 (avril 1866) du *Cours Familier de Littérature* est explicite à souhait : la « *comtesse Léna* [...] *était la plus belle et la plus gracieuse des femmes qui eût jamais apparu dans ma vie. Voir, sous le nom de*

Regina, le deuxième volume des Confidences ». Et voici
le passage célèbre des *Mémoires Politiques :* « *J'avais
été attendu à mon insu, à Florence, par la dame toscane
dont j'ai parlé plus haut et qui m'avait témoigné un
intérêt si tendre, à Paris, pendant ma maladie. Je ne pus
me dispenser d'aller lui rendre visite, conduit jusqu'à la
porte de son palais par le marquis de C., qui m'avait
informé de sa présence à Florence, et de lui avouer mon
mariage. A cet aveu, son secret lui échappa dans un accès
d'étonnement et de douleur : — « Vous n'êtes plus libre !
me dit-elle en pâlissant. Vous êtes marié? Vous allez à
Rome avec votre femme? Eh bien, partez, vous n'arriverez
pas ! Vous n'avez pas su, ou pas voulu, me comprendre.
Vous saurez bientôt la vengeance d'une femme trompée
dans l'espérance de sa vie. » Je la laissai dans les larmes.
Elle n'était pas libre elle-même, et je ne l'étais plus. »*
   L'authenticité de cette scène — moins les menaces,
peut-être ; mais sait-on ? — nous est garantie désormais
par un document irrésistible. Dans un des billets, pleins
d'amour, que Lamartine, durant l'été de 1820, adressa
à sa jeune femme, restée avec sa mère, Mme Birch, à
Chiaia (« *Chiaia, n° 143, Napoli* ») tandis qu'il soignait,
tout seul, son foie et ses nerfs à Ischia, figure un alinéa
de deux lignes. C'est la réponse à une question posée
par Marianne, et Lamartine ne se dérobe pas. « *Cette
lettre de Florence* », lui dit-il — une lettre que Marianne
lui a fait tenir à Ischia, et dont elle se montre curieuse —
elle « *est de Mme de Larche, pour me demander pardon de
ses scènes de Florence.* » La cause est donc entendue.
   Marié depuis le 6 juin 1820 et nommé, en qualité
d'attaché, à l'ambassade de France à Naples, Lamartine
a quitté Chambéry le 15 juin ; le 28, il est encore à
Turin ; c'est de Florence, le 1er juillet, qu'il écrit à sa
mère ; les 12 et 13 juillet il est toujours à Rome ; sa
première lettre datée de Naples sera du 19 juillet[1].
Combien de temps a-t-il séjourné à Florence? Une
huitaine, je pense. (« *Je m'arrêtai peu à Florence* »
C. F. L. Entretien, CXXIII, mars 1866). Mais il est
allé saluer chez elle Mme de Larche. Sans doute ne pou-

[1]. Et non du 9, comme on l'a dit. (Cf. *Archives des Affaires Étrangères, Cor. Dipl. Rome,* vol. 954, f° 83.)

vait-il s'en dispenser. Fontenay connaissait la comtesse devenue française par son mariage, et il était difficile à Lamartine d'éluder cette visite; on n'eût pas compris son abstention, qui eût fait jaser. Mais il a vu Lena seul à seule. Et des « scènes » se sont produites. Le pluriel est là sous nos yeux : « *ses scènes de Florence* ». Des « scènes » dont il a parlé à sa femme; ne serait-ce que par précaution, et dans des termes, je suppose, choisis, comme ceux qu'on lui voit dans les *Mémoires Politiques*.

Mais Lena s'est excusée, elle a « *demandé pardon* ». Lamartine n'a pas menti quand il a confié à Dargaud : « *Elle ne voulut ni me haïr, ni m'oublier* [1]. »

Voilà tout, pour Lamartine et Mme de Larche — hormis la rencontre, souvent citée, de 1827 et la phrase célèbre à Virieu : « *Je pourrais encore être amoureux, si je voulais, mais je le puis et ne le veux pas* », et les vers, contemporains, qui parurent dans les *Harmonies :*

> *Je vois passer, je vois sourire,*
> *La femme aux perfides appas*
> *Qui m'enivra d'un long délire*
> . . . .
> *Et moi je souris et je passe.*
> *Sans effort, de mon cœur, j'efface*
> *Ce songe de félicité.*

Je le croyais, il y a vingt-cinq ans. Mais depuis la veille de la guerre (1938), on sait — quelques érudits savent — qu'une étrange adjonction vint fournir à cette aventure, après tout, banale, un prolongement qui l'est moins. Le manuscrit des *Mémoires* nous en procure, à sa manière, une confirmation.

Un long passage, en effet, de ce document inédit concerne, à côté de Mme de Larche (Maddalena, Lena), cette petite fille dont nous avons vu tout à l'heure que Lamartine imaginait, pour les besoins de sa fable, la mort romanesque « *au pied du Mont Cenis* ». Ni l'une ni l'autre des deux filles de Lena ne disparut avant 1820.

1. J. Des Cognets, *La vie intérieure de Lamartine*, p. 126.

Clorinda, née à Fano, en février 1808, épousa le comte Torricelli et mourut en 1835. Elle avait onze ans en 1819. Teresa, son aînée, devait avoir treize ans, à peu près, lorsque sa mère rencontra Lamartine. Vivait-elle réellement avec elle à Paris? Toujours est-il que le poète lui consacre, dans son texte de 1866, une attention surprenante : « *C'était une charmante enfant qui laissait l'œil indécis entre le nombre de ses années. Elle pouvait avoir treize ans ou seize, sans qu'on pût dire si c'était l'œil ou le calcul qui se trompait. Il y a souvent de ces phéno- mènes dans les climats du Midi. Elle était plus grande qu'une jeune française de seize ans. Sa naïveté donnait à son beau visage l'innocence des années d'enfance. L'Italie lui donnait sa flamme. Ses yeux vous regardaient en plein visage, comme une personne qui n'a point de réticence dans les sentiments. Son sourire et son rire étaient aussi francs que son cœur.*

« — *Maman, dit-elle à la princesse en me regardant, c'est donc ce Monsieur que tu aimes tant, parce que tu aimes sa sœur?* » *La princesse fut un peu bouleversée de cet aveu naïf fait par la bouche d'une enfant. Elle fit semblant de n'avoir pas entendu, et je fis semblant de n'avoir pas compris.* » Une escapade à Saint-Cloud, avec goûter sur l'herbe, a été prévue, à eux trois, pour cette belle journée. « *Nous montâmes vers ce que l'on appelle la Lanterne, au sommet du cap d'où l'on domine, d'un côté, le château, et, de l'autre, la vallée et le pont de Sèvres* ». Rappe- lons-nous le carnet secret, donné par Julie Charles à Lamartine, et cette note du 16 octobre 1818 : « *Revu les allées, l'arbre au pied duquel pour la dernière fois nous nous assîmes, le 3 mai 1817, à Saint-Cloud, au bout de l'allée qui suit la Lanterne* », et reprenons, dans *Raphaël* (LXXXVII) le récit de cette dernière prome- nade : « *Il y a, au sommet le plus élevé et le plus habituelle- ment solitaire du parc de Saint-Cloud, à l'endroit où le dos de la colline s'arrondit pour s'incliner en deux pentes contraires, l'une vers le vallon de Sèvres, l'autre vers le creux du château, un carrefour composé du croisement de trois longues allées* [etc...]. » Ce Lamartine, comme dit Mauriac, sans « *labyrinthe* », trouvera toujours, dirait-on, une volupté complexe à superposer, aux mêmes lieux, ses amours présentes et le souvenir de ses amours anciennes. Ainsi aimera-t-il Marianne sur cette côte de Naples où il avait tenu Antoniella dans ses bras; ainsi la conduira-t-il, l'été suivant, sur ces bords du Bourget où il avait aimé Julie Charles; et nous apprenons aujourd'hui qu'il a emmené Maddalena, pour rire avec elle sur la mousse, là où deux ans plus tôt « Elvire » et lui se disaient adieu en pleurant.

Manuscrit des *Mémoires* : Une « *avenue formée d'arbres magnifiques s'ouvrait et s'enfonçait dans l'infini de la forêt. On n'y découvrait personne.* « — *Suivez-moi, dit, en riant, la gaie adolescente. Je vais vous guider vers des déserts que la nature a créés pour nous seuls.* [Comment connaît-elle des recoins si discrets, cette pensionnaire de couvent?] *et où nous ne serons vus que par les biches des bois.* » *A ces mots, elle se lança à travers branches, en pleine verdure, jusqu'à une clairière. Là, elle déposa son panier sur une racine et nous invita à nous asseoir.* » Festin, « *gâteaux* », « *badinages* ». « *La mère et la fille se jetaient de riants défis* »; elles se poursuivaient sous les arbres, se cachaient, s'appelaient, se dressaient des pièges, et se donnaient des baisers « *en récompense de leur victoire* »; *la forêt n'avait jamais vu scène de jeux plus délicieux* ». A la fin, « *elles tombèrent de lassitude et de plaisir dans les bras l'une de l'autre. Leurs cheveux blonds se confondaient quand les légers souffles de l'air les éparpillaient sur leurs fronts* [...] *Mère et fille, ce n'était que beauté* [...]. *La nuit nous ramena à Paris.* »

Tout se passe comme si Lamartine, septuagénaire, rôdait autour d'un aveu qui lui brûle les lèvres. Notre texte neuf des *Mémoires*, comme il s'éclaire lorsqu'on le rapproche d'un autre, qui date de 1860, et que le poète a glissé dans ses Entretiens sur l'Arioste (*Cours Familier*, LV et LVI)! Voici, avec son prénom véritable, Teresa, dite Teresina, la fille de la comtesse. La scène est en Italie; et elle s'y est ainsi déroulée, je suppose, à quelques détails près, du temps où Lamartine fut Chargé d'Affaires à Florence, en 1826-1827. L'Entretien CXXIV du *Cours* fait une allusion brève à ces « *quelques mois* » où le poète, marié et père de la chère petite Julia (elle a cinq ans, en 1827), vécut « *dans une intimité douce mais irréprochable, au milieu d'*[un] *petit cercle d'amis* », avec la « *comtesse Lena* », « *venue* »

faire un séjour « *chez son frère en Toscane* ». « *Elle pensait*, dira sincèrement Lamartine, *pouvoir renouer un
attachement, passionné d'une part, mais combattu de
l'autre.* » Combattu? Par la foi donnée, certainement,
et par un souci de droiture. Mais par un contre-feu,
également. Teresa, en 1827, a vingt et un ans, à peu
près. Je ne sais si Lamartine l'a vue, vraiment, en 1819 à
Paris; mais il l'a longuement contemplée, en 1827, à
Florence. Soyons attentifs à ce texte de 1860; c'est
Lena et Teresina, dans leur maison du bord de la mer :
Lena « *prit à deux mains la tête de la belle enfant, la posa
de force à la renverse sur ses genoux et, découvrant le front
des tresses blondes qui tombaient sur les yeux de sa fille,
elle lui tourna le visage vers le ciel*». Teresina « *ne cherchait
pas à se retenir; elle étendit un de ses bras à demi nu
sous sa tête comme pour se faire un oreiller; elle passa
l'autre autour du cou de sa jeune mère* »; « *leurs longs
cheveux* [...] *se confondaient* »; « *je ne savais, en vérité,
laquelle admirer davantage. Teresina* [...] *égalait Lena
de taille* [...]. *Lena* [...] *aurait pu lutter de fraîcheur avec
Teresina; en sorte que la fille* [...] *atteignait la mère, et
que la mère, par sa lenteur à prendre les années, attendait
la fille pour ne former, à elles deux, qu'une image de ravissante beauté* [...]. *J'admirais, et je n'aurais demandé qu'à
adorer, sans bien savoir si j'aurais adoré la mère plus que
la fille ou la fille plus que la mère* [...] »

Ces lignes-là, déjà, sont vaguement troublantes. Mais
en voici d'autres, et à peine antérieures à celles des
Mémoires inédits. Elles appartiennent à cette *Vie de
Byron* que Lamartine composa en 1861, et qui n'a
jamais été publiée en volume. Elle demeure ensevelie
dans le feuilleton du *Constitutionnel* où elle parut, de
septembre à décembre 1865. Lamartine vient d'évoquer
Byron à Ravenne, auprès de Mme Guiccioli, et il y
murmure cette phrase : « *Et moi aussi, dans ma jeunesse,
j'ai promené, non loin de Ravenne, un songe d'amour* [...] »
Teresa Guiccioli ressuscite, dans sa mémoire, Teresa
Gabrielli : « *Les arbres de la Pineta me virent, bien des
soirs, couché sur le sable tiède où rampent leurs racines.
Je me souviendrai éternellement d'une de ces heures* [...].
*Le jour baissait. Celle que j'admirais entre toutes, et qui
ne voyait en moi qu'un étranger passant dans son ombre,*

14

était debout, nonchalamment adossée à un des pins de la clairière. J'étais accoudé sur le sable à ses pieds. Le soleil qui descendait [...] allongeait sur moi l'ombre de la belle [...] que je n'osais aimer. Je jouissais, à son insu, de ce contact impalpable [...]. A chaque mouvement, qu'elle faisait pour changer d'attitude, je suivais imperceptiblement ce mouvement moi-même, pour que son visage fût sans cesse entre le soleil et moi [...]. Elle s'en aperçut, rougit, changea d'arbre et donna à ses compagnes le signal du retour. Je marchai silencieux derrière elle. Le sable que ses pieds foulaient et que le vent de la mer soulevait sous ses pas me volait au visage [...]. Ombre, sable et vent furent les seuls vestiges de ce jour [...], soirée délicieuse et sans lendemain. » (*Constitutionnel,* 16 novembre 1865.)

« *Autre Béatrice* », « *songe qui ne fut jamais révélé à celle qui ne le lisait que dans mon silence* »... Lamartine avait écrit des vers, cependant, je ne dis pas *pour* cette bien-aimée, mais, si la date du manuscrit est bonne, en hommage à son souvenir. La date de l'autographe est la suivante : « *A Florence,* 25 *novembre* 1828 »; or, en novembre 1828, Lamartine n'était plus à Florence; il avait quitté l'Italie, définitivement, fin août, pour regagner la France. Le 28 novembre 1828, il était à Saint-Point. Mais c'est de là qu'il confiait, à Virieu, le 11 décembre : « Je fais, *ou refais,* quelques vers. ». Et je présume que ces strophes, Lamartine, alors, venait d'en reprendre l'ébauche, dessinée en Italie. On a cru longtemps que ces vers, révélés par lui seulement en 1850 (édition dite « des Souscripteurs »), sous ce titre mystérieux : « *Un nom* », étaient pour Valentine de Cessiat. Le baron de Nanteuil, en 1938, a démontré qu'ils ne s'appliquaient point à elle, mais bien à Teresa-Teresina, la fille aînée de Lena de Larche :

> *Il est un nom caché dans l'ombre de mon âme*
> *Que j'y lis nuit et jour et qu'aucun œil ne voit,*
> *Comme un anneau perdu que la main d'une femme*
> *Dans l'abîme des mers laissa glisser du doigt.*

Avec ceci, qu'illumine brusquement pour nous la page, plus haut citée, de l'Entretien LV :

> *Soutenant sur sa main sa tête renversée*

elle regarde le ciel; et moi (texte de l'autographe) :

> *Pendant que son regard nage ainsi dans l'espace*
> *Mes yeux inaperçus cherchent ses yeux distraits;*
> *Mon âme jusqu'au fond de sa jeune âme plonge*
> *Et des rêves de l'ange y surprend les secrets*

Son nom, dit le poète, ce nom « *qui laisse sur la lèvre une saveur de miel* », je ne le prononcerai jamais; nul ne le connaîtra.

Le texte imprimé porte :

> *Je ne le dirai plus sur la terre à moi-même*

Mais le manuscrit allait bien plus loin :

> *Non, le dire ici-bas ce serait un blasphème*

« *Il n'y a qu'un bonheur, l'amour, et nous nous l'interdisons* »; ainsi parlait Lamartine, tout bas, le 16 mars 1829, à Virieu. Il n'a rien dit à Teresina, soyons-en sûrs. Si la sagesse ne l'avait retenu, la prudence était là, impérieuse, pour l'aider à garder le silence. Teresa Gabrielli épousera un vénitien, Mario Procacci. Je doute qu'après 1828 Lamartine l'ait jamais revue.

Vigny chez Lamartine

(1848)

« *Il n'est peut-être pas un homme à qui il ait voué plus de haine.* » C'est de Vigny qu'il s'agit, et l' « homme », c'est Lamartine. Et celui qui enregistre cette observation, c'est M. Pierre Flottes, dans sa remarquable thèse de 1927 : « *La pensée politique et sociale d'A. de Vigny.* » Rien de plus exact. Encore P. Flottes ne connaissait-il qu'une partie des documents laissés par Vigny, et qui nous révèlent cette espèce de rage basse qui le jetait contre Lamartine. Je dis bien : basse. Décrire en effet l'entreprise des *Girondins*, comme le fait A. de Vigny, sous la forme d'une lente pression exercée par Lamartine sur Louis-Philippe et son entourage en vue d'obtenir du roi tels grands avantages temporels — et l'auteur, à chaque instant, prêt à suspendre la publication de ses volumes si le souverain se montrait disposé à satisfaire ses convoitises — je ne sais guère de propos plus vils. A deux reprises, dans ses notes, Vigny revient sur ce ragot sordide. Il est renseigné. Il tient même un chiffre ! Il affirme que Lamartine avait 600 000 francs de dettes et qu'il a demandé, tout bas, à Louis-Philippe de les lui payer. Mais Louis-Philippe a fait la sourde oreille. Alors Lamartine s'est mis à construire contre le régime sa machine de guerre des *Girondins*, avertissant le roi qu'il frapperait de plus en plus fort si le pouvoir n'obtempérait point à sa mise en demeure. En vain lui fait-on offrir une grande ambassade, avec des appointements colossaux. Lamartine exige davantage. Et l'*Histoire des Girondins* s'achève, et Lamartine, avec ce levier, précipite la canaille contre

le trône, et c'est la Révolution de Février. Une telle
interprétation en dit long sur l'interprète.

Et toutes ces traînées de fiel, dans les papiers de Vigny.
Ceci par exemple : « *Lamartine. Déloyauté pleine d'airs de
franchise* »; ou ceci : « *J'honore les passions profondes.
Je n'en connais pas d'égale à celle de Lamartine pour
lui-même* [1]. » A vrai dire, Vigny parlera de Hugo à peu
près dans les mêmes termes. Fâcheuse, cette incapacité
chez lui, congénitale, on dirait, de reconnaître la grandeur.

Bien entendu, ces choses sont secrètes. Et dans ses
comportements de salons, Vigny, devant Lamartine, se
montre d'une urbanité exquise. Il y a mieux. Ce n'est
plus Vigny rencontrant par hasard Lamartine sous le
toit de quelque duchesse. C'est Vigny allant trouver
Lamartine et sollicitant de son obligeance quelque
chose comme sa bénédiction.

Nous sommes en 1848. La République a été proclamée
soudain, à Paris. Des élections au suffrage universel
vont avoir lieu. Et le comte Alfred de Vigny, natif de
Touraine, mais propriétaire et bouilleur de cru en Charente, a eu l'idée de se faire élire dans le département
où il a ses terres. Le journal *Le Charentais*, conservateur
(et républicain pour la circonstance), présente avec sympathie sa candidature, soulignant que « *l'honorable
M. de Vigny, membre de l'Académie française* » est
« *on le sait* » (autrement dit : faisons-le croire) « *originaire
du département de la Charente* »; et pour mieux faire
apprécier aux électeurs de bonne compagnie les mérites
de leur éminent compatriote, *Le Charentais* reproduit,
dans son numéro du 21 avril, ce curieux fragment d'une
lettre du comte — une lettre à je ne sais qui, un texte
qu'il serait précieux de retrouver sous sa forme complète, un épanchement non recueilli dans la *Correspondance* du poète et dont l'intérêt pourtant est singulier,
car on y voit A. de Vigny, précurseur des gens de bien
et autres Versaillais de 1871, témoigner du « *regret* »
qu'il éprouve à la pensée que l'Assemblée Nationale se
réunira dans ce dangereux Paris bourré de prolétaires,

1. Cf. également les notes de Vigny en vue de ce « *Narcisse* » qu'il
avait songé à diriger contre Lamartine, en 1850 (*Mémoires inédits*,
1958, pp. 406-407).

alors qu'il eût été, dit-il, si souhaitable « *qu'elle fût placée soit à Tours, soit à Bourges* » et sous la protection de « *nombreux bataillons* » de gardes nationaux issus de la province.

Ayant rédigé, à Paris, le 27 mars 1848, sa circulaire « *Aux Électeurs de la Charente* », Vigny, le jour même — 21 avril — où paraissait dans *Le Charentais* l'article qui louait ses mérites, Vigny se rendait auprès de Lamartine, dans son bureau du Ministère des Affaires Étrangères, pour lui donner lecture de cet Appel et lui demander son approbation. J'ai la chance de posséder cette double page d'imprimerie, avec, dans la marge, au crayon, les « *remarques de Lamartine pendant que je lui lis cette lettre* ». Nous publierons donc ci-dessous ce noble message, en y intercalant, entre parenthèses et en italiques, les observations de Lamartine, scrupuleusement notées à mesure par le comte Alfred.

« *C'est pour moi un devoir de répondre à ceux de mes compatriotes de la Charente qui ont bien voulu m'appeler à la candidature par leurs lettres, et m'exprimer des sentiments de sympathie dont je suis profondément touché.*

La France aussi appelle à l'Assemblée Constituante des hommes nouveaux. Le sentiment est juste, après une révolution plus sociale que politique, et qui a enseveli sous ses débris les catégories haineuses des anciens partis.

Mais les hommes nouveaux qu'il lui faut ne sont-ils pas ceux que des travaux constants et difficiles ont préparés à la discussion des affaires publiques et à la vie politique? Ceux qui se sont tenus en réserve dans leur retraite, tout pareils à des combattants dont le corps d'armée n'a pas encore donné (Lamartine : — Vous avez raison, cher ami, les hommes nouveaux qu'il nous faut sont ceux qui ne sont pas nouveaux!), *ce sont là aussi des hommes nouveaux, et je suis de ceux-là.*

Chaque révolution, après sa tempête, laisse des germes de progrès dans la terre qu'elle a remuée et, après chaque épreuve, l'Humanité s'écrie : « Aujourd'hui vaut mieux qu'hier; demain vaudra mieux qu'aujourd'hui. » (Lamartine : — Très beau!)

Je me présente à l'élection sans détourner la tête pour regarder vers le passé, occupé seulement de l'avenir de la France. Mais si mes concitoyens veulent chercher dans les années écoulées pour y voir ma vie, ils y trouveront une indépendance entière, calme, persévérante, inflexible. (Lamartine : —Et ceci est d'autant plus beau que c'est vrai.) *Seize ans de cette vie consacrée au plus rude des services de l'armée, tout le reste donné aux travaux des lettres,*

*chaque nuit vouée aux grandes études. Existence sévère, dégagée
des entraves et des intrigues des partis. J'ai ce bonheur, acquis avec
effort, conservé avec courage, de ne rien devoir à aucun gouvernement, n'en ayant ni recherché ni accepté aucune faveur.*

*Aussi ai-je souvent éprouvé combien cette indépendance de
caractère et d'esprit est plus en ombrage au pouvoir que l'opposition même. La raison en est celle-ci : les pouvoirs absolus, ou qui
prétendent à le devenir, peuvent espérer corrompre ou renverser
un adversaire, mais ils n'ont aucun espoir de fléchir un juge libre
qui n'a pour eux ni amour ni haine.* (Lamartine : — Bien.)

*Si la République sait se comprendre elle-même, elle saura le
prix des hommes qui pensent et agissent selon ce que je viens de dire.
Elle n'aura jamais rien à craindre d'eux, puisqu'elle doit être le
gouvernement de tous par chacun et de chacun par tous.* (Lamartine :
— Excellente définition!)

Ainsi conçu, ce mâle gouvernement est le plus beau.

*J'apporte à sa fondation ma part de travaux dans la mesure
de mes forces. Quand la France est debout, qui pourrait s'asseoir
pour méditer? Lorsque l'Assemblée nationale, dans ses libres délibé-
rations, aura confirmé, au nom de la France, la République déclarée,
efforçons-nous de la former à l'image des Républiques sages, paci-
fiques et heureuses qui ont su respecter la Propriété, la Famille,
l'Intelligence, le Travail et le Malheur* (Lamartine : — Ah! que
c'est bon à entendre! Il y a quelques jours, on n'aurait pas pu
dire cela. Aujourd'hui on le peut[1]); *où le gouvernement modeste,
probe, laborieux, économe ne pèse pas sur la nation, pressent,
devine ses vœux et ses besoins, seconde ses larges développements
et la laisse librement vivre et s'épanouir dans toute sa puissance.*

*Je n'irai point, chers concitoyens, vous demander vos voix. Je ne
reviendrai visiter, au milieu de vous, notre belle Charente qu'après
que votre arrêt aura été rendu.*

*Dans ma pensée, le peuple est un souverain juge qui ne doit point
se laisser approcher par des solliciteurs et qu'il faut assez respecter
pour ne point tenter de l'entraîner ou de le séduire.*

*Il doit donner à chacun selon ses œuvres. Ma vie et mes œuvres
sont devant vous.*

Alfred de Vigny,
*Membre de l'Académie française
(de la Charente).*

Conclusion de Lamartine, sténographiée par Vigny
sur-le-champ : « *C'est la plus belle circulaire de toutes,*

---

1. Lamartine fait allusion à la journée du 16 avril, où il obtint le
ralliement de Ledru-Rollin aux idées d'ordre, contre l'extrême-gauche
blanquiste. Vigny ajoute, ici, une note au crayon, au bas du feuillet :
« J'ai donc devancé le moment, **car c'est le 27 mars que je disais ceci.** »

sans comparaison ! » Vigny a fait rationnellement les
choses. Une liste existe, de sa main, spécifiant les
envois à faire. Sa circulaire doit être adressée : « 1. *Aux
deux commissaires du département, et sous-commissaires
d'arrondissement. 2. Aux commissaires près les tribunaux.
3. Aux présidents et juges d'instruction des cinq tribunaux civils (Angoulême a un vice-président). 4. Aux
présidents et vice-présidents des tribunaux de commerce
(Cognac et Angoulême). 5. Aux greffiers de tous les tribunaux. 6. Aux juges de paix de chaque canton. 7. Aux
maires de toutes les communes.* » Du travail soigné. Mais
pour quel résultat misérable ! Alors que neuf candidats à
la députation sont élus en Charente (ayant totalisé de
76.000 à 28.000 voix) et que trente autres sont battus,
dix-neuf infortunés, qui ont également concouru, ne
se verront même pas, dans la liste officielle, honorés d'une
mention nominative, faute d'avoir obtenu un nombre
convenable de suffrages. Le comte de Vigny est parmi
les dix-neuf.

Il ne s'en présentera pas moins aux élections, une
seconde fois, l'année suivante, comptant sur la grande
poussée conservatrice suscitée par l'effroi des Journées
de Juin. L'issue, pour lui, sera la même.

On juge de l'élan avec lequel M. de Vigny acclamera
le Coup d'État, sur lequel il compte pour restituer aux
vraies valeurs leur place providentielle dans les conseils
du Pouvoir. Mais, là encore, il sera déçu.

Hugo
apprend la mort de sa fille

(NOTES DE JULIETTE DROUET)

Le 4 septembre 1843, Léopoldine Hugo, devenue, depuis quelques mois, Mme Charles Vacquerie, faisait une promenade en barque sur la Seine, avec son mari, devant Villequier.

Un coup de vent très brusque renversa la barque. Léopoldine et Charles furent noyés.

Le poète était alors en voyage. Il revenait d'un séjour à Cauterets. Le 4 septembre, il était à Auch, après une nuit passée à Tarbes. Le 5, il est à Périgueux; le 6, au soir, il couche à Saintes, traverse. Cognac le 7, d'où il écrit à sa femme. Il ignore tout encore du malheur qui le frappe.

Hugo ne voyageait pas seul. Il était accompagné de sa maîtresse, Juliette Drouet, que le passeport du poète donnait pour « son épouse ». Juliette prenait des notes, à sa demande.

Je dois à la généreuse bienveillance des héritiers de Victor Hugo d'avoir eu communication de ses papiers intimes. Les notes prises par Juliette Drouet, en cet été 1843, figurent parmi les documents que j'ai inventoriés. On trouvera ici le « journal » de Juliette pour les quatre derniers jours du voyage. Ainsi nous est livrée la vérité, simple et nue, sur les circonstances précises de ce drame.

Samedi 9 septembre 1843.

« *Nous arrivons au bac. Le passeur qui tient le gouvernail s'essuie le front et dit qu'il sent qu'on est dans la canicule. Tout le temps que dure le trajet, nous sommes poursuivis par une odeur infecte. Des moustiques monstrueux nous assiègent, ainsi que de ces mouches de chevaux, grises et longues, qui nous piquent au sang. Nous arrivons à Rochefort. Toutes les places pour La Rochelle sont déjà prises; il ne reste plus qu'une place d'intérieur et une de*

*banquette. Nous rentrons au bureau pour tâcher de convertir la
place d'intérieur en une seconde place de banquette. Les choses
s'arrangent. Il est deux heures et la diligence ne part qu'à six heures
Il faut attendre quatre heures dans une ville insignifiante et par un
soleil ardent. Que faire?*

*Pour la première fois de ma vie, peut-être, je propose d'entrer
dans un café et d'y lire les journaux en prenant une bouteille de vin
par contenance. Victor approuve ma proposition et nous nous
mettons en quête d'un café. Sur une espèce de grande place, nous
voyons écrit en grosses lettres : « Café de l'Europe ». Nous y entrons.
Le café est désert à cette heure de la journée. Il n'y a qu'un jeune
homme à la première table à droite; il lit le journal et il fume.
Nous allons nous placer tout à fait dans le fond, presque sous un
petit escalier en colimaçon décoré d'une rampe en calicot rouge.
Le garçon apporte une bouteille de bière et se retire. Sur une table
en face de nous, il y a plusieurs journaux. Victor en prend un au
hasard, et moi je prends le Charivari. J'avais eu à peine le temps
de regarder le titre que Victor se pencha brusquement sur moi et
me dit d'une voix sourde et étranglée en me montrant le journal
qu'il tenait à la main : « Voilà qui est horrible ». Je lève les yeux sur
lui. Je venais de le voir souriant et heureux et ses lèvres étaient
blanches, il serrait sa main contre son cœur. Je prends l'affreux
journal et je lis.*

*Victor me supplie du regard de retenir les larmes qui me suffo-
quent, puis il s'assied de l'autre côté de la table et il me dit qu'il
ne faut pas attirer l'attention des gens qui nous entourent. Il m'aide
à sortir de ce café maudit. Une fois dans la rue, nous pouvions ne
plus nous contraindre, mais Victor avait reçu un coup trop violent
pour laisser une issue à son désespoir. Il marchait et cherchait
à me donner du courage. Nous avions gagné les remparts, puis
nous étions sortis sous les murs de la ville et nous marchions sur
de grandes pelouses brûlées par le soleil. Nous allâmes nous asseoir
dans un champ, à quelques pas de maisons de paysans. Mais
quoi que nous fissions pour paraître calmes et comme tout le monde,
on nous observait avec beaucoup d'attention. Peut-être aussi était-ce
notre promenade même qui était l'objet de cette curiosité; car,
excepté nous, il n'y avait aucun promeneur. Et comment, en effet,
se promener dans un lieu pareillement empesté et sans ombre, avec
ces moustiques nous harcelant continuellement? Nous nous levons
et nous passons au milieu d'un faubourg. Victor me dit d'écrire à
Paris pour prévenir de mon retour. J'écris la lettre au crayon
sur un bout de papier pris dans son portefeuille. Nous rentrons dans
la ville pour mettre la lettre à la poste. Nous regardons les remparts
et nous marchons au hasard. A un certain moment, nous nous
sommes assis sur un banc de pierre, puis sur l'herbe. Des femmes,
des jeunes filles qui gardent des petits enfants cousent et chantent
en travaillant. L'une d'elles chante la chanson de Gastibelza.*

*L'heure de partir approche. Je vais seule sur la place où station-
nent les diligences. On est en train de nettoyer celle qui doit nous
conduire à La Rochelle. Je demande au conducteur si on est prêt
à partir. « Dans un moment, Madame », répond-il d'un air doux
et triste. Il me semble que le pauvre homme sait le malheur qui
frappe Victor.*

*Six heures. Nous montons à nos places. Autour de la diligence, il
y a plusieurs hommes qui tâchent de voir Victor. Le conducteur
presse le départ et nous délivre de cette importune et féroce curiosité.
Nous sommes encore dans la ville. Le crépuscule commence. La
route que nous parcourons est presque la même que de Rochefort
à Marennes; à gauche, des eaux stagnantes qui répandent une
odeur irrespirable; pour végétation, des joncs et des roseaux
flétris. A droite, des terres incultes. Le ciel est tout couvert de gros
nuages noirs; de temps en temps, des éclairs déchirent ces nuages;
la chaleur est encore plus étouffante que dans la journée. Je tiens
la main de Victor et la lui serre. Le ciel devient de plus en plus
lugubre.*

*Nous arrivons à dix heures du soir à La Rochelle. Pendant
qu'on décharge les effets, Victor va retenir des places pour Saumur.
Puis, nous nous rendons à l'hôtel. Nous ne trouvons que deux
chambres dans un grenier, vis-à-vis l'une de l'autre et dans lesquelles
on peut à peine se tenir debout.*

Dimanche 10 septembre.

*La diligence pour Saumur ne partait que le soir à huit heures. Il
fallait tâcher de supporter cette mortelle journée. Nous nous occupions
à des choses sans but et sans nécessité, afin d'arriver jusqu'au
soir sans nous laisser abattre. Pendant la matinée, Victor, qui était
rentré dans sa chambre pendant que je faisais ma toilette, revient à
plusieurs reprises frapper à ma porte et finit par me dire qu'il ne
peut rester seul. Quelle dévastation le chagrin avait causée, en quelques heures, dans toute sa personne ! Pendant que je fais et redéfais
le sac de nuit pour passer le temps, Victor numérote les pages
blanches d'un album. Je lui propose de m'accompagner jusqu'à
la poste où nous devons trouver des lettres pour moi et pour lui.
Mais c'est dimanche, le bureau ferme à six heures précises, et il
est six heures passées. Nous revenons à l'hôtel, mais l'inaction
dans cette affreuse petite chambre nous est odieuse. Nous préférons
marcher devant nous. Nous sortons des portes de la ville. La nuit
est tout à fait venue. Le ciel noir et rouge est aussi sinistre que la
veille. Nous rencontrons quelques promeneurs qui, vus de dessous la
porte de la ville, sous le ciel lugubre, ressemblent à des spectres.
Nous marchons environ une heure sur une route poudreuse. Dans
les espèces d'ombres que nous entrevoyons, aucune ne vient de la
ville, toutes, au contraire, s'y dirigent. Cependant, il n'est que sept*

heures et on ne ferme les portes qu'à neuf. Nous ne pouvons ni marcher, ni rester en place. Quand le cœur souffre, le corps n'est bien nulle part. Nous revenons à l'hôtel, nous payons la dépense et nous nous faisons conduire à la diligence. Notre conducteur de la veille a eu la discrétion de ne pas nous nommer dans la ville et nous restons parfaitement ignorés pendant ces heures passées à La Rochelle.

Nous arrivons au bureau des départs, mais on n'y fait aucun préparatif, quoiqu'il soit huit heures moins le quart. Victor demande au conducteur s'il a le temps d'aller à la poste aux lettres qui est tout près de là. Le malotru fait des difficultés sans nombre pour accorder cinq minutes, quoiqu'il sache très bien qu'il ne partira pas avant une demi-heure. En attendant les chevaux et pendant que Victor va à la poste, je monte dans le coupé. Victor revient sans lettres. Les commis sont là seulement pour recevoir des lettres et non pour délivrer la poste restante. Nous partons enfin. Nous roulons depuis une heure lorsque le silence du coupé est interrompu par le voisin de Victor qui se plaint de ce que les livres placés sous la banquette entre ses jambes à lui, Victor, gênent ce monsieur et qu'il faut les ôter. Cela est dit du ton le plus rogue qu'on peut imaginer. Victor, sans lui répondre, pose ses livres sur ses genoux. Le même individu demande au conducteur de fermer la portière. Le conducteur la lance à toute volée et la vitre qui était levée se brise en éclats. Nous sommes couverts de morceaux de verre. Au milieu de la nuit, je crois m'apercevoir que les chevaux ne sont plus guidés et vont au hasard. A peine avais-je fait cette remarque que je vois sous le clair de lune les chevaux aller donner, tête baissée, dans une grille fermée. Le choc réveille le postillon et le conducteur. C'était la grille de l'octroi de Niort. Le douanier ouvre la grille et nous passons. Au bureau de la diligence, notre courtois compagnon descend et nous continuons notre route, Victor et moi, seuls dans le coupé. La nuit est très froide. Le vent et la pluie s'engouffrent par la vitre cassée et par une fenêtre vis-à-vis de moi qu'il a été impossible de lever.

Lundi 11 septembre.

Le jour vient, mais la pluie tombe toujours. Nous arrivons à un petit village où on déjeune. La pluie tombe à torrents. Nous descendons de voiture et nous entrons dans une salle à manger décorée comme toutes les salles d'auberge : des fruits en plâtre peint et d'effroyables enluminures panachées de noms : Amanda, Zélie, Évelina, etc. Il nous serait impossible de manger. Nous demandons deux tasses de café pour nous réchauffer, car nous sommes transis par l'horrible froid de la nuit. Pendant qu'on nous prépare le café, nous allons nous chauffer les pieds à la cheminée de la cuisine.

Nous repartons. Il est neuf heures, à peu près. Le ciel commence à s'éclaircir. Victor est plus triste que jamais. J'ai le cœur navré ;

*je n'ose plus le regarder. Depuis un certain temps, je lui pressais
la main sans que la sienne y réponde. Je craignis qu'il ne se soit
trouvé mal. Je le suppliai de me répondre au moins par un serre-
ment de main. Nous traversons plusieurs villages et nous arrivons
à Bressuire à onze heures. Pendant qu'on relaie la diligence, un
gendarme demande le passeport de Victor et transcrit son nom sur
un petit calepin. Nous montons à Thouars et passons devant un
vieux château fort. Bientôt, nous prenons une voyageuse ; c'est une
vieille dame de Saumur qui paraît très disposée à parler. Victor
en profite pour lui demander des renseignements sur les diligences
qui vont à Paris. Comme nous entrons dans un village où il y avait
un cimetière à droite de la route, je m'étais placée de façon à en
cacher la vue à Victor. Mais la vieille dame lui dit en souriant
d'un air d'intelligence et en le lui montrant de la main : « C'est le
cimetière ! » Victor me serre la main et je vois une grosse larme
dans ses yeux.*

*Nous arrivons enfin à Saumur. Nous descendons au bureau de
la diligence pour nous informer. Aucune voiture ne part avant
dix heures du soir. Celle qui nous a amenés ne peut assurer de places
que jusqu'à Tours. Victor va s'informer à un autre bureau, mais ne
trouve rien. Ni place pour Paris, ni place pour Tours. Il reste
dans notre diligence deux places séparées : une dans le coupé,
l'autre dans la rotonde. Nous sortons du bureau pour entrer dans
un hôtel qui est tout à côté. On nous met dans une chambre au bout
du couloir à gauche. Cette chambre a une croisée à balcon donnant
sur la rue. Victor demande s'il y a des journaux dans l'hôtel. On
lui répond qu'on y reçoit le Siècle. Il demande les trois derniers
numéros. Pendant que la servante va les chercher, Victor me fait
promettre de lire ces journaux et de ne lui rien cacher de tout ce
qu'ils contiendraient touchant l'affreux événement. La servante
apporte les trois numéros et Victor me laisse seule pour les lire.
Les journaux contiennent tous les détails de cette horrible histoire.
En les lisant, je ne pouvais pas m'empêcher de pleurer, car, malgré
moi, j'avais conservé une espèce d'espoir à cause d'une erreur qui
s'était glissée dans le premier journal que nous avions lu sur le
nombre des enfants de Victor. Cette erreur, qui m'avait laissé une
lueur d'espoir, avait fait tout le contraire chez mon pauvre Victor.
Il craignait d'apprendre la perte de deux enfants au lieu d'un seul.
Aussi, lorsqu'il rentra et qu'il me vit tout en larmes, il crut que ce
qu'il redoutait était arrivé. — « C'est donc vrai ? » me dit-il. Moi
qui répondais plutôt à sa déception qu'à sa demande, je lui réponds :
« C'est vrai. » Alors, Victor se laisse tomber sur une chaise et dit
dans un cri : « Et Toto aussi ! » On aurait dit qu'il allait mourir.
Je me jette à ses pieds. Je lui crie que non, que Toto vit. Il voulut
alors lire lui-même tous les détails horribles de la catastrophe.*

*Nous sortîmes pour voir encore à l'autre bureau de la diligence.
En sortant des portes de la ville, nous marchons dans des terres*

labourées. Tandis que nous descendions une petite ruelle, nous avons rencontré un vieillard qui nous a souhaité le bonsoir. Victor était tellement absorbé qu'il ne répondit pas, mais, une minute après, il s'aperçut qu'il ne lui avait pas rendu son salut et il voulait retourner en arrière pour lui demander pardon. Nous prenons le parti de nous contenter des places de Tours. Nous rentrons à l'hôtel et on nous sert à dîner. Le dîner desservi, nous avons encore plus d'une heure avant le départ. Victor se promène dans le long et étroit corridor garni d'une natte. Quelquefois, il entre dans la chambre où je suis et je lui vois faire des gestes brusques comme s'il parlait à quelqu'un qu'il blâme ou qu'il gronde. Enfin, dans son impatience, il fait descendre nos effets à la diligence et nous allons attendre dans la rue que la voiture soit prête à partir.

A dix heures, nous montons en voiture. La nuit est douce et belle. Le voisin de Victor dort depuis que nous sommes partis. Nous arrivons à Tours à quatre heures du matin. Victor me laisse pendant que l'on décharge la voiture et va s'occuper des places pour Paris. Il trouve une diligence qui va directement à Paris à cinq heures par le chemin de fer d'Orléans. Nous partons au petit jour. Nous refaisons la même route qu'il y a deux mois le long des bords de la Loire. Alors, nous étions gais et nous avions deux mois de bonheur devant nous.

Hugo, les idéogrammes
et la couleur des voyelles

Claudel, parti d'une aversion violente à l'égard de Victor Hugo (son *Journal intime* en témoigne), avait fini par s'intéresser beaucoup à lui. Il lui vouait, à la fin, une espèce d'admiration fraternelle, inquiète et presque un peu jalouse.

Bien des conformités entre eux, c'est vrai. Je n'en signalerai qu'une, ici, cette extrême attention qu'ils portaient l'un et l'autre au visage des mots. Le même goût des vocables, la même délectation à savourer les syllabes, la même curiosité des étymologies (fantaisistes, pourquoi pas?), le même profond sentiment que les mots sont chargés de mystères. Inutile de citer Claudel: on connaît sur ce thème ses pages fameuses. On sait beaucoup moins ce qu'en dit Hugo (« *de tous nos grands écrivains français, le plus inconnu* », affirme avec raison François Mauriac). Ecoutez: le mot, espèce d' « *étincelle* », « *passant mystérieux* », « *est la chair de l'idée; cette chair vit* »; la « *question philologique* » est une « *question métaphysique* »; « *l'hiéroglyphe est la racine nécessaire du caractère; toutes les lettres ont d'abord été des signes et tous les signes ont d'abord été des images* [...]. *L'alphabet est une source* ». Il constate, ou croit constater, que les voyelles ont quelque chose de solaire (de « *spirituel* », dit-il aussi) et les consonnes quelque chose de brumeux (de plus « *matériel* »); à ce point que, selon lui, géographiquement, le Nord est la région des consonnes, le Midi celle des voyelles; et il note, au cours d'un voyage en Suisse: « *Au Nord, où est l'ombre, où est la bise, où est la glace, les consonnes se cristallisent et se hérissent pêle-mêle dans tous les noms de villes et de montagnes. Le rayon de soleil fait éclore les voyelles* [...]. *Le même sommet, le même rocher ont, sur leur côté sombre, des consonnes, sur leur côté éclairé, des voyelles* [...]. *Il n'y a qu'une montagne, le Saint-Gothard, entre Teufelsbrücke et Aïrolo.* »

On se souvient des études pleines d'humour, à la fois, et de pénétration que Claudel a consacrées à ce qu'il nomme nos « *idéogrammes occidentaux* ». De même, et dans des dispositions identiques, limitrophes du sourire et de l'éveil divinateur, Hugo, estimant, lui aussi, que les mots « *ont des figures* », se livre à des démonstrations audacieuses. « *Souvent*, écrit-il, *la configuration des mots, la forme et le choix des lettres, révèlent pour ainsi dire le soin d'arrangement d'une intelligence préexistante et contiennent un sens profond, visible pour les seuls rêveurs* [...]. *Y a-t-il rien, par exemple, de plus saisissant, quand on l'examine, que cet étrange mot* Phœbe, *presque entièrement composé de pleines lunes, de demi-lunes et de croissants.* » Ailleurs, voici A : « *c'est le toit, le pignon avec sa traverse* »; et U qui est « *l'urne* », si pareille au V qui est « *le vase* ». Hugo regrette cette « *magnifique orthographe du* XVIIe *siècle* » qui prescrivait d'écrire « *thrône* »; « *ôter l'h de thrône, c'est en ôter le fauteuil; H majuscule, c'est le fauteuil vu de face; h minuscule, c'est le fauteuil vu de profil* ». Et ceci : « *Nuit. Quel mot! Tout y est! Ce n'est pas un mot, c'est un paysage: N, c'est la montagne; U, c'est la vallée; I, c'est le clocher; T, c'est le gibet. Et le point? C'est la lune.* » Et cette facétie (inédite) : « *Y. Défiez-vous de cette lettre-là. Regardez! Qu'est-ce qu'un Y? Deux courants qui se réunissent. Un Y de plus, NOÉ était NOYÉ!* » (Et les chiffres! Eux non plus ne manquent pas, pour qui sait voir, d'une certaine éloquence visuelle : « *Le numéro 22 se promène sur l'étang sous la forme d'un couple de canards.* »)

Mais voici un autre document inédit, qui, cette fois, apparente Hugo non plus à Claudel mais à Rimbaud. Il les apparente et les oppose. Il s'agit de la couleur des voyelles. Le texte de Hugo n'est pas daté, mais l'écriture semble le reporter aux années antérieures à l'exil, entre 1840 et 1850, je crois.

S'il est frappant de voir l'homme de *Pauca Meae*

précéder de quelque vingt ou trente ans l'adolescent du
Bateau ivre dans cet essai d'interprétation colorée des
voyelles, il ne l'est pas moins d'enregistrer leur complet
désaccord. Rappelons la classification rimbaldienne :
« *A noir, E blanc, I rouge, U vert, O bleu.* » Lisons Hugo
maintenant :

« *Ne penserait-on pas que les voyelles existent pour le regard
presque autant que pour l'oreille, et qu'elles peignent des couleurs?
On les voit. A et I sont des voyelles blanches et brillantes. O est une
voyelle rouge. E et EU sont des voyelles bleues. U est la voyelle
noire.*

*Il est remarquable que presque tous les mots qui expriment l'idée
de lumière contiennent des A ou des I et quelquefois les deux lettres ;
ainsi :* lumière, briller, scintiller, étincelle, pierrerie, étoile,
Sirius, soleil, ciel, resplendir, œil, luire. — Astre, ange, éclat,
aube, flamme, flambeau, allumer, auréole, candélabre, lampe,
escarboucle, regard, matin, planète, Aldebaran — rayon, éclair,
diamant, braise, fournaise, constellation.

*Les mots où se trouvent mêlés l'idée d'obscurité et l'idée de lumière
contiennent en général l'U et l'I ; ainsi :* Sirius, nuage, nuit *(la
nuit a les étoiles).* Aucune de ces deux voyelles ne se trouve dans la
lune *qui ne brille que dans les ténèbres. Le* nuage *est blanc. La*
nuée *est sombre. On voit le ciel à travers le* brouillard*; on ne le voit
pas à travers la* brume.

*Il ne serait pas impossible que ces deux lettres, par cette puis-
sance mystérieuse qui est donnée aux signes, entrassent pour quelque
chose dans l'effet lumineux que produisent certains mots qui pourtant n'appartiennent pas à l'ordre physique :* âme, amour, —
esprit, intelligence, génie, gloire, victoire, empire, joie, —
royauté, pairie, gaieté, saillie, enthousiasme. »

Conclure? Départager? Pas commode. Me risquerai-je
pourtant à dire que Victor Hugo me paraît, à son insu,
tricher un peu, et se prendre lui-même au piège de la
signification du terme pour lui conférer *ensuite* sa couleur. « *Trop cabochard* », le père Hugo, prononçait Rimbaud dans sa lettre du 15 mai 1871 à Paul Démeny.

Hugo et la carmélite

Il y avait deux ans que Victor Hugo était mort et que ses funérailles « sans croix ni prêtre » s'étaient déroulées à Paris, quand tout à coup, le 9 avril 1887, le *Figaro* publia, pour l'étonnement de beaucoup, une lettre du poète, datée de l'exil (autrement dit d'un temps où déjà la rupture était faite entre les catholiques et lui), une lettre adressée — disait un très bref commentaire — à sœur Marie-Joseph de Jésus, alors « religieuse carmélite au couvent de Tulle », et qui, « dans le monde, s'appelait Marie Hugo » :

22 Juillet.

Je te remercie de ton souvenir, chère enfant. Ta petite peinture est charmante. La rose ressemble à ton visage et la colombe à ton âme. C'est presque une peinture de toi que j'ai, en attendant l'autre. Tu me la promets, et j'y tiens.

Les vers que tu nous avais envoyés ce printemps avaient beaucoup de grâce ; il y avait sur toi, particulièrement, des strophes très douces et très heureuses. Dis-le de ma part à l'auteur, qui doit être charmante si elle ressemble à sa poésie.

Chère enfant, tu vas donc bientôt faire ce grand acte de sortir du monde. Tu vas t'exiler, toi aussi. Tu le feras pour la foi comme je l'ai fait pour le devoir. Le sacrifice comprend le sacrifice. Aussi est-ce du fond du cœur que je te demande ta prière et que je t'envoie ma bénédiction.

Je serais heureux de te voir encore une fois dans cette suprême journée de famille dont tu me parles. Dieu nous refuse cette joie. Il a ses voies. Résignons-nous. J'enverrai près de toi l'ange que j'ai là-haut. Tout ce que tu fais pour ton frère est bien. Je sens là ton cœur dévoué et noble.

*Chère enfant, nous sommes, toi et moi, dans la voie austère et
douce du renoncement. Nous nous côtoyons plus que tu ne penses
toi-même. Ta sérénité m'arrive comme un reflet de la mienne.
Adieu. Crois, prie, sois bénie. Toute ma famille t'envoie les plus
tendres pensées et t'embrasse.*

Marie Hugo était la fille de Louis Hugo, oncle de
Victor, le général Louis, l'homme du « cimetière
d'Eylau ».

Louis-Joseph Hugo, frère cadet de Léopold (père du
poète), était né à Nancy le 14 février 1777. A quinze ans,
le 22 juillet 1792, il s'était engagé, pour défendre la
République; « volontaire de 92 », il avait été incorporé
au Sixième Bataillon de la Meurthe; à vingt-trois ans
(12 octobre 1800), il était sous-lieutenant; Léopold
n'était pas étranger à cet avancement (un « beau garçon »,
mon frère, dit-il dans une lettre; un gaillard de « cinq
pieds six pouces, qui a fait toute la guerre comme bri-
gadier à l'armée de Sambre-et-Meuse »). Le sous-lieutenant Hugo s'est battu à Austerlitz; il y a été blessé à
la jambe droite, et le voici lieutenant, le 21 décembre
1805, et capitaine, l'année suivante (23 novembre 1806).
Il est à Eylau, le 3 février 1807; un biscayen lui fracasse
le bras droit; le 14 avril 1807, il reçoit « la croix des
braves ». Léopold le fait affecter, comme chef de bataillon
au service d'Espagne (7 décembre 1808) et il est « major
du Royal Etranger », le 12 septembre 1809, puis colonel
du Régiment Roria (4ᵉ d'Infanterie) le 22 mars 1810.
A l'affaire d'Aunon, le 10 mars 1811, c'est son bras
gauche qu'une balle traverse. Ses états de service, aux
Archives de la guerre, mentionnent sous cette date, une
« action d'éclat » à son actif : « Commandant un détachement de sept cents hommes, et attaqué par sept mille
hommes et huit cents chevaux, il a obligé l'ennemi à se
retirer après dix heures du combat le plus opiniâtre
et lui a fait quatre-vingt-sept prisonniers. » La Restau-
ration ne brise point sa carrière; il est nommé « chevalier de Saint-Louis » le 12 février 1815; retraité par ordonnance du 26 février 1823, il devient, le 1ᵉʳ novembre 1828, « maréchal de camp honoraire ». Il reprend

du service sous Louis-Philippe; il est « maréchal de camp
titulaire » en avril 1831, commandant de l'Aude, puis
du Cantal, puis de la Corrèze. Le général Louis ne sera
effectivement retraité qu'à soixante et onze ans, le
30 juin 1848.

Victor Hugo, dans son enfance, n'avait vu que bien
peu l'oncle Louis. Une apparition faite par ce guerrier,
un jour, aux Feuillantines, avait laissé comme un éblouis-
sement aux trois fils de Sophie Hugo; ils n'oubliaient
plus « cet homme de haute taille, élégant, bronzé »,
avec des « broderies » sur tout son uniforme, « un grand
sabre lui battant les jambes »; il leur avait fait « l'effet
de l'archange saint Michel ». Puis le colonel s'était
installé à Paris en 1815 et des liens affectueux s'étaient
noués entre lui et ses neveux. Léopold, le général,
veille à ce que Victor soit toujours prévenant à l'égard
de Louis; témoin cette lettre du jeune poète à son père
(4 juillet 1822) : « *J'ai envoyé un exemplaire* [des *Odes*]
au colonel avant d'avoir reçu ta lettre. » L'oncle compte
sur Victor pour qu'il l'aide, grâce à son futur beau-père,
dans le règlement de sa situation militaire; M. Foucher a ses entrées au ministère de la Guerre, et il peut
se montrer fort utile. (De Victor à son père, 31 août
1822 : « *Mon bon oncle Louis m'a écrit pour un objet qui
le concerne et dont M. Foucher s'occupe activement.* »)

Jamais Victor Hugo ne cessera d'entretenir les meilleurs rapports avec son oncle. La Correspondance générale (1947-1952) ne nous révèle qu'une seule lettre
du poète à celui qu'il immortalisera dans sa *Légende
des siècles*. En voici d'autres — la première provenant
d'une collection particulière, toutes les suivantes appartenant à la famille corrézienne de Louis Hugo; j'adresse
ici à ses descendants l'expression de ma déférente
gratitude. C'est à Tulle que Louis s'était marié, épousant, à quarante-neuf ans, le 19 septembre 1826,
la fille du « premier président de la ville ».

Paris, 4 janvier 1827.
(Adresse : « Monsieur le colonel L. Hugo, à Tulle, Corrèze. »)

Mon cher oncle,

Voici une nouvelle année, et je voudrais pouvoir t'envoyer de nouveaux vœux, mais que te souhaiter maintenant? N'es-tu pas heureux? Ta femme me réduit au silence; elle te donne plus que je n'eusse osé te promettre et porte sans doute déjà dans son sein le gage du seul bonheur qui te manquait encore... Dis-lui que, mon Adèle et moi, confondons son avenir avec le tien dans les prières que nous ne cessons d'adresser au ciel pour vous deux.

Nous venons, nous, d'éprouver, durant trois semaines, les plus vives inquiétudes. Notre petit nouveau-né [Charles Hugo, né le 3 novembre 1826] a été attaqué d'une gastrite et a failli mourir à dix semaines de sa naissance. Grâce aux soins de sa mère, et grâce à Dieu, il est sauvé...

Adieu, mon excellent oncle. Mille souhaits, mille félicitations et mille tendres hommages à déposer aux pieds de ta femme pour son neveu bien dévoué.

V. H.

Le général Louis avait eu un fils en 1827; l'enfant s'appelait Léopold (comme s'était appelé le premier enfant de Victor et d'Adèle, mort à deux mois et demi, en 1823). Le 24 mars 1829, son neveu lui écrit :

Mon cher oncle,

Je devrais commencer par un confiteor suivi d'un mea culpa. Mais je connais ton indulgence et j'en use, trop largement peut-être. Cette confiance même te prouve mon tendre attachement.

Nous avons mangé en famille, et non sans de nombreux toasts à toi, à ta chère femme, à ton gentil enfant, l'admirable animal truffé dont tu as bien voulu nous gratifier, regrettant, comme toutes les années, que tu ne fusses pas là pour en prendre ta part. C'est, tu le sais, notre regret de tous les jours. Tes courts et rares voyages à Paris nous font désirer bien vivement qu'un événement quelconque t'y ramène et t'y fixe...

Je suis étonné qu'à l'époque où tu m'as écrit ta dernière lettre tu n'eusses pas reçu la deuxième édition des Orientales et la troisième du Dernier Jour d'un condamné que je t'avais envoyées par l'intermédiaire de Mme Martin [sœur du général]. Recommande de ma part à ta femme de ne pas lire ce second ouvrage.

Adieu, mon cher oncle. Toute la famille de Paris se porte bien et embrasse tendrement la famille de Tulle.

Ton neveu dévoué,
Victor.

Nous voici en 1832. Cette lettre est adressée à « *Monsieur le général Louis Hugo, commandant le département de la Corrèze, Tulle* ».

> *Mon cher oncle,*
>
> *Je n'ai trouvé ta lettre qu'au retour d'une petite excursion de quelques jours que j'avais faite hors Paris. Je m'empresse d'y répondre. J'ai remis l'affaire entre les mains de mon avoué, M. Divandre, quai de la Cité, 23, en qui on peut avoir toute confiance. Il va faire marcher cette liquidation... Tu peux compter que tes intentions seront remplies.*
>
> *Adieu, mon bon oncle. J'ai voulu t'écrire moi-même, mais je m'aperçois que mes yeux se refusent à guider ma plume plus longtemps. Une autre fois, je reprendrai pour secrétaire ma bien chère et bien bonne Adèle qui a tant de plaisir à t'écrire et vous aime tous trois de si bon cœur.*
>
> *Mets-moi aux pieds de ta femme.*
>
>

Ton tout dévoué,

Victor.
>

Incident. L'avoué, si recommandable, a eu de curieux procédés et le neveu se mord les doigts d'avoir jeté l'oncle dans une aventure; il en est si fort marri qu'il s'abandonne à des propos mal contrôlés :

>

Les Roches, 11 octobre 1832.
>
>
> *Je profite pour t'écrire un mot, mon cher oncle, d'un moment où mes malheureux yeux vont un peu mieux. Je suis encore à la campagne et je crois que la verdure m'a fait un peu de bien. Mais la pauvre verdure s'en va et je vais retourner à Paris.*
>
> *Je suis indigné contre cet avoué Dyvandre que l'on m'avait donné pour le plus honnête homme de sa profession. Cela prouve ce que je savais d'ailleurs depuis longtemps : que les hommes de loi ne sont autre chose que des voleurs autorisés. Je présume que le drôle t'a envoyé son compte : huit cents francs de frais sur une succession de deux mille sept cents. Cela est digne de Molière ! Au reste, j'en aurai le cœur net et, sitôt que je serai à Paris, j'écrirai à M. de Belleyme pour lui conter la chose et faire taxer les frais du susdit. Je ne sais si nous gagnerons, mais je serai charmé de faire établir par le juge que la loi permet à un fondé de pouvoir de prendre huit cents sur deux mille sept cents. Cela me servira plus tard...*
>
> *Adieu, mon cher oncle. Je vais t'envoyer prochainement cinq volumes in-8° de ma nouvelle édition et j'en enverrai autant à*

notre cher et excellent Abel. Sa femme ne veut pas me dire où il est.
Elle a bien tort. A qui se fier, si ce n'est à moi ?
Adieu encore ; nous t'embrassons tous du fond du cœur.

Victor.

Onze ans ont passé. Le 4 septembre 1843, Victor Hugo
perd sa fille aînée, Léopoldine, dans les circonstances
que l'on sait; et, moins d'un mois plus tard, le général Louis perd sa jeune femme.

4 octobre 1843.

Mon bon et cher oncle,

Le coup qui vient de me frapper me rend plus sensible encore
le coup qui te frappe. Ma douleur me fait mieux comprendre et
partager plus complètement la tienne. Je te plains, mon cher oncle,
par tout ce que je souffre.

Hélas ! Est-ce que ce n'était pas assez ! Il me semblait que
j'avais payé notre dette et que la mort de ma pauvre enfant devait
sauver ta pauvre femme. Dieu en a jugé autrement...

Je pleure avec toi, mon bon oncle.

Ton tout dévoué,
Victor.

Devenu conseiller général, et maire de Tulle, le général
expire le 18 décembre 1853. Son fils composera pour
lui cette épitaphe naïve et tendre : « *Volontaire à*
quinze ans, colonel à trente-trois ans, il fut toujours brave
soldat, bon ami, et le plus excellent des pères. » Voici ce
que, de l'exil, Hugo écrit à son cousin Léopold lorsqu'il
reçoit la nouvelle de cette mort :

Marine Terrace, 1ᵉʳ janvier 1854.

Ta lettre nous arrive, mon cher enfant. C'est un triste premier
janvier.

Ne pleurons pas ton père. Envions-le. Il a quitté la terre des
lâches pour monter au ciel des vaillants. C'était mieux sa place.

Sois digne de son nom. Deviens homme. Ma fille embrasse ta
sœur. Ayez du courage. Ma femme, mes fils et moi nous vous
aimons et nous vous embrassons.

Victor H.

(Sur l'enveloppe, à l'intention de la censure impériale, le poète a noté, dans le coin : « *Lettre de famille.*
Inutile d'ouvrir. Victor Hugo. »)

La correspondance se poursuivra, espacée mais
fidèle, entre le poète et ce groupe de famille qu'il a
en Corrèze et qu'il ne songe pas à dédaigner. La fille
de Louis, née en 1834, s'était mariée, à vingt ans, au
mois de juin 1854, épousant un avocat de Tulle,
Léon Chirac; en juillet, Léopold annonce aux exilés de
Jersey qu'il est fiancé à son tour; « *bravo!* lui écrit
Hugo le 10 août; *imite ta sœur, marie-toi, fais souche
de braves gens, continue noblement le nom de ton père;
vis dans la liberté de tes montagnes et élève, le plus que
tu pourras, ton cœur et ton esprit.* » Léopold aura trois
enfants, Léopoldine, Georges (qui mourra en 1862)
et Victorine. Cette Victorine, née le 25 février 1858,
est la filleule du poète. Lors de l'amnistie d'août 1859,
Léopold s'est demandé si l'auteur des *Châtiments*
souhaiterait rentrer en France. Il juge bien qu'en tout
état de cause, Hugo n'acceperait pas de vivre à Paris.
S'il voulait lui faire l'honneur d'habiter chez lui, en
Corrèze? Courageusement, Léopold adresse à Guernesey sa proposition; courageusement, oui, car la
présence de Victor Hugo sous son toit ne lui eût certes
pas valu la bienveillance des autorités. Mais Hugo
répond, le 30 octobre : « *Je ne rentre pas. Mon devoir,
c'est l'exil. Tu comprendras cela un jour.* » On le voit
s'entremettre auprès du grand homme, en 1860, pour
une autorisation que demande le théâtre de Bordeaux
de mettre en scène *Lucrèce Borgia*, et, de nouveau,
l'année suivante, pour le même accord, sollicité, cette
fois par le théâtre de Toulouse. Léopold meurt à trente-
neuf ans, le 20 décembre 1866.

A Madame veuve Léopold Hugo
Chameyrat (Corrèze)
France.

Hauteville-House, 5 janvier 1867.

Le coup qui vous frappe, ma chère cousine, m'atteint doulou-
reusement. Léopold était jeune et fort et il ne semblait pas que son
tour fût venu.
Résignons-nous à ces appels que fait Dieu. Il prive une famille
de son père et seul il sait pourquoi.

*Hélas! je ne puis guère que vous offrir ma profonde et bien
affectueuse sympathie.*

Victor Hugo.

Nathalie, veuve de Léopold, gardera le contact
avec Guernesey, où le vieux poète, maintenant, est
à peu près seul; sa fille Adèle s'est enfuie en Amérique;
sa femme et ses deux fils l'ont quitté pour vivre en
Belgique. Le 11 janvier 1868, dans un billet à Nathalie,
il laisse passer ce gémissement : « *Notre famille ressemble
à une troupe d'oiseaux dispersés.* »

Plus que Nathalie, plus même que sa lointaine filleule Victorine, quelqu'un, en Corrèze, intéressait
Hugo; quelqu'un vers qui sa pensée se tournait souvent
en silence; la petite Marie, dont le destin, volontairement choisi, le troublait.

Il avait vu jadis, chez lui, bien des fois, cette enfant,
place Royale. L'oncle Louis l'avait mise à Saint-Denis
et Marie venait passer des dimanches chez son cousin
et « correspondant ». Elle avait treize ans en 1847.
Victor Hugo en avait quarante-cinq. Marie était pleine
de respect et de timidité devant ce personnage illustre;
mais il s'était appliqué tout de suite à la débarrasser
de son effroi. Gai, taquin, volontiers bouffon, il avait
tenu à lui ôter l'idée qu'un académicien, même doublé
d'un pair de France, devait être forcément un monsieur solennel. Il la faisait rire. Elle s'était beaucoup
attachée à lui. Un jour, racontera-t-elle, un jour que
le poète avait revêtu son habit de pair (« *il était superbe
dans ce costume!* ») pour aller dîner chez le roi, elle
l'avait supplié de lui « *rapporter quelque chose* » des
Tuileries. Et le poète avait « *promis* ». Que pouvait-il
bien voler chez Louis-Philippe? Marie s'était couchée,
et endormie. Et, le lendemain matin, elle avait trouvé
son cadeau, dans sa chambre, déposé, sur la pointe
des pieds, par Victor Hugo, après minuit. L'objet
était un chaton que le poète avait aperçu, paraît-il,
« *en descendant l'escalier des Tuileries* », et qui errait
tout seul, abandonné, dans le palais...

Après quelques mois seulement de mariage, en novembre 1854, Marie était devenue veuve. Elle n'avait plus ni mari, ni mère, ni père. Le 5 juin 1856, elle écrivait à Mme Hugo : « *Je vis beaucoup dans la famille de ma pauvre mère* [chez sa tante, Mme Chaumont]; *je m'occupe des pauvres; je suis dame de charité.* » En 1858 (elle a vingt-quatre ans), sa décision est prise; elle a résolu d'entrer au Carmel; au bout d'une année de noviciat, elle verra bien si, comme elle le croit, sa vocation est sûre. Le 12 juillet 1859, elle annonce au poète, avec bonheur, que sa voie est tracée désormais. Marie n'oublie pas que la Saint-Victor (21 juillet) est toujours, au foyer des Hugo, un jour où l'on est tous ensemble, dans l'unité de la tendresse. Elle a calculé que sa lettre arrivera à temps, « 20, rue Hauteville », à Guernesey (tampons de la poste : Tulle, 15 juillet 1859; Paris-Calais, 16 juillet; London, 17 juillet; Guernesey, 19 juillet). Elle envoie à son grand cousin, pour sa fête, une gouache sur parchemin (« *vous ne me connaissiez pas ce talent!* »); c'est une colombe tenant dans son bec un panier où sont des fleurs; une rose, des myosotis, du liseron; au-dessous, ces deux vers :

> *L'aigle vole au soleil, le vautour à la tombe,*
> *L'hirondelle au printemps, et la prière au ciel.*

Marie explique, dans cette longue lettre, tout ce qui l'a convaincue qu'elle était réellement « *appelée* »; elle dit : « *L'année de mon noviciat s'écoule... J'ai retrouvé la gaîté de ma jeunesse... Je me consacre à Dieu sincèrement et joyeusement.* » Elle déclare aussi que toute sa petite fortune passera à son frère Léopold; il aura « *ma maison en ville, mon mobilier et l'argenterie* »; elle ne conservera pour elle que le revenu — 700 à 800 francs — d'un étroit domaine, « *proche Tulle* », qui reviendra lui aussi, bien entendu, après elle, à Léopold ou à ses enfants, mais qu'elle voudrait garder pour ses aumônes et surtout pour aider à vivre la vieille bonne qui l'a élevée. Ces détails-là sont rassurants pour Léopold, qui n'avait pas caché au cousin Victor l'inquiétude où il était de voir les biens de sa sœur captés peut-être par l'évêché (le 20 janvier 1859, Hugo lui avait confié que, d'après les lettres de Marie à sa femme,

la novice semblait animée des « *meilleures intentions* »;
« *elle ne me paraît, jusqu'à présent, avoir été en butte
à aucune captation* »). Ainsi, le pas est fait. Marie sera
« religieuse ». Et c'est à cette lettre du 12 juillet 1859
que répond celle du 22 juillet, publiée pour la première
fois en 1887 sous la date inexacte de 1855.

Les lettres de Victor Hugo à sa cousine la carmélite
ont connu un sort mystérieux. Lorsque Marie Hugo
mourut, au Carmel de Tulle, en 1906, son trésor ne
resta point intact. On lira du moins ci-dessous cinq
de ces documents, qui lui étaient si précieux. Celui-ci
est sans date; mais, puisqu'il s'agit de la mort de Léopold,
il se situe en janvier ou février 1867 :

*Ta douce lettre me va au cœur, ma chère petite Marie... Dieu a
mis en toi un de ses rayons.*

*Léopold a disparu de ce monde visible, mais tu sais, toi, qu'on ne
perd pas les morts. Ils sont là, meilleurs ; mêlons-les à nos prières,
toi vers ton Christ, moi vers mon Dieu. Sois tranquille, nos pensées
se trouveront dans le même ciel.*

Du 14 avril 1868 *(« à Mme Marie Hugo, sœur Marie-
Joseph de Jésus, Carmel de Tulle, Corrèze, France,
via London »)* :

*Oui, j'ai en effet pour toi un cœur de père, et tu as raison, chère
Marie, de m'aimer un peu.*

*Je te remercie d'offrir à Dieu pour moi ta prière. J'en ai besoin.
Je connais mes fautes, qui ne sont pas celles que tu crois, mais qui
ont besoin de la haute bonté du Père.*

Merci, chère enfant. Je t'embrasse.

Victor H.

Du 25 juin 1870 :

*Bonjour, chère Marie. Ta lettre m'émeut. Oui, prie pour moi.
Je suis de ceux qui croient à la vertu de la prière. Ta prière doit
être bonne, puisque ton âme l'est.*

*Il n'y a qu'un Dieu. Le tien, par conséquent, est le même que
le mien. Nous le servons chacun à notre manière, toi en priant,
moi en luttant. Je suis vieux et je le verrai bientôt. J'espère qu'il
me pardonnera mes fautes et qu'il me tiendra compte de ma bonne
volonté. Si je me trompe, c'est avec sa permission ; mais il est
certain que je n'ai jamais fait, ni voulu faire, du mal qu'au Mal.
Je me rends cette justice et j'espère.*

Aime-moi toujours et sois heureuse...

De Paris, le 7 novembre 1875 (à « *Mme Marie Hugo,
au couvent du Mont Carmel, Tulle* »; le tutoiement a
disparu; c'est l'année précédente, en février 1874,
que Victor Hugo a écrit, au souvenir du père de Marie,
sa grande pièce : « *Le Cimetière d'Eylau* ») :

*Chère enfant, vous êtes une sainte, ici, et vous serez un ange,
là-haut. Continuez de prier pour moi.*
*Je crois en Dieu. Cela suffit. Croire en Dieu, c'est croire à la
prière.*
Aimez-moi un peu. Je vous aime bien.
Votre vieil ami et cousin.

V. H.

Enfin, d'un « 9 *juillet, Paris* », ce dernier billet du
grand-père :

*Des anges peuvent bénir un ange. Mes petits te bénissent, chère
Marie.*
Tu as fait leur joie. Tes doux cadeaux les ont charmés.
Que Dieu te donne, ici et là-haut, tout le bonheur dont tu es digne.

V. H.

J'ajouterai à ces textes, dont il n'est pas besoin
de souligner l'importance, ceci, qu'écrivait la carmélite
à son directeur, l'abbé Joseph Roux, le 25 mai 1885,
au lendemain de la mort, irréconciliée, de l'homme qu'elle
vénérait :

*Je croyais qu'aucune parole venue de la terre ne pourrait être
douce à mon cœur, et votre lettre me fait tant de bien! J'ai le cœur
en lambeaux, l'âme dans une amertume profonde; je dis à Dieu
avec l'auteur de l'*Imitation *: « Quand je verserais assez de larmes
pour combler l'Océan, je ne mériterais pas d'être consolée! » Je
m'accuse de n'avoir pas été meilleure. J'ai été trop légère pour
faire pencher la balance... Aujourd'hui, j'offre mon immense
douleur comme un grain de sable...*
*Ce n'est pas que je désespère... Si coupable que l'on ait été, Dieu
compte-t-il avec nous? Il y avait tant de feu dans cette âme! L'étincelle de la dernière grâce a pu faire jaillir le mot, la pensée, le
regard qui [sauvent tout].*
*...Notre prière ne s'interrompra plus. Je cesserai de prier pour
lui quand je cesserai de vivre. Promettez-moi d'en faire autant.
Oserai-je vous supplier de célébrer la messe pour lui, jeudi, jour
de l'enterrement?*

Lorsqu'il acheva ses *Misérables*, en 1861, Hugo avait ouvert, sur les couvents, une vaste « parenthèse » (c'est le titre même, dans cet ouvrage immense, encombré de richesses, du Livre septième, en huit chapitres, de la Deuxième Partie).

Rien d'étrange comme ce dialogue que le poète conduit ici avec lui-même. Sœur Marie-Joseph de Jésus n'est pas la seule créature de son sang que Hugo ait dans les cloîtres ; du côté de sa mère, l'incroyante, Victor Hugo est apparenté à deux Sœurs de Nazareth, l'une à Oullins, l'autre à Boulogne, à une ursuline de Nantes, à une carmélite de Nantes également ; toutes sont vivantes encore, en 1861 ; vivant aussi, son neveu Jules, le fils d'Abel, né à Paris le 2 septembre 1835 et qui mourra à Rome, prêtre de Notre-Dame de Sion, le 23 avril 1863 (il repose à Saint-Louis des Français).

« *Un couvent* écrit d'abord Hugo, un couvent, *en France, en plein midi du XIXᵉ siècle, c'est un collège de hiboux faisant face au jour* » ; « *qui dit couvent, dit marais* » (*Misérables*, II, VII, 3). Puis le ton change : « *Lorsque l'on parle des couvents, ces lieux d'erreur mais d'innocence, d'égarement mais de bonne volonté, d'ignorance mais de dévouement [...] il faut toujours dire oui et non* » (II, VII, 7). Les moines mêmes, les voici tels que Hugo les reconnaît : « *Des hommes se réunissent et habitent en commun. En vertu de quel droit? En vertu du droit d'association. Ils s'enferment chez eux. En vertu de quel droit? En vertu du droit qu'a tout homme d'ouvrir ou de fermer sa porte. Et que font-ils? [...] Ils renoncent au monde, aux villes, aux sensualités, aux vanités, aux orgueils [...] Pas un ne possède en propriété quoi que ce soit. En entrant là, celui qui était riche se fait pauvre. Ce qu'il a, il le donne à tous [...]. Ils n'ont plus d'autres parents que tous les hommes. Ils secourent les pauvres; ils soignent les malades; ils élisent ceux auxquels ils obéissent; ils se disent l'un à l'autre : mon frère... »* Des oisifs? Des parasites? Mais « *les bras croisés travaillent; les mains jointes font. Il n'y a pas d'œuvre plus sublime peut-être que celle que font ces âmes [...]. Il faut bien ceux qui prient toujours pour ceux qui ne prient jamais.* » (II, VII, 4 et 8.) Et les religieuses? « *Quant à nous qui ne croyons pas ce que ces femmes croient, mais qui vivons comme elles par la foi, nous n'avons jamais pu considérer sans une espèce de terreur religieuse et tendre, sans une sorte de pitié pleine d'envie, ces créatures dévouées, tremblantes et confiantes, ces âmes humbles et augustes qui osent vivre au bord même du mystère, attendant, tournées vers la clarté qu'on ne voit pas, ayant seulement le bonheur de penser qu'elles savent où elle est.* » (II, VII, 8.)

Une ignominie exemplaire :
Judet contre Zola

(1898)

Poursuivi, comme il le souhaitait, à la suite de
« *J'accuse* » (*Aurore*, 13 janvier 1898), Zola avait com-
paru, le 7 février 1898, devant la Cour d'assises. Son
procès, où pour la première fois, grâce à lui, les arrière-
plans de l'Affaire Dreyfus, si bien cachés jusqu'alors
à la foule, commencèrent à se révéler, prit fin, le
23 février, sur sa condamnation. Le maximum : un an
de prison, 3 000 francs d'amende.

La défense a fait appel.

Le procès doit se rouvrir le 23 mai.

Le 23 mai 1898 au matin, le *Petit Journal*, qui milite
pour les « idées saines », publie, en éditorial, sur trois
colonnes, un article d'Ernest Judet : « *Zola père et
fils.* »

L'État-major a préparé l'opération. Un de ses principaux organes, *La Patrie*, dans son numéro du 29 avril,
avait inséré une note énigmatique et alléchante, où
il était spécifié que les archives de l'Armée contenaient
certains dossiers curieux « *sur plusieurs des plus notoires
apologistes des traîtres* [ces « traîtres étant, comme on
sait, Dreyfus et Picquart] *et sur leur parenté* ». Leur
parenté? De quoi pouvait-il bien s'agir? L'allusion
allait s'éclaircir, le 23 mai. On avait estimé d'une bonne
tactique, aux bureaux de la Guerre, d'attendre, pour
faire éclater la bombe, le jour même où, à Versailles,
le jury se réunirait. Ces simples, à qui la Justice va
demander leur avis, il n'est pas mauvais de les rensei-
gner, avec éclat, en dernière minute, sur le pedigree

de Zola. Un civil était indispensable pour couvrir
l'Etat-major et agir à sa place. Judet s'est chargé de la
besogne. Elle est un peu laide, sans doute. Mais « l'honneur de l'Armée » avant tout. (D'après une note confiden-
tielle au préfet de police, en date du 26 mai, c'est par
l'entremise « *de M. Esterhazy* » que Judet a reçu d'en
haut sa documentation.)

Voyons l'article. Judet prélude en grand style. C'est
le roulement de tambour qui doit créer la tension requise.
« *Une fois de plus* », avec ce procès de Versailles, il
« *faut donc nous occuper de Zola* » et de sa « *bande abjecte ;
l'obstination criminelle du romancier sans patrie reste
un phénomène monstrueux dont toutes les hypothèses
n'ont pu donner l'explication. C'est un sot, un vaniteux,
un affamé de vice, un passionné d'ordure* [...]. *Mais les
maladies combinées de son talent et de son caractère ne
livrent pas encore la clef de sa conduite, le secret de sa
chute.* » M. Judet a donc réfléchi. Ce « *secret* », cette
« *clef* », il s'était promis de les découvrir. Il les tient.
Le raisonnement qui l'a guidé était bien simple et le
romancier lui-même, avec ses propos sur l'hérédité,
l'a mis sur la piste. « *A l'origine* » du « *phénomène* »
Zola, il devait y avoir, il y avait sûrement, « *quelque
tache sinistre, quelque mystère inouï, quelque fêlure
inconnue, quelque honte corruptrice, dominant implacablement l'œuvre impure, comme la vie infâme de Zola* ».
« *J'ai cherché* », dit Judet, d'un ton césarien; « *j'ai
trouvé* ».

Et ce qu'il a « trouvé », c'est ceci : Émile Zola est le
fils d'un voleur, d'un ex-officier voleur, d'un escroc
chassé de l'armée pour détournements. Judet, qui a
sous les yeux des pièces d' « *archives* », expose la carrière
du « *sieur François-Joseph Zola, né à Venise, le 7 août
1795* », officier dans l'armée austro-sarde, puis accueilli
en 1831 à la légion étrangère; il est arrêté, en mai
1832, pour « *vol et malversation* » et banni de l'armée

après « *deux mois de prison* ». Vengeur et triomphal, Judet poursuit : « *Les preuves explicites du vol commis par l'aventurier de Venise égaré au milieu de nos soldats existent dans son dossier criminel.* » Et la péroraison retrouve les accents de l'exorde : « *Tel fut le père de celui qui met maintenant sa plume au service des insulteurs de l'Armée et des espions de nos ennemis.* » L'auteur de *J'accuse* est le digne fils du Zola « *pris la main dans le sac ; Zola II offre à nos dépens un sacrifice mémorable aux mânes de Zola Ier ; il était juste, il était inévitable que Zola ait discerné d'emblée, dans cette armée qu'il déteste, Dreyfus comme officier modèle ; il devait aller spontanément, sans efforts, à la trahison, comme les bêtes stercoraires vont au fumier et se délectent dans la pourriture. Le capitaine aux gages de la Triple Alliance représente bien le type idéal qu'il nous souhaite pour chef et dont il essaie [...] de nous infliger la satanique réhabilitation ; c'est dans cet égout qu'il lui plaît de plonger la splendeur du drapeau tricolore.* » Pour finir, cet appel explicite aux jurés de Versailles : « *La nation entière répondra qu'elle condamne le maniaque en délire sur la poitrine de qui, par une incroyable tolérance, brille encore la rosette de la Légion d'honneur.* »

Misère ! Le procès Zola est renvoyé. Rien de conclu, le 23 mai. Battant le fer, tout de même, pendant qu'il reste chaud, et en vue de la suite, Judet récidive, dans le *Petit Journal* du 25 mai. Il a obtenu un document complémentaire, un « *témoignage autorisé* », celui d'un général en retraite, Loverdo, quatre-vingts ans, « *grand officier de la Légion d'honneur* ».

Le général de Loverdo est pour nous une vieille connaissance. Il a joué en 1870-1871 un rôle important. Il a été l'un de ces militaires qui, sachant leur devoir d' « *honnêtes gens* », à la façon de Bazaine à Metz, de Ducrot et de Vinoy à Paris, mirent tout en œuvre pour interdire à Gambetta cette victoire de la France qui, depuis le 4 septembre 1870, eût été la victoire de la République.

Gambetta, qui ne soupçonnait point ces fureurs et

qui s'imaginait bonnement les chefs de l'armée incapables de souhaiter autre chose qu'une défaite de l'envahisseur, avait confié à Loverdo la direction de l'infanterie. A la tête de ce service, Loverdo travailla de son mieux pour empêcher de nuire Gambetta-le-« rouge ». Au point que M. de Kératry, conservateur résolu, mais patriote sincère et qui, face aux Prussiens, n'avait qu'une pensée : les rejeter chez eux (la politique intérieure, on s'en occuperait ensuite), avait expressément, et par écrit, signalé au ministre l'action destructive, et aussi discrète qu'acharnée, menée par son subordonné pour dissoudre, pour anéantir l'effort national. Gambetta n'en voulait rien croire. Bazaine à ses yeux n'était qu'une exception horrible. Loverdo garda longtemps sa confiance. Quand il se décida à le congédier — car il le congédia tout de même, dans la pensée, naïve, que Loverdo n'était qu'un insuffisant débordé — le mal était fait, énorme.

Le général de Loverdo n'a pas les courtes vues d'un écervelé à la Kératry. Le général de Loverdo est dans la ligne du haut État-major. Il sait que la politique intérieure prime tout et que les sots, à la Kératry, sont en train de se tromper d'ennemi. L'ennemi n'est pas en face de la France. L'ennemi n'est pas chez ces Prussiens qui nous mangeront peut-être deux provinces, mais, qui, du moins, ne toucheront pas aux structures économiques et sociales du pays. L'ennemi est dans les faubourgs de Paris et des grandes villes de province. Et l'Armée garde ses troupes pour la seule guerre qui l'intéresse, celle que l'on fera, Gambetta liquidé, et sa Résistance, à la « canaille » de Paris.

Il était donc « *juste* », il était donc « *inévitable* » — pour reprendre les termes de Judet — que le général de Loverdo, trente ans après 1870, mais Dieu merci, toujours présent, intervînt dans l'Affaire Dreyfus du côté des amis de l'ordre et du drapeau.

Le 25 mai 1898, par l'entremise d'Ernest Judet, le *Petit Journal* donne la parole à Loverdo.

Le général de Loverdo a beau être un octogénaire,

sa mémoire est restée infaillible, et il parle bien, ironique, incisif, trouvant les mots qu'il faut. Le général de Loverdo a eu la bonne fortune — si l'on peut dire — de bien connaître, autrefois, le père d'Emile Zola. Il l'a vu beaucoup, dans les conditions qu'il va décrire, à Paris, en 1830, rue de Lille, chez son propre père, « *le premier général de Loverdo* » (la formule est de lui). Mme de Loverdo, la mère, avait été liée, à Venise, avec les parents de François Zola. Ce n'était plus, en 1830, qu'un « *pauvre diable besogneux* », qui logeait « *rue de l'Eperon* ». Avec sa « *bonté habituelle* » et sa pitié native, Mme de Loverdo recueillit cet « *individu* », qui « *vécut* » ainsi, grâce à elle. Il avait dû quitter l'armée austro-sarde, après avoir — « *il l'avouait lui-même* » — « *été compromis dans une affaire de contrebande qu'il mettait, bien entendu, sur le dos d'un de ses camarades* » (Loverdo le fils avait treize ans, en 1830; mais il se rappelle, comme si c'était hier, et avec la dernière précision, tout ce que le nommé Zola racontait devant lui, il y a de cela soixante-dix ans.) « *Il s'agissait de dentelles passées en fraude, sous un dolman.* » « *En réalité* — explique le général II — *Zola fut révoqué pour ce fait, et il dut s'enfuir après avoir joué un rôle des plus louches dans un tripotage d'argent.* »

Ce n'est pas fini. Loverdo tient encore des détails en réserve : « *Durant quatre ou cinq mois* », François Zola mena « *sa vie de pique-assiette* ». Rentrant d'Algérie, où il s'était couvert de gloire, au mois de janvier 1831, le général de Loverdo (N° 1) « *élimina* » promptement « *le dangereux parasite qui s'était installé chez lui ; il lui prêta* 300 *francs et le mit à la porte ; Zola eut alors le toupet de réclamer à mon père* 29 *francs* (exactement 29; l'octogénaire est d'une précision foudroyante), *prix d'une boîte de chalcographie qu'il avait donnée à ma sœur pour ses étrennes* »; détail qui « peint » le personnage. « *Zola tomba, à partir de ce moment, dans une si profonde misère* (pouah!) *que, sur les instances de sa tante* (?), *mon père consentit encore une fois à s'occuper de lui ; il le fit entrer, avec son grade* (de lieutenant sarde) *à la légion étrangère.* »

Et Loverdo d'ajouter : « *Le Petit Journal a révélé comment il s'y était comporté, et la façon dont il en sortit.*

17

Rien de plus exact que le récit de M. Judet. Mon père avait défendu qu'on prononçât le nom de cet homme devant lui et si, par hasard, on y manquait, il prenait des colères terribles. »

Puis Judet, pour conclure : « *Peu d'hommes peuvent se vanter d'avoir successivement malversé dans les rangs de deux armées européennes, et d'en avoir été expulsés. La France, outragée par le fils du lieutenant Zola, appréciera.* »

Note remise par un informateur au préfet de police, le 31 mai 1898 : lorsqu'il a lu l'article du *Petit Journal*, Zola « *dit-on, s'est mis à pleurer* ». Voilà déjà une bonne chose de faite.

Devant une pareille bassesse dans les manœuvres de l'État-major pour étouffer la vérité à tout prix, l'écrivain, c'est vrai, a reçu un choc. Que savait-il du destin de son père? Un paragraphe de *Nana*, écrit en 1879 (chap. XIII), laisserait supposer que le drame de 1832 ne lui était pas inconnu. Peut-être sa mère lui en avait-elle dit quelque chose. Il avait mis en scène, dans *Nana*, un capitaine Hugon, qui, à cause de cette fille, « *détournait* », de la caisse de son régiment, de « *petites sommes, espérant les remettre* »; découvert, le capitaine Hugon avait été emprisonné; fin brutale de sa carrière.

Les « révélations » de Judet, 23 mai, offraient une faiblesse que l'homme de l'État-major savait bien et qu'il avait masquée, dans son texte, comme il avait pu : le lieutenant Zola *n'avait pas été condamné*. Ses chefs l'avaient seulement invité à *démissionner*, ce qu'il avait fait. Son cas, vraisemblablement, n'était donc pas tel que l'Armée, en 1898, s'appliquait à le présenter. Judet s'en était tiré par des volutes où l'aveu, qu'il fallait bien lâcher, s'entremêlait de conjectures données pour des faits patents. Le lieutenant Zola, « *poussé par cette horreur du Conseil de Guerre qu'il partage avec toute sa famille, fait jouer ses relations. Leur intervention s'exerce pour sauver du désastre public un parent si fâcheux. Il est autorisé à rembourser le déficit dont il est responsable, et à démissionner.* » Loverdo, deux jours

plus tard, sera génial : « *J'ai toujours pensé*, dira-t-il,
*que mon père eut la faiblesse de rembourser les 4 ooo francs
détournés par Zola.* » Ornement supplémentaire, qui
achevait les Zola « *père et fils* ». Cette armée qu'a pillée
le père et qu'insulte le fils, c'est elle-même, généreuse
et noble, en la personne d'un de ses chefs au grand cœur,
qui a protégé de la honte le lieutenant escroc, de qui
descend le traître pornographe.

Zola a décidé de s'informer, avec exactitude, de ce que
fut, dans la vie de son père, l'épisode pénible de 1832.
Si M. Judet, ce civil, a eu communication d'un dossier
militaire, la communication du même dossier ne saurait
être refusée au civil qu'il est également. Il a toutes
raisons, cependant, de penser que les choses n'iront pas,
en ce qui le concerne, comme elles sont allées pour
l'agresseur. Zola, en conséquence, s'adresse à un homme
de loi, lequel s'adresse, à son tour, au général Billot,
ministre de la Guerre. L'Armée dit non. Passe pour les
« états de service » du lieutenant Zola. Mais communiquer son « dossier individuel », pas question. Si le
dossier correspondait, de point en point, aux assertions
de l'Etat-major, il est bien évident qu'on le laisserait
voir sans difficulté, et avec joie. Que l'Armée s'y refuse,
c'est une présomption sérieuse en faveur d'un nouveau
coup fourré exécuté par elle, à la manière de ceux qu'elle
a déjà multipliés dans l'affaire essentielle.

Le 16 juin 1898, Zola écrit, de sa main, au ministre
de la Guerre :

Paris, 16 juin 1898.

Monsieur le Ministre,

*J'avais chargé mon avoué, M. Émile Collet, de vous demander
communication des états de service de mon père, François Zola,
et de son dossier individuel, s'il en existait un.*

*Mon avoué me communique les réponses aux deux lettres qu'il
vous a adressées, et je vois que ma demande a été mal comprise.*

*Le Ministre n'a pas à savoir si j'ai un procès devant une juridic-
tion où, d'ailleurs, la preuve n'étant pas admise, toute demande
de document serait repoussée. Le Ministre n'a même pas à savoir
quel usage j'entends faire de ces documents. Je suis le fils de Fran-*

çois Zola. Je demande communication et copie de son dossier indivi-
duel, comme il m'a été donné copie de ses états de service, et cela
doit suffire.
    Je réitère personnellement ma demande, Monsieur le Ministre.
    Je vous prie donc de répondre, par oui ou par non, si vous
consentez, ou si vous ne consentez pas, à me communiquer le dossier
individuel de mon père, directement à moi, et sur ma simple demande,
sans passer par aucun intermédiaire, judiciaire ou autre; ce que
je ne saurais d'autant moins accepter qu'il s'agit d'un dossier secret,
comme vous le dites vous-même, et que j'entends rester maître de
l'usage que je puis en faire.
    Veuillez agréer, Monsieur le Ministre, l'assurance de ma haute
considération.

Émile Zola.

(Archives Nationales B. B. 19, N° 104).   *21 bis, rue de Bruxelles.*

Le 16 juin 1898, précisément, le ministère Méline, dont
faisait partie le général Billot, est renversé.

Les négociations s'éternisent pour la formation d'un
nouveau cabinet; mais Billot estime qu'il n'a plus à se
mêler personnellement (c'est là, du moins, pour lui, une
consolation) de cette désagréable et périlleuse affaire
Zola. Il se borne à placer, le 23, dans la marge même
de la missive qu'il a reçue du romancier, l'annotation
suivante, à l'encre rouge : « *Voilà un individu qui,*
après avoir fait écrire deux lettres au ministre par son
avoué, écrit maintenant que le ministre n'a pas à savoir
s'il a un procès! Mon successeur verra s'il y a lieu de
répondre à de pareilles prétentions. Paris, le 23 juin
1898. *Général Billot.* »

Le 28 juin enfin, le nouveau gouvernement est constitué. Le radical Brisson devient président du Conseil,
et toute la droite frémit. Serait-ce la Révision qui
s'annonce? Le portefeuille de la Guerre n'est plus entre
les mains d'un général. C'est un civil qui en a la charge,
Cavaignac.

Le 30 juin, Zola écrit à Cavaignac :

Médan, 30 juin 1898.

Monsieur le Ministre,
    Le 16 juin, j'ai eu l'honneur d'écrire à votre prédécesseur la
lettre suivante [transcription].

M. le général Billot ne m'a pas répondu, et j'ai pensé que, ministre démissionnaire, il voulait laisser à son successeur le soin de me répondre. C'est pourquoi je me permets, Monsieur le Ministre, de vous saisir de ma demande, et d'insister, en vous priant de bien vouloir me faire connaître votre décision.

Veuillez [etc.].   (Archives, Ibid.)

Zola connaît bien mal son Cavaignac, s'il se figure trouver en lui un ami de la Révision. Cavaignac consulte, laisse passer deux semaines, et, le 15 juillet, avise Zola de sa « *décision* », semblable à celle de son « *prédécesseur* ». Communication du dossier refusée.

(Il est amusant de constater — comme j'ai pu le faire — que l'Etat-major, par mesure de précaution, a prié Judet de réclamer lui aussi, par écrit, au mois de juin, le dossier François Zola, afin que l'on rédigeât une lettre de refus et qu'on pût de la sorte affirmer, sur preuves, que l'Armée ne lui avait jamais mis ce dossier sous les yeux.)

Le procès Zola doit venir définitivement devant le jury de Seine-et-Oise, le 18 juillet 1898.

L'Etat-major réédite, ce jour-là, son opération du 23 mai. Et, de nouveau, Judet sert d'homme de paille. Cinq colonnes, cette fois-ci, et non plus seulement trois, en tête du *Petit Journal.*

« *Un heureux hasard* », écrit Judet avec un clin d'œil que tous les gens de bien saisiront, m'a « *initié* », dit-il, « *au déshonneur d'un mort* » et m'a permis de déceler « *la cause profonde, la réelle explication des haines de Zola contre l'Armée* »; « *sa rancune héréditaire, qui lui dicta La Débâcle, ce monument de turpitude commerciale et d'infamie consciente contre le malheur d'une nation, inspire la campagne actuelle de désordre et de trahison* ». Judet s'honore et se glorifie d'avoir « *crevé l'abcès purulent de la dynastie des Zola* ». Encore s'est-il montré réservé, épargnant à l'auteur de *J'accuse* une investigation trop poussée « *dans ses propres aventures* », dédaignant d'établir « *des analogies plus précises* » entre l'escroc et son rejeton, gardant avec bonté le silence sur le « *départ précipité* » que fut celui d'Emile Zola, lorsqu'il

dut quitter, jeune homme, « *la maison Hachette* ».
(De plus en plus beau.)

Mais oui, Judet l'a vu, le dossier militaire de François Zola. Et il n'en fait point mystère. (L'Armée
s'est ravisée. Elle le laisse dire. Mais elle aurait dû
prendre soin, dès lors, de faire disparaître les pièces
établies en vue du petit scénario fallacieux auquel elle
avait cru d'abord devoir recourir. Négligence? Maladresse? Oubli? Toujours est-il que subsistent ces pièces
devenues inutiles, et fâcheuses, et compromettantes.)
J'ai « *exhumé* », dit l'opérateur, « *du dossier de François
Zola ce qu'il renferme* », autrement dit la preuve de ceci :
« *que l'intervention monstrueuse d'Emile Zola dans
l'affaire Dreyfus est la vengeance d'un fils nourri par le
père dans l'exécration de l'Armée souillée par sa présence
et coupable de l'avoir vomi* ». Imprudent Judet. Son zèle
l'entraîne à des propos inconsidérés. Le « petit bleu »?
« Le bordereau »? Balivernes que tout cela! Mensonges!
« *L'unique document* » solide et incontestable que Zola
aura eu sous les yeux « *durant toutes ses fastidieuses
manipulations de télégrammes falsifiés et de bordereaux
imaginaires* [sic], *c'est le nôtre, celui qui concerne son
père* ». Et en voici d'autres, des documents, terribles et
« *victorieusement armés pour la bonne cause* », « *flèches
providentiellement meurtrières* » qui « *resteront au flanc de
l'homme* » dont les inavouables « *passions* » et le « *délire* »
ont fait le complice de la Révision, « *le plus ignoble
attentat du siècle* ».

Qu'est-ce donc que l'on a mis entre les mains de
Judet et qu'il brandit de la sorte, dans une fulguration
d'éclairs? Deux lettres du colonel Combes (commandant
de la Légion étrangère en 1832) à son général pour protester contre le fait que « *le lieutenant Zola, coupable
d'un détournement de 4 000 francs au détriment du maga-
sin d'habillement* » ne passera pas, n'est pas passé,
devant le Conseil de guerre. Ce colonel jette feu et
flammes. De toute évidence, le lieutenant Zola n'était
pas de ses protégés; et l'on conçoit que ses tours de
phrase aient ravi l'Etat-major de 1898, tant ils s'accordent avec le style de la maison : « *Pour l'honneur du Corps
et de l'Armée, il est indispensable*, s'écriait le colonel,
que ce vil instrument de toutes les turpitudes humaines

(c'est le lieutenant Zola qu'il voulait dire) *soit ignomi-nieusement expulsé de leur sein, afin que sa présence ne souille plus les regards d'hommes et de guerriers qui tiennent et estiment* (sic) *l'honneur.* » Ces mots d'une grandeur antique, Judet les imprimait en lettres grasses. Il « *élève bien haut le flambeau* »; il en célèbre « *l'aveuglante clarté* ». Ce qu'il fait là, « *je le devais, dit-il, à tous les Français révoltés* » devant le « *syndicat des sans-patrie* ».

Et deuxième article (ce qui fera quatre, au total), le lendemain 19 juillet. Sur cinq colonnes encore. Plus de « documents », mais une éloquence qui ne faiblit point : « *Les rapines de François Zola occupent le dernier degré dans la sale crapulerie.* » « *Quand j'ai lu les lettres du colonel Combes, saisi de l'émotion qui le transportait, j'ai entendu son appel contre les forbans et les traîtres. Il était impossible d'être sourd et de résister à l'ordre* »; ce mort s'est levé « *pour rappeler la France aux Français* ». L'Italien Zola, fils d'un voleur, « *est un étranger parmi nous* »; « *chef de bande politique* », après avoir été le chef « *de l'école ordurière* », il ajoute à ses « *lauriers* » « *le scandale vécu d'une trahison réelle* ». Non content de « *s'être acharné, en trente volumes, à précipiter la décomposition de l'esprit public* », véritable « *génie du mal* », il lui a fallu diaboliquement travailler, « *dans le vif des choses, dans la matière saignante, à la destruction nationale* ». Honneur au colonel Combes dont « *l'accusation décisive* » venge le passé et sauve l'avenir!

La vérité sur la faute commise par François Zola ressortait de son dossier même. C'était à une femme (Mme Fischer) qu'il destinait cet argent qui ne lui appartenait pas et qu'il comptait pouvoir remettre où il l'avait pris avant qu'on s'en aperçût. D'où l'indulgence de ses chefs. Louis-Philippe, d'ailleurs, ne verra aucun obstacle à le recevoir personnellement, quatre ans plus tard, en 1836.

Quant à l'Etat-major antidreyfusard de 1898, nanti par le lieutenant-colonel Henry du faux qu'il croit de nature à perdre le capitaine juif pour toujours et à

ruiner toute tentative de révision, il n'en a plus que
pour six semaines, fin juillet, à conserver ses airs de
gloire : le 3o août, Henry sera contraint d'avouer son
forfait, et ce sera, pour ceux qu'avait déjà démasqués
J'accuse, le commencement de la fin.

Zola
et l'affaire Dreyfus

Rappelons d'abord quelques faits.

Le capitaine Alfred Dreyfus avait été désigné, le 6 octobre 1894, par le lieutenant-colonel d'Aboville, comme l'auteur probable de ce « bordereau » saisi par notre Service du contre-espionnage et qui énumérait des secrets militaires livrés par un inconnu bien renseigné à M. de Schwartzkoppen, l'attaché militaire allemand à Paris.

Il n'y avait, officiellement, contre Dreyfus que cet unique chef d'accusation : son écriture paraissait être celle du bordereau. En dépit de la déclaration, sous serment, du commandant Henry, pendant le procès (« Le coupable, c'est lui ! Je le jure ! »), il se pouvait que Dreyfus fût acquitté par le Conseil de guerre devant lequel il devait comparaître, la « preuve », contre lui, étant mince et douteuse.

C'est alors que le général Mercier, ministre de la Guerre, qui attachait à la condamnation de Dreyfus un prix extrême, commit clandestinement une forfaiture. A l'insu de l'accusé, à l'insu de son défenseur (Me Demange), Mercier fit passer aux juges militaires, dans la salle de leur réunion — les débats étant clos, et à l'heure même (18 h.) où ils allaient se prononcer — un dossier secret. Dreyfus fut condamné, à l'unanimité (22 décembre 1894).

La pièce majeure de ce « dossier secret », on le sait aujourd'hui, était une lettre de l'attaché militaire allemand à l'attaché militaire italien : « *Ci-joint 12 plans directeurs de Nice que ce canaille de D. m'a donnés pour vous.* » Ni Mercier, ni personne à l'Etat-major ne pouvait croire que ce « *D* » fût Dreyfus, car un autre document, complémentaire, sur lequel nos services avaient mis la main — mais ce document-là, Mercier l'avait soigneusement exclu du petit dossier qu'il adressait aux juges — précisait que le « *D* » en question, petit traître au rabais, recevait dix francs pour chaque « plan directeur » qu'il livrait. Dreyfus était un homme riche. Inconcevable qu'il se vendît, et vendît la France, dans un trafic aussi sordide. Convaincus par cette communication ministérielle, abrégée mais qui revêtait l'allure d'une injonction, les juges militaires obéirent au vœu du général-ministre.

Nul ne parle plus de Dreyfus, en 1895. Il est à l'Ile du Diable, expiant son « crime ». Au début du printemps 1896, le Contre-espionnage découvre un « pneu » (un « *petit bleu* », comme on disait alors) adressé par Schwartzkoppen à un autre officier français, le commandant Esterhazy. Ce message est gniématique; inquiétant même. Le nouveau chef du S. R., le lieutenant-colonel Picquart, enquête. Ce commandant Esterhazy est un personnage taré, à peu près crapuleux, et Picquart s'aperçoit soudain que l'écriture d'Esterhazy ressemble à celle que l'on a vue sur le « bordereau » mille fois plus que n'y ressemblait l'écriture de Dreyfus. Picquart poursuit ses vérifications. Bientôt l'évidence est absolue : ce bordereau que les juges militaires, il y a deux ans, ont attribué à Dreyfus, il n'était pas de lui; il était de la main du commandant Esterhazy.

Picquart va trouver ses supérieurs : le général de Boisdeffre, chef de l'Etat-major général de l'armée, puis le général Gonse, sous-chef de l'Etat-major général, et leur expose les faits. Les deux généraux lui déconseillent de « *mêler les deux affaires* ». En vain leur explique-t-il qu'il n'y a précisément pas *deux* affaires, mais une seule, et que Dreyfus est un innocent condamné par erreur à la place d'un coupable désormais identifié. L'Etat-major reste intraitable; interdiction de rouvrir l'affaire du capitaine Dreyfus.

Evincé de sa charge au ministère de la Guerre et affecté au commandement d'un régiment de tirailleurs en Tunisie, le lieutenant-colonel Picquart fait le mort.

Il n'en constate pas moins qu'une hostilité subsiste contre lui, en haut lieu. Par mesure de précaution personnelle, au cours d'une permission, le 21 juin 1897, Picquart expose à un avocat parisien, son ami Leblois, les raisons de la malveillance, dangereuse pour sa carrière, dont il se sent entouré. Lebois apprend ainsi la vérité sur l'affaire de trahison, réglée en 1894. Picquart l'a prié, impérativement, de se taire tant que lui-même ne se verrait point directement persécuté. Leblois ne se résigne pas à garder le silence sur le cas de ce capitaine innocent, depuis plus de deux ans, alors, captif à l'île du Diable. Il s'en ouvre au Vice-président du Sénat, Scheurer-Kestner, patriote exemplaire et dont la modération a fait, en politique, un homme partout respecté. Scheurer s'émeut, voit du monde, se rend même auprès du ministre de la Guerre, le général Billot, vieux camarade qu'il tutoie et le conjure de prendre en personne l'initiative d'une révision, de peur que l'affaire ne s'envenime. Billot voudrait agir. L'Etat-major s'y oppose. Le 15 novembre 1897, c'est l'éclat. Mathieu Dreyfus, frère du capitaine, adresse une lettre ouverte au ministre de la Guerre pour réclamer la réhabilitation du condamné et il livre au public le nom d'Esterhazy : le voilà, l'auteur réel du « bordereau ».

Ce que nous connaissons du rôle de Zola dans l'affaire Dreyfus, outre son fameux article : « J'accuse », lui-même en a rassemblé la substance dans son ouvrage de 1901 : *La Vérité en marche*. Mais la famille du romancier conserve des documents dont la publication intégrale ajoutera beaucoup à notre information. Il y a ces lettres intimes, adressées par Zola, d'Angleterre, à sa femme et à Jeanne Rozerot. Il y a les « *Pages d'Exil* », dont Mme Denise Leblond-Zola nous a donné, en 1931, des fragments dans son livre : *Emile Zola raconté par sa fille*. Il y a enfin des *notes inédites*, appartenant au Dr Jacques Emile Zola, et dont on trouvera ici le texte; les unes précèdent, les autres suivent ces *Impressions d'audience* publiées par M. Jacques Kayser dans *La Nef*, en février 1948. (La correspondance de Zola comprend

également, sur la question qui nous occupe, bien des
lettres précieuses qui n'ont pas encore vu le jour.)

Avec une entière franchise, dans les notes qu'il
réunissait pour le livre que la mort l'empêchera d'écrire,
Zola ne cache point qu'au début de l'Affaire, c'est
l'écrivain, seul en lui, qui fut en éveil. La dégradation de
Dreyfus (5 janvier 1895), qu'un témoin lui avait décrite,
l'a secoué : « *idée d'utiliser cette scène affreuse dans un
roman* ». Il ne met pas en doute, alors, que Dreyfus
soit coupable. Tout occupé de ses *Trois villes* (*Lourdes*
vient de paraître ; *Rome* est en chantier ; puis viendra
Paris), Zola ne prête qu'une médiocre attention aux
efforts de la famille Dreyfus pour rouvrir le procès du
capitaine ; « *quelques conversations avec Bernard Lazare* » ;
« *il m'avait envoyé ses brochures, mais je les avais à peine
feuilletées* » ; « *je n'avais pas même connu la publication
du* fac-similé *du bordereau dans* Le Matin ».
Le manuscrit de *Paris* est achevé le 31 août 1897.
Zola ne sait pas encore exactement à quel ouvrage il va
s'atteler. Il a le temps. Et c'est alors qu'au mois d'octobre
de cette année 1897, Leblois, qui cherche de toutes
parts des appuis, vient le voir, et le met en relations
avec Scheurer-Kestner. Zola n'est pas convaincu encore
que les amis de Dreyfus aient raison. Sans doute, le
bordereau est de la main d'Esterhazy ; mais ces « pièces
secrètes » communiquées par Mercier aux juges militaires,
il se peut qu'elles aient contenu, contre l'accusé, des
preuves écrasantes. Zola se réserve. L'affaire, pourtant,
ne cesse de le tourmenter et il réfléchit : d'une part, si
Dreyfus a bien été condamné, comme le soutient
Scheurer-Kestner « *sur des pièces illégalement communiquées au Conseil de guerre* », ce seul fait suffit pour qu'il
y ait « *lieu à révision* » ; d'autre part, ces documents
secrets, « *Picquart a dû les connaître* », et s'ils n'ont
pas ébranlé sa certitude quant à l'innocence de Dreyfus,
c'est qu'ils n'ont aucunement la valeur contraignante
que l'Etat-major leur attribue ; Billot, au surplus, n'a
pas « *arrêté* » net Scheurer-Kestner, lorsqu'il l'a entendu,
le 30 octobre, lui exposer ses craintes, et plus que ses

craintes, d'une erreur judiciaire commise en 1894.
Si des « preuves » établissant la culpabilité de Dreyfus
existaient, irréfutables, Billot « *aurait confondu, d'un
mot* » son interlocuteur. « *En somme* », ces pièces que
l'Armée dissimule, « *ces pièces n'étaient pas sérieuses* »,
tout semblait l'indiquer, le crier ; « *l'innocence de Dreyfus
m'apparaissait comme de plus en plus certaine.* »

« *Si j'avais été dans un livre, je ne sais pas ce que
j'aurais fait* » ; devant cet aveu, loyal et humble, Zola
n'a pas hésité. Joseph Reinach l'a recueilli de ses lèvres,
et l'a enregistré dans sa monumentale *Histoire de l'Affaire
Dreyfus* (t. III, p. 67, note 1). Et les notes elles-mêmes
de l'écrivain attestent qu'à la fin de l'année 1897 et
jusqu'au 11 janvier 1898, tandis qu'il publie, dans le
Figaro, ses premiers articles de combat (25 novembre,
Monsieur Scheurer-Kestner ; 1er décembre, *Le Syndicat*;
5 décembre, *Procès-Verbal*), Zola continue à réagir en
artiste surtout : « *Ce que j'avais vu, pour les Lettres, dans
l'affaire : une trilogie de types ; le condamné innocent,
là-bas* [...]; *le coupable libre, ici* [...], *et le faiseur de
vérité, Scheurer-Kestner* [...]. » Il a dans l'esprit « *l'arrière-
pensée* » d'un livre, « *un drame peut-être* ». Son article du
25 novembre laissait paraître cette *arrière-pensée-là :*
« *Quel drame poignant! quels personnages superbes!* » Un
beau type littéraire, celui de Scheurer-Kestner. On n'y
croit guère, aux êtres nobles. En voilà un, pourtant, vivant parmi nous. « *Dressez donc cette figure-là,
romanciers!* »

Puis tout va changer. Si Zola demeure calme, et s'il
peut penser à autre chose qu'à la libération, à la réhabilitation de l'innocent, c'est que le succès de l'entreprise menée en faveur de cet infortuné lui paraît hors
de question. Et Léon Blum (*Souvenirs sur l'Affaire ;*
1936) rappellera que telle était bien, en effet, la pleine
conviction, tranquille, du petit groupe d'hommes
rassemblés derrière Scheurer-Kestner. Nulle fièvre.
Un naïf « *optimisme* », écrit, de son côté, Zola. Esterhazy
va passer en jugement. *Donc*, l'affaire Dreyfus est finie.
Les renseignements recueillis sur Esterhazy sont
éloquents. Le *Figaro* du 28 novembre a publié des
lettres, inouïes, de l'individu; et l'une, en particulier
dans laquelle il déclare : « *Si, ce soir, on venait me dire*

*que je serais tué demain comme capitaine de uhlan en
sabrant des Français, je serais certainement parfaitement
heureux* »; mieux; le *Figaro* a pu reproduire, côte à
côte, le *fac-simile* du « bordereau » et le *fac-simile*
de cette lettre monstrueuse. L'écriture des deux documents est la même. « *On ne trouverait pas un expert
pour dire le contraire.* »

Or Esterhazy fut acquitté, acquitté à l'unanimité,
par les juges militaires, le 11 janvier 1898.
Notes de Zola : « *Mon état d'âme. La colère, l'exaspé-
ration que l'acquittement y a déchaînées.* » Un mois plus
tôt, le 25 novembre, il croyait encore, et le disait publiquement, que cette affaire Dreyfus était « *la plus simple
du monde* »; « *il n'y a pas d'autre difficulté que de reconnaître qu'on a pu commettre une erreur et que l'on a
hésité, ensuite, devant l'ennui d'en convenir* ». Il se rendait
compte, à présent, que ce n'était pas *simple* du tout,
et que cette interprétation favorable à laquelle, de
bonne foi, il avait cru pouvoir s'en tenir se trouvait
renversée. Un abîme se creusait sous ses yeux; un
gouffre fétide. Notes inédites : « *Le jour où j'ai écrit ma
lettre* [sa *Lettre au Président de la République*, dont il
avait fait une brochure, du même type que sa *Lettre
à la Jeunesse*, du 14 décembre 1897 et que sa *Lettre
à la France* », du 6 janvier 1898; Clemenceau le persuada
d'en faire, bien plutôt, un article pour *L'Aurore*, et,
le 13 janvier 1898, *L'Aurore*, qui « tira » ce jour-là à
300 000 exemplaires, publia ce grand texte sous le
titre : « *J'accuse* »] *j'étais outré, j'étais malade.* » Puisqu'il
devenait évident, désormais, que la vérité serait étouffée,
toujours et systématiquement étouffée, tant que l'affaire
resterait aux mains des militaires, un seul recours :
ouvrir par effraction le procès public » de l'affaire
(Blum); qu'un civil s'exposât, de face, à des poursuites;
qu'il fît un geste tombant sous le coup de la loi; qu'on
fût obligé de le traduire devant un tribunal; civil, c'est
devant un tribunal civil, le tribunal de tout le monde,
qu'il irait, et non pas devant cette justice, spéciale à
tous égards, dont l'Armée est parvenue à conserver

le privilège. Là, aux assises, on pourrait parler, enfin. « *Mon intention a été de me dévouer, de provoquer un procès civil, devant les Assises, où la vérité pourrait se faire. Je m'offrais comme une simple occasion, un terrain sur lequel on pourrait s'expliquer au grand jour. Pas beaucoup d'illusions. On ferait ce qu'on pourrait* »; en tout cas, on s'arrangerait pour « *forcer les généraux à venir* ». Qu'on les voie de près, ces mystérieux. Qu'on les regarde et qu'on les écoute. Et ce sera déjà immense pour la cause en jeu, qui, par l'acquittement révélateur d'Esterhazy, vient de prendre des proportions monstrueuses.

Que de fois n'a-t-on pas répété après Barrès (on le répète encore à présent), que Zola, avec « *J'accuse* » et ce procès qu'il désira, cherchait avant tout à se mettre en vedette. C'est juger bien mal et de l'homme et des circonstances. Zola avait la gloire et l'argent. Aucune ambition politicienne. L'attrait qu'avait un instant exercé sur lui, après l'achèvement de ses *Rougon-Macquart*, en 1893, un rôle efficace au Sénat, c'était fini; il y avait renoncé, sans retour. Une seule chose lui faisait envie, beaucoup : entrer à l'Académie française. Il se présentait, depuis huit ans, à chaque élection, et, malgré l'opposition doucereuse, haineuse, acharnée, de Renan, ses chances augmentaient, devenaient sérieuses. Foncer contre des généraux, c'est détruire ces chances, d'un seul coup et à jamais. Zola le sait et l'accepte. Nous nous représentons mal, à la distance où nous sommes maintenant de tout cela, le tort incalculable que son attitude pouvait lui porter auprès du public; et Zola, vivant de sa plume, vit du public; ce sont ses ressources même qu'il compromet, qu'il risque d'annuler. Un article du 7 avril 1898, et d'un homme de bien, M. Denys Cochin, souligne comme il convient, dans la *Revue de Paris* le caractère d'attentat scandaleux que prenait le comportement de Zola auprès des neuf dixièmes des Français. C'est avec exactitude que Léon Blum, dans ses *Souvenirs*, précise que les dreyfusards, en janvier 1898, ne sont même pas une poignée; une pincée. Qui achète les livres de Zola? La bourgeoisie, la bourgeoisie moyenne; et il n'y a pas un bourgeois sur cent qui ne tienne alors pour une

18

« *injure formidable* » faite à « *l'Armée* », une « *injure* » révoltante et impie, « *le seul fait de discuter* » un jugement prononcé par un Conseil de guerre (Denys Cochin).
Zola va se couper de l'opinion. Cela aussi il le sait,
et l'accepte.

En vain Alphonse Daudet, qui lui, sait naviguer, a
fait ce qu'il a pu pour détourner son confrère d'une
maladresse à ce point ruineuse. Paléologue, le 15 janvier,
entend Brunetière, au cours d'un dîner dans le monde
(sont là Paul Hervieu, René Bazin, la baronne de
Pierrebourg, etc...), exploser : « *Et ce M. Zola ! De quoi
se mêle-t-il?* Sa lettre « J'accuse » *est un monument de
sottise et d'outrecuidance.* » La *Patrie* (6-11-98) cite
avec bonheur l'avis compétent du Dr Toulouse, « *chef
de clinique des maladies mentales à la Faculté de Méde-
cine de Paris* » : « *Les sens de M. Zola paraissent être dans
un état permanent d'excitation anormale et dans des
conditions assez voisines, en somme, de ce que l'on rencontre dans l'hallucination.* » Pour Henri Rochefort,
(*Intransigeant*, 25-11-98) *J'accuse* est une « *bobécherie
d'intellectuel en goguette* », et M. Zola, « *le dindonnant
Zola* », avec son « *orgueil maladivement imbécile* », est,
à son insu, l'instrument « *des Juifs du Syndicat* »,
lesquels « *ont spéculé sur son aveugle vanité pour le
lancer en avant et se faire emprisonner à leur place* ».
Barrès va proclamer : « *Cet homme n'est pas un Français* »
(*Scènes et doctrines du nationalisme*, p. 40), et G. Sorel
ira ricanant : Zola? l'être « *le plus représentatif de la
bouffonnerie de ce temps* »; « *personnage encombrant* »
et « *très petit esprit* »; un « *clown* », pas davantage;
« *un clown faisant la parade devant une baraque de foire* »;
« *sa déception fut grande lorsqu'il s'aperçut que les tribunaux sont organisés pour juger des criminels et non point
pour entendre des dissertations historiques et littéraires* »;
ce grotesque s'imaginait « *que les officiers seraient tenus
à venir lui expliquer leur conduite!* » (*La Révolution
dreyfusienne*, pp. 29-30.)

Ce Sorel est déconcertant. Comment peut-il feindre,
en 1909, de ne pas voir (il est vrai qu'à cette date il en

est à son flirt avec l'*Action Française*) ce qui crève les
yeux de l'historien et que les notes inédites de Zola
relèvent avec une parfaite justesse : mon « *procès* »,
« *tout est parti de là* »; « *il a tout contenu en germe* ».
Rien de plus véridique. Les premières lézardes dans le
mur du mensonge, c'est Zola, avec son procès, qui les
a provoquées. Et dès avant même qu'on le jugeât, des
amis surgissaient, du côté des Lettres et des Arts, inat-
tendus. *L'Aurore*, *Le Siècle*, fin janvier 1898, publient
des listes de protestataires réclamant la « Révision » :
Henry Bauër, Claude Monet, Paul Fort, André Gide,
Charles-Louis Philippe; du côté de l'université : Gabriel
Monod, Séailles, Gustave Lanson; chez les étudiants,
un nommé Péguy. Dans le *Siècle* du 20 janvier, voici
les noms de Charles Andler, de Jules Renard, d'Henry
Ghéon. Une « *majorité de nigauds* », conclut Barrès
(*Le Journal*, 1er février 1898). Il est vrai qu'en face se
rassemblent MM. Charles Maurras, Valéry, Pierre Louÿs,
pour sauver l'honneur national, derrière l'Académie au
complet, ou presque, les généraux de Biré, de Dionne
et de Brémond d'Ars, et le capitaine Maxime Weygand.

Le procès de Zola s'ouvrit le 7 février. Empruntons
quelques citations aux journaux du 8, relatant l'arrivée
de l'écrivain au Palais de Justice; de l'*Echo de Paris* :
« *Une formidable clameur s'élève : — A bas Zola! A
bas les Juifs!* [...] *Le romancier descend de voiture.
Il est voûté, frissonnant, d'une pâleur extrême. Il baisse
la tête comme pour s'assurer que le sol ne va pas lui manquer
sous le pied* »; du *Gaulois* : « *M. Zola a été reconnu, et
aussitôt une violente clameur part de tous côtés : — A bas
Zola! Vive l'Armée!* » du *Figaro* : « *Les voitures s'arrêtent. De la première descend M. Emile Zola* [...]; *des cris
divers retentissent. — A bas la crapule! Vive Zola!
A bas Zola! Ce dernier cri étouffe les autres.* » Le *Jour*
du 9 février relate comme suit ce qu'il nomme « *La
fuite de M. Zola* », à l'issue de la première audience :
M. Zola et un avocat, Me Labori, sortent par la cour du
Petit Parquet; « *des escouades d'agents refoulent les
curieux* [...]; *des cris. — A bas Zola!* s'élèvent. *Un brave
ouvrier tonnelier, en tenue de travail, s'avance vers le coupé
et crie : — On ne lui fera pas de mal; il ne mérite que le
mépris public! La voiture se met en marche* [...]. *Les*

18*

manifestants se précipitent [...]; plusieurs tendent le poing vers la portière [...]. Au nombre de deux ou trois cents, ils suivent la voiture au pas de gymnastique. » La même feuille, le même jour, signalant que « *cinq cents jeunes filles de Vienne* » auraient, d'après un quotidien belge, rédigé une « adresse » en faveur du romancier, commente ainsi la nouvelle : « *Il s'agit, à n'en pas douter, des aimables personnes que l'on voit, dès le matin, faire le trottoir au Graben.* »

Les journaux de l'Etat-major triomphaient trop vite; ils espéraient tous que les généraux et officiers, cités par Zola, et qui refusaient de comparaître, allaient pouvoir aisément s'esquiver (« *Zola, dans son orgueil stupide, avait cru que, pour sa satisfaction personnelle, quantité de hauts personnages se dérangeraient* »; chacun répondit « *qu'il ne viendrait pas* »; Le Jour, 9-11-98). Ils vinrent tout de même, comme les y obligeait la loi. Notes de Zola : « *Bien montrer la singulière végétation qui s'est produite, d'audience en audience, par la force même des choses : pas de généraux; puis les généraux; et, peu à peu, les généraux forcés de s'engager à fond. On les fait se contredire; on les surprend en flagrant délit de mensonge, et alors ils lâchent tout peu à peu.* » Le Dr Jacques Emile-Zola m'a permis de publier ici pour la première fois — qu'il en soit chaleureusement remercié — des notes au crayon, prises par son père, pendant les audiences; ce sont des observations rapides, elliptiques (quelquefois malheureusement illisibles), sur les principaux témoins militaires.

— « *Mercier. Orgueil [...] toujours raison. Propre, argent. Jamais ne s'être trompé. Cassant. Perspicacité, haute idée. Médiocre [...].*

— « *Du Paty. Chimérique. A fait de tout [...] tout très mal [...] sans fond, vacillant [...] Documents à Esterhazy. Peut aller jusqu'au faux.* »

— « *Henry. [...] sans instruction. Brutal. Finesse de paysan. Capable de tout pour servir un chef. L'homme du devoir [...] Plus policier qu'officier. Besogne basse [...] Faux serment. Faux témoin [...]* »

— « *Commandant Lauth [...] Intelligent. A approfondir. Méchant [...]; ne lâche pas. La colère l'aveugle. Très antisémite [...]* »

— « *Pellieux. Rageur, menteur, mauvaise foi, ambitieux. Le sang bouillonnant. Arrive sans idées. Conduit
par Esterhazy* [...] *s'excite et file* [...] »
— « *Ormescheville. Energumène* [...] *Faire ce que les
chefs demandent. Naturellement contre Picquart* [...] »
— « *Gonse, Les bureaux* [...]. *La crainte. Terrorisé.
Peur des chefs* [...] *servile, scribe, rond-de-cuir* [...] *Fausseté
avec Picquart* [...], *ruinant en dessous. Faux bonhomme
parce que faible, craintif.* »
— « *Boisdeffre. Intelligence assez vive. Paresse. Pas
lâche.* »
— « *(Billot)* [...] *bête. Sans critique. Ment à la tribune :
Je ne veux pas savoir ! C'est l'affaire de l'Etat-Major !*
[...] *Consultera les subordonnés sur les supérieurs. Diviser
pour régner* [...] *Incapable de supporter une responsabilité*
[...] *Engage Gonse* [...] *Le politicien général* [...] *Parvenu.
Profite de tout* [...] *In[soucieux] de distinguer le vrai du
faux, mais ce qui est avantageux ou non.* »

A ces notes brèves qui datent de l'heure même, et
qui sont tracées n'importe comment (sur des feuillets,
semble-t-il arrachés à un carnet), joignons ceci, qui est
écrit à l'encre, et de date postérieure : « *La mentalité
des officiers* [...]. *Comment ont-ils pu arriver à cela?
Pendant mon procès : incapacité, crédulité, inintelli-
gence. Et toute leur psychologie en suivant les phases de
l'affaire. Même si on les prend honnêtes, et c'est plus
grave encore. Toute une étude* [à faire] *de ce qui peut
rendre tel l'officier français supérieur : légende de la
victoire; atavisme monarchique — clérical — guerrier;
esprit de corps; ignorance; moment politique. Et les
circonstances après la défaite. Ils sont tout et rien. Mal
payés; ennui; ambition.* »

Pour le récit qu'il aurait voulu écrire, Zola s'était
fixé des repères : « *l'assistance; les avocats par terre;
les dessinateurs; les têtes à gifles; le jury muet, sans une
question; les effets de jour; les nuages qui passent et
assombrissent la salle; les coups de soleil sur le mur que
je regarde, en l'air. La fin de séance, lorsqu'on allume le
gaz* »; « *mes réflexions pendant les longues audiences*

[...] *Les crampes qui me prennent, par moments ; le besoin
de marcher* [...] *L'effet de ces longues séances sans air.*
[...] *La sorte de cauchemar qui vous prend* [...] *Les officiers insolents ; la salle faite par des militaires en civil* » ;
« *ma colère, chaque soir, à m'en aller ainsi. On embrassait
Esterhazy pendant qu'on me huait* [...] *J'ai refusé à
ceux qui voulaient amener des révolutionnaires.* »

La nervosité de Zola n'échappait à personne. G. Méry
nous en a laissé un de ces témoignages qui sont, pour
l'enquêteur, le type même du document capital : une
espèce d'enregistrement cinématographique : « *Il mord
la pomme de sa canne, se passe la main dans le cou,
écarte ou secoue les doigts à la manière des pianistes qui
craignent les crampes, essuie son lorgnon, fait danser
sa jambe gauche, rajuste son col, regarde en l'air, frise sa
moustache, choque ses genoux, secoue la tête, crispe ses
narines, se tourne à droite et à gauche...* » Henri Hertz,
qui était là, évoque, lui aussi (dans *Europe*, novembre-
décembre 1952), sa « *gesticulation courte et agitée* »,
« *sa petite voix pointue* ».

Le romancier ne sait que trop qu'il n'a pas le don de
la parole, que ses idées se brouillent, que tout sang-froid
l'abandonne dès qu'il veut parler en public, sans texte
sous les yeux. Il a lâché, le 8 février, un mot d'emporte-
ment : « *Je ne connais pas la loi, et je ne veux pas la
connaître* », et il se surveille. N'empêche que ses rares
interventions seront bonnes, chaque fois, et pertinentes.
Et c'est grâce à lui, Zola, grâce à ce procès, que l'on
entendra Henry dans son extraordinaire numéro d'imposture (« *Allons-y !* »), que Mercier s'enferrera, à propos
du dossier secret, que Pellieux, après avoir essayé de
faire croire aux jurés, au pays (10 février), que les fac-
similés du bordereau reproduits par la presse sont *des
faux*, s'abandonnera, le fou (17 février), à faire état,
publiquement et triomphalement, de la preuve *décisive* contre Dreyfus, celle qu'il importait, à tout prix,
de ne dévoiler jamais, attendu qu'elle est truquée, fictive, et qu'elle a été forgée, par les soins d'Henry, dans
l'officine du S. R. Et l'on assistera, le lendemain, à cette
aventure énorme : le général de Boisdeffre, qui avait
tout fait pour ne pas comparaître, qui avait même,
prévoyant le pire, insisté en vain auprès du gouverne-

ment pour que le procès Zola n'eût pas lieu, il lui faut
revenir à la barre; oubliant qu'il affectait hier de tenir
J'accuse pour négligeable, pour inexistant, il se hausse
maintenant jusqu'au pathétique et au chantage solennel; il jette son épée dans la balance; il somme le jury
de choisir entre la condamnation de Zola et sa propre
démission, immédiate.

Le jury, subjugué, peut condamner Zola, comme il
va le faire, en effet. L'ébranlement n'en est pas moins
donné. Boisdeffre et son clan sont perdus. La condamnation de Zola est du 23 février 1898. Le colonel Henry
avouera son crime le 30 août de la même année. Mais
Gonse, se faisant porter malade, a déjà, dès la fin de
juillet, quitté le S. R. sur la pointe des pieds, et Boisdeffre s'évade à son tour le 1ᵉʳ septembre.

En marche, oui, la vérité. Mais que d'obstacles et
de chausse-trapes ses ennemis s'ingénieront encore à
disposer sous ses pas!

Il a bien fallu, après l'aveu et le suicide d'Henry,
consentir à réviser le procès de 1894. La Cour de Cassation doit s'en occuper. Aussitôt, riposte militaire. Le
ministère Brisson, coupable d'avoir autorisé la révision
(26 septembre), est renversé le 25 octobre, grâce à la
défection, en pleine séance, à la tribune, du général
Chanoine, ministre de la guerre. Puis le général Zurlinden, gouverneur de Paris, ordonne la mise en jugement
de Picquart devant le Conseil de guerre de Paris.
L'objectif est clairement visible. On a détruit la
« preuve », constituée par le faux du colonel Henry?
La tactique est donc de prétendre que, si le colonel
Henry a eu tort de fabriquer cette pièce, il ne l'a fait,
sottement mais à bonne intention, que pour lutter
contre un autre faux, dû à Picquart celui-là : le « petit
bleu », imaginé par les Juifs pour substituer Esterhazy
à leur Dreyfus. Zurlinden inculpe Picquart de faux et
usage de faux.

Zola est en Angleterre, depuis le 19 juillet 1898. La
veille, sa condamnation avait été confirmée, en appel,
par le tribunal de Versailles. Dès le 8 avril, les membres

du 1ᵉʳ Conseil de Guerre de Paris, « *estimant que le
sieur Zola, officier de l'ordre national de la Légion d'Honneur, a manqué à l'honneur* » en les « *diffamant* », ont
émis, « *à l'unanimité, le vœu que M. le Ministre de la
Guerre prenne l'initiative d'une plainte à M. le Grand
Chancelier* » (*Archives Nationales, B. B.* 19; *dossier* 89).
C'est dans son exil que Zola reçoit le choc des mauvaises
nouvelles. Note inédite : « *Le contre-coup du procès Picquart sur moi, dans cet hiver anglais (tempêtes, pluies,
brouillards). L'acte de Zurlinden* [...]. *Le comble de l'infamie : après Dreyfus, innocent, condamné, et Esterhazy,
coupable, acquitté, le Conseil de Guerre jugeant Picquart
pour avoir voulu la vérité et la justice ! Il n'y a plus de
France. La lâcheté universelle, comme elle m'apparaît de
loin ; et malgré le succès pour Dreyfus* [la révision en
cours], *la désespérance de tout devant la menace d'une
telle iniquité.* » Et ceci, d'une lettre inédite à Labori,
4 décembre 1898 : « *Je n'en puis plus d'impatience et de
détresse* [...]. *Ces abominations contre Picquart sont le
crime suprême* [...] »

Parallèlement s'inaugure une campagne de la droite
contre la Chambre criminelle. En raison de ce qu'elle
apprend, jour après jour, cette Chambre, à coup sûr,
va émettre un avis contraire à celui des juges militaires
de 1894. Leur verdict sera cassé. Dreyfus reviendra, la
tête haute. Il faut empêcher cela, n'importe comment.
La droite exige, en dépit de la loi, que la Chambre
criminelle soit *dessaisie*. Un des présidents, Quesnay de
Beaurepaire, mène l'opération. Tous les antisémites, tous
ceux qui exècrent la République, toute la haute Armée
font pression sur le ministère (c'est Dupuy qui a succédé
à Brisson) pour que ce soit la Cour de Cassation tout
entière, la Cour, *toutes chambres réunies*, qui ait à
connaître de la Révision. La droite nationaliste compte
qu'elle a assez de complices, assez de créatures, parmi
les membres de la Cour pour que leur cohorte interdise
ce vers quoi l'on court si la Chambre criminelle, selon les
dispositions légales, est seule à se prononcer sur l'affaire.

Note de Zola :

« *Les prétendues complaisances de la Cour pour Picquart.
Saluts, politesses, égards. Naturellement, la Cour qui le sait,*

*par son enquête, innocent et persécuté, le traite en conséquence,
lui donne cette consolation de sympathie; et très dignement, avec
de simples saluts muets. Puis, après avoir entendu ces généraux
imbéciles et menteurs, quel repos pour elle d'entendre enfin cet homme
intelligent et honnête!* [...] *De là son prétendu crime, les injures,
le dessaisissement. De sorte qu'elle est persécutée comme nous, pour
avoir été honnête, pour avoir voulu la vérité. Tout son crime est
d'avoir été, avec Picquart, pour le salut de la Patrie. C'est à pleurer!*»

Autres notes : « *Manœuvre monstrueuse. Discréditer les juges
à la veille de la justice. Où le pays tomberait-il si l'on réussissait?
N'importe que tout croule, pour sauver quelques militaires, pour
ne pas avoir eu tort!* »

« *L'anarchie dans le dessaisissement. Si la tentative de Beaurepaire s'est produite, si l'on a agi contre la Cour, si une enquête
a pu être ouverte contre la Cour, qui ne faisait que son devoir, c'est
que les bandits osent tout quand le gouvernement ne gouverne pas*
[...] *La désorganisation de la justice; la décomposition lente de tout
le pacte social* [...]; *de là, l'angoisse.* »

A l'incitation de Félix Faure, le ministère Dupuy fait
voter le dessaisissement par les députés le 10 février 1899,
par les sénateurs, le 1er mars. Et c'est dans le même
temps que le parti nationaliste invente sa *Ligue de la
Patrie Française* (première réunion publique, sous la
présidence de Coppée, le 19 janvier 1899; en sont les
principaux ornements : Paul Bourget, Jules Lemaitre,
Albert Sorel, Emile Faguet, E. M. de Voguë, le comte
d'Haussonville, le duc d'Audiffret-Pasquier). « *La Ligue
de la Patrie Française*, écrit Zola, *n'est que la reproduction
adoucie de la Souscription Henry* [lancée par la *Libre
Parole*; la première liste des souscripteurs avait paru
le 14 décembre 1898]. *Tous ceux qu'un peu de pudeur
a empêchés de signer celle-ci se sont rués à celle-là. La
même manifestation, à l'usage des gens du monde. Pourtant, beaucoup de signataires trompés par l'équivoque* [...].
*Ceux qui n'ont pas lu ou qui ont mal lu, qui ne sont que
pour la conciliation. Mais les autres! Expliquer ceux-là,
leur psychologie, les Barrès, les Lemaitre, les Coppée, les
Brunetière* [...]. *Autre manifestation pour troubler les
esprits, obscurcir l'idée de justice, jeter le doute sur la vérité.* »

Zola est alors très sombre; témoin cette lettre du
16 février 1899 : « *Je crois bien qu'il vont commettre
l'abomination jusqu'au bout. C'est chez moi de la stupeur.
Comment une grande nation va-t-elle vivre devant tous*

les autres peuples avec ce forfait étalé en plein soleil? »
Et ces lignes du 19 avril : « *Le complot continue. On ira
jusqu'au bout* [...]. *Quand on a risqué la honte d'une telle
loi, c'est que tout le monstrueux plan de campagne est
arrêté* [...]. *Je vous dis là ce que mon cerveau roule pendant
mes promenades solitaires* [...]. *Dieu veuille que je me
trompe!* »

Les manuscrits qu'a bien voulu me communiquer le
docteur Jacques-Émile Zola contiennent également des
feuillets où son père revit en esprit ce que furent ses
jours de 1898-99, dans cette Angleterre où il se sentit
si seul, heureux parfois, malheureux le plus souvent.

— « *La solitude telle que je l'ai supportée. Mon rêve réalisé
par la tempête : être tout seul, couper le monde derrière moi, vivre
incognito, n'être plus personne dans la foule, une foule dont on ne
parle pas la langue* [...]. *Pas de journaux ; surtout pas de visites ;
aucune réponse à faire. Pas de coups de sonnette à craindre. Seul
absolument. N'avoir que son travail* [Zola composait *Fécondité*].
*Des domestiques à qui on doit parler par signes. Le silence et la
paix du cloître. Je suis fait pour cette vie-là. Parfaitement heureux,
sans la révolte intérieure du crime en France* [Lire : J'aurais été
parfaitement heureux, là-bas, n'eût été cette *révolte*, au fond de moi,
grondante, devant le *crime* qui continuait à s'accomplir *en
France*]. *Plus tard, le désir que cela cesse.* [Et cependant] *dire
combien je regretterai cela un jour, rentré dans ma fournaise.* »
— « *Comment j'ai appris à lire un peu la langue. D'abord rien,
jusqu'à l'affaire Henry. Alors, la nécessité de lire les journaux*
[...]. *Le dictionnaire ; la grammaire achetée ; sans professeur*
[...]. *Personne avec qui parler, dans ma solitude absolue. Donc
rien que la lettre, le mot écrit. Puis peu à peu, les journaux lus
couramment. Le Vicaire de Wakefield* [...]. *La prononciation
naturellement négligée ; si importante. Incapable de dire et d'entendre.* »
— « *Cette fenêtre du presbytère (communs) que je voyais
toujours ouverte, au printemps, si gaie au milieu des autres fenêtres
toujours closes, barrées de leurs vitres glauques comme des yeux
troubles et morts. Des enfants toujours là ; un petit balcon. Et
brusquement, un jour, j'ai compris pourquoi elle était si gaie :
Mais c'est une fenêtre de France!* »
— « *Ah! les soirées d'exil, parfois, dans la solitude de l'hiver.
S'en aller ; ne plus rentrer ; rester dehors. Cette crise dans mon*

cerveau. Croire que tout est fini, que la patrie au loin, va mourir.
Le silence. Que se passe-t-il? L'impuissance. Rien à faire. Attendre.
Les samedis soir, attendre les nouvelles jusqu'au lundi ; alors qu'il
y a eu [le samedi, dans les journaux anglais] *une dépêche de*
France, un extrait de la presse immonde. »

La Cour de cassation, toutes Chambres réunies, a fait
ce qu'elle ne pouvait pas ne pas faire, tant l'évidence
était écrasante ; les juges militaires de 1894 voient leur
décision annulée. Dreyfus est, de nouveau, le capitaine
Dreyfus. Son procès est à refaire. L'Armée le refera
comme elle l'entend, et comme si n'existaient point les
considérants de l'arrêt prononcé le 3 juin 1899.

Les textes ci-dessous de Zola sont antérieurs à
l'incroyable second procès du capitaine, le procès de
Rennes (7 août-9 septembre 1899).

— *« Ce qui a éternisé l'affaire, c'est qu'il ne s'est pas rencontré*
un homme au pouvoir [...]. Félix Faure, un pleutre. Méline, le
plus étroit des esprits. Cavaignac, un sectaire. Brisson, le meilleur,
mais si faible ! Freycinet, distingué mais louvoyant. Dupuy, un
faux brutal [...]. Pas un qui ait osé faire la vérité, donner le coup de
balai nécessaire, que tous auraient accepté, en s'inclinant bien
bas. Brisson caractéristique, et Freycinet aussi : terrifiés par les
généraux [...]. Un homme aurait tout nettoyé en trois jours, et il
n'y aurait pas eu un souffle si l'on avait suivi un maître. »

— *« La marche philosophique de l'affaire. On poursuit Picquart*
pour le petit bleu, et c'est ce qui fait constater que le petit bleu
a bien été écrit par Schwarzkoppen, qu'il a bien été adressé à Ester-
hazy et qu'on a commis l'infamie de l'altérer à l'État-Major.

C'est ainsi depuis le commencement. Les menteurs et les faus-
saires se perdent eux-mêmes. Reprendre tous les faits à ce point
de vue. Pour m'écraser à mon procès, Pellieux apporte le faux
d'Henry. Cavaignac, plus tard [7 juillet 1898], le sort à la Chambre,
le fait afficher, et c'est ce qui rendra la révision inévitable [...].

Démontrer que ce sont toujours les coupables qui se sont dénoncés
eux-mêmes, qui se sont forcés les uns les autres à travailler, malgré
eux, à la vérité. »

— *« On dirait qu'un prodigieux metteur en scène a réglé le*
développement, les retards, les coups de théâtre de l'affaire Dreyfus
[...].

Tout ce qu'on a fait pour l'arrêter n'a pas fait que la précipiter.
Chaque mensonge a fait éclater une vérité nouvelle. La loi de
dessaisissement. Et le destin qui s'en mêle : mort de F. Faure,

c'est à cause de la loi, à cause de la complication et du retard, que l'enquête a été publiée [dans le *Figaro*, illégalement et courageusement, à partir du 31 mars 1899], *que la vérité a de plus en plus éclaté, irréparable* [...]. *Si la revision avait été faite en janvier* [1899], *on pouvait encore sauver bien des responsabilités.*
　　La Némésis que rien n'arrête [...]. *Les criminels qui se perdent eux-mêmes.* »

　　La Némésis, un civil industrieux, Waldeck-Rousseau, aidé d'un général réaliste, Galliffet, sauront l'*arrêter* cependant. Elle ne passera pas. Tous deux imposeront à l'armée la « grâce » de Dreyfus, dix jours exactement (19 septembre 1899) après la sentence du Conseil de guerre qui s'acharnait à condamner une seconde fois le juif innocent. Mais c'était un donnant-donnant qu'avaient arrangé là le Président du Conseil et son ministre principal : Imbéciles, murmuraient-ils à leurs partenaires, imbéciles qui ne voyez pas où vous allez, ne bougez plus! Lâchez cet infortuné, qui ne compte pas; et, à ce prix, nous vous sauvons. Cette « grâce » de Dreyfus — et qui devrait vous plaire, puisqu'on ne « gracie » que les coupables — n'est que le prélude à une amnistie générale, et préventive. Comprenez donc enfin de quoi vous êtes menacés! Il faudra bien, un jour ou l'autre, qu'on le sache, que ce Dreyfus n'était pas coupable. Alors on cherchera, pour les punir, ceux dont il a payé le crime. Et le triste Esterhazy, forban de seconde zone, ne sera pas seul en cause; tant s'en faut! Ne devinez-vous donc pas, généraux, que c'est vous-mêmes, votre caste, qui risquez des surgissements de vérité terribles? Nous allons donc vous amnistier tous, d'*avance*. Le voilà, notre plan. Vous n'aurez, enfin, plus rien à craindre. L'affaire aux secrets inavouables, grâce à nous, grâce à votre bon sens, si vous en avez une once, l'*affaire sans nom* sera ensevelie.
　　Zola mourra sans avoir pénétré, sans avoir soupçonné même, semble-t-il, l'énigme du grand drame dans lequel l'avaient jeté sa droiture et sa noblesse. On s'en aperçoit dans la transposition romanesque — « *lourde fiction* », dira Reinach (*op. cit.*, VI, 181) — qu'il en donna dans son dernier livre, *Vérité*, publié au lendemain de sa

mort. Mais ce qu'il faut savoir, et qu'on oublie trop,
c'est que si cet honnête homme flamba comme il le fit
pour arracher un innocent au déshonneur, l'amour profond, l'ardent amour qu'il portait à son pays entrait
pour beaucoup dans l'impulsion qui le souleva.

Le livre qu'il projetait d'écrire lorsque Dreyfus serait
enfin réhabilité, Zola lui réservait une conclusion tout
entière consacrée à la France. « *Rêver le rôle futur de la
France* [...]. *Nous savons trop ce que coûte la conquête,
et de quel prix affreux on paye les apothéoses guerrières.
Si nous nous entêtons dans notre légende, si nous ne comprenons pas que d'autres temps sont venus, que l'avènement de la démocratie va nécessiter une autre économie,
notre rôle est terminé, et nous disparaîtrons* [...]. *Quel rôle,
pour la République française, elle qui a libéré les peuples,
de leur enseigner la justice !* [...] *Elle qui a été la liberté,
quelle tâche d'être la justice aussi, l'initiatrice et la civi-
lisatrice de demain !* »

DU MÊME AUTEUR

Histoire littéraire.

LE « JOCELYN » DE LAMARTINE, Paris (Boivin), 1936.
FLAUBERT DEVANT LA VIE ET DEVANT DIEU (Plon), 1939.
LAMARTINE, L'HOMME ET L'ŒUVRE, Paris (Boivin), 1940.
CONNAISSANCE DE LAMARTINE, Fribourg (L. U. F.), 1942.
« CETTE AFFAIRE INFERNALE » (L'Affaire Rousseau-Hume), Genève (Milieu du Monde), 1943.
UN HOMME, DEUX OMBRES (Jean-Jacques, Julie, Sophie), Genève (Milieu du Monde), 1943.
LES AFFAIRES DE L'ERMITAGE (1756-1757), Genève (Annales J.-J. Rousseau), 1943.
LA BATAILLE DE DIEU (Lamennais, Lamartine, Ozanam, Hugo), Genève (Milieu du Monde), 1944.
LES ÉCRIVAINS FRANÇAIS ET LA POLOGNE, Genève (Milieu du Monde), 1945.
LAMARTINE ET LA QUESTION SOCIALE, Paris (Plon), 1946.
L'HUMOUR DE VICTOR HUGO, Neuchâtel (La Baconnière), 1950.
VICTOR HUGO PAR LUI-MÊME, Paris (Seuil), 1951.
HUGO ET LA SEXUALITÉ, Paris (Gallimard), 1954.
CLAUDEL ET SON ART D'ÉCRIRE, Paris (Gallimard), 1955.
M. DE VIGNY, HOMME D'ORDRE ET POÈTE, Paris (Gallimard), 1955.
A VRAI DIRE, Paris (Gallimard), 1956.
ICONOGRAPHIE DE LAMARTINE, Genève (Cailler), 1958.
BENJAMIN CONSTANT MUSCADIN, Paris (Gallimard), 1958.
Mme DE STAËL, BENJAMIN CONSTANT ET NAPOLÉON, Paris (Plon), 1959.
ZOLA, LÉGENDE ET VÉRITÉ, Paris (Julliard), 1960.

Publication de textes.

LAMARTINE :

LES VISIONS, Paris (Belles-Lettres), 1936.
LETTRES DES ANNÉES SOMBRES (1853-1867), Fribourg (L. U. F.), 1942.
LETTRES INÉDITES (1825-1851), Porrentruy (Les Portes de France), 1944.
ANTONIELLA, Porrentruy (Les Portes de France), 1945.

VICTOR HUGO :

PIERRES, Genève (Milieu du Monde), 1951.
SOUVENIRS PERSONNELS (1848-1851), Paris (Gallimard), 1952.
STROPHES INÉDITES, Neuchâtel (Ides et Calendes), 1952.

290 ÉCLAIRCISSEMENTS

CRIS DANS L'OMBRE ET CHANSONS LOINTAINES, Paris (Albin Michel), 1953.
CARNETS INTIMES (1870-1871), Paris (Gallimard), 1953.
JOURNAL (1830-1848), Paris (Gallimard), 1954.

Histoire

HISTOIRE DES CATHOLIQUES FRANÇAIS AU XIXᵉ SIÈCLE, Genève (Milieu du Monde), 1947.
LAMARTINE en 1848, Paris (Presses Universitaires), 1948.
LA TRAGÉDIE DE QUARANTE-HUIT, Genève (Milieu du Monde), 1948.
LE COUP DU 2 DÉCEMBRE, Paris (Gallimard), 1951.

LES ORIGINES DE LA COMMUNE :

1. CETTE CURIEUSE GUERRE DE 70, Paris (Gallimard), 1956.
2. L'HÉROIQUE DÉFENSE DE PARIS, Paris (Gallimard), 1959.
3. LA CAPITULATION, Paris (Gallimard), 1960.

Essais et Récits.

UNE HISTOIRE DE L'AUTRE MONDE, Neuchâtel (Ides et Calendes), 1942.
RESTE AVEC NOUS, Neuchâtel (La Baconnière), 1944.
RAPPELLE-TOI, PETIT, Porrentruy (Portes de France), 1945.
PAR NOTRE FAUTE, Paris (Laffont), 1946.
CETTE NUIT-LA, Neuchâtel (Le Griffon), 1949.

ACHEVÉ D'IMPRIMER
LE 25 SEPTEMBRE 1961
PAR FIRMIN-DIDOT ET Cie
LE MESNIL - SUR - L'ESTRÉE
(EURE)

Imprimé en France
N° d'édition : 8407
Dépôt légal : 3e trimestre 1961. — 9006